Particulier initiatief en publiek belang

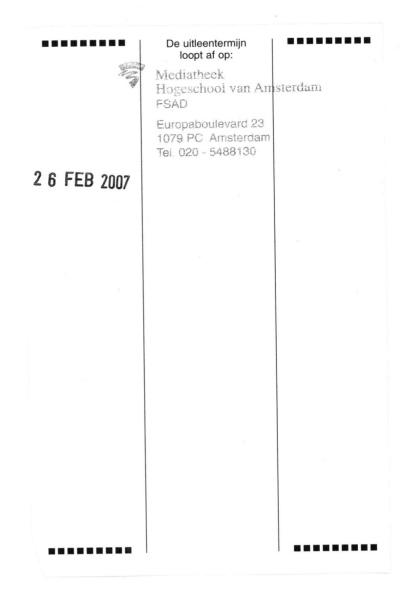

Particulier initiatief en publiek belang

Beschouwingen over de aard en toekomst van de
Nederlandse non-profitsector

Paul Dekker (redactie)

Met bijdragen van:

Johan van Berkum
Erik Dees
Geert Jan Hamilton
Paul Kalma
Ab Klink
Tineke van den Klinkenberg en Henk Krijnen
Marco Kreuger
Roel Kuiper
Jos van der Lans en Stavros Zouridis
Nico Schouten
Herman Tjeenk Willink
Steven de Waal

Sociaal en Cultureel Planbureau
Den Haag, maart 2002

Het Sociaal en Cultureel Planbureau is ingesteld bij Koninklijk Besluit van 30 maart 1973.

Het Bureau heeft tot taak:

a.   wetenschappelijke verkenningen te verrichten met het doel te komen tot een samenhangende beschrijving van de situatie van het sociaal en cultureel welzijn hier te lande en van de op dit gebied te verwachten ontwikkelingen;

b.   bij te dragen tot een verantwoorde keuze van beleidsdoelen, benevens het aangeven van voor- en nadelen van de verschillende wegen om deze doeleinden te bereiken;

c.   informaties te verwerven met betrekking tot de uitvoering van interdepartementaal beleid op het gebied van sociaal en cultureel welzijn, teneinde de evaluatie van deze uitvoering mogelijk te maken.

Het Bureau verricht zijn taak in het bijzonder waar problemen in het geding zijn, die het beleid van meer dan één departement raken.
De minister van Volksgezondheid, Welzijn en Sport is als coördinerend minister voor het sociaal en cultureel welzijn verantwoordelijk voor het door het Bureau te voeren beleid. Omtrent de hoofdzaken van dit beleid treedt de minister in overleg met de minister van Algemene Zaken, van Justitie, van Binnenlandse Zaken en Koninkrijkrelaties, van Onderwijs, Cultuur en Wetenschappen, van Financiën, van Volkshuisvesting, Ruimtelijke Ordening en Milieubeheer, van Economische Zaken, van Landbouw, Natuurbeheer en Visserij, van Sociale Zaken en Werkgelegenheid.

© Sociaal en Cultureel Planbureau, Den Haag 2002
Omslagontwerp: GO - Grafische Ontwerpen, Den Haag
Zet- en binnenwerk: Asterisk*, Amsterdam

Verspreiding in België: Maklu-Distributie
Somersstraat 13-15, B-2018 Antwerpen

ISBN 90-377-0086-1
NUR 740

Dit rapport is gedrukt op chloorvrij papier

Sociaal en Cultureel Planbureau
Parnassusplein 5
2511 VX Den Haag
Tel. (070) 340 70 00
Fax (070) 340 70 44
Website: http://www.scp.nl
E-mail: info@scp.nl

Inhoud

Voorwoord

Maatschappelijk middenveld, particulier initiatief, derde of non-profitsector: het zijn enkele begrippen om organisaties aan te duiden waarin in Nederland vanouds het vrijwillige engagement van burgers tot uitdrukking komt en waardoor een groot deel van de diensten van de verzorgingsstaat wordt geleverd.

In deze publicatie wordt de eigenheid en toekomst van deze organisaties belicht vanuit verschillende invalshoeken en politieke stromingen. Naast een beschouwing van de vice-president van de Raad van State en verkenningen van Europese, multiculturele en organisatorische aspecten, zijn er bijdragen vanuit de wetenschappelijke bureaus van alle in de Tweede Kamer vertegenwoordigde politieke partijen.

Enkele hoofdstukken zijn bewerkingen en uitwerkingen van bijdragen aan een middagconferentie over de toekomst van de Nederlandse non-profitsector, die op 9 november 2001 plaatsvond in Sociëteit De Witte in Den Haag. Aanleiding daarvoor was het verschijnen enkele maanden eerder van de scp-publicatie *Noch markt, noch staat*, het Nederlandstalige eindrapport van het 'Johns Hopkins Comparative Nonprofit Sector Project'. De nadruk lag daarin op de feitelijke situatie van de sector in vergelijkend en historisch perspectief. Nu gaat het eerder om de normen dan om de feiten en eerder om de toekomst dan om het verleden.

De conferentie en deze publicatie zijn mede mogelijk gemaakt dankzij een financiële bijdrage van de Directie Sociaal Beleid van het ministerie van VWS. Het onderzoek zelf werd eerder financieel ondersteund door dit ministerie, het ministerie van OC&W, het Juliana Welzijn Fonds en FIN, de Vereniging van Fondsen in Nederland. Het scp is hen zeer erkentelijk voor hun steun. Hier wil ik graag vooral de externe auteurs van deze bundel hartelijk bedanken. Hun enthousiast en om niet geleverde bijdragen moesten vaak tussen veel andere activiteiten door worden geschreven. De bereidheid daartoe is opmerkelijk, zeker waar het gaat om de kleine wetenschappelijke instituten die gelieerd zijn aan politieke partijen, waar men wel eens met enige begrijpelijke afgunst kijkt naar de zoveel beter geëquipeerde onderzoeksinstellingen van de rijksoverheid. Het kan niet anders of de non-profitgedachte is nog springlevend in ons land. De discussie kan worden voortgezet.

Prof. dr. Paul Schnabel
Directeur scp

1   Inleiding

Paul Dekker

Op de voorkant van dit boek staan koppen van krantenartikelen uit de maand
februari 2002 over de (particuliere) non-profitsector in Nederland. Het is echter twij-
felachtig of de omslagillustratie zonder boektitel bij veel mensen een associatie met
de non-profitsector zou oproepen. Waarschijnlijk niet. Men ziet knipsels over onderwijs, gezondheidszorg, woningcorporaties en vakbonden en zal zich afvragen wat
het gemeenschappelijke onderwerp is.

Het idee van een non-profitsector is niet gangbaar in Nederland. Als individuele
non-profitorganisaties in ons land al worden onderscheiden van andere organisaties, dan worden ze toch primair 'verticaal' waargenomen als deel van beleidskolommen (of voorzieningenclusters) voor onderwijs, zorg enzovoort, en niet, zoals in
veel andere landen, 'horizontaal' als eigensoortige organisaties met gemeenschappelijke problemen en belangen.[1] In Nederland hadden we ooit de zuilen, waarbinnen
althans per levensbeschouwing samenhang tussen non-profits inclusief belangenorganisaties werd ervaren, maar afgezien van veelal vage noties van 'middenveld' is er
geen sectorbewustzijn dat zich uitstrekt van katholieke school en humanistisch ver-
zorgingshuis tot voetbalclub en vakbond.

Hoe zinvol is het om non-profits op zeer diverse terreinen van maatschappelijke
en economische activiteit en overheidsbeleid te bezien als een sector? Zijn er overeenkomstige ontwikkelingstrends en problemen? Hebben de organisaties iets
gemeenschappelijk wat de moeite waard is en stimulering verdient of bescherming
behoeft? Of vraagt slechts een deel van de non-profits extra aandacht en kunnen we
die beter met andere kenmerken identificeren en met andere begrippen bespreken?
Deze vragen komen in dit boek aan de orde naar aanleiding van een groot landenvergelijkend onderzoek waarin de Nederlandse non-profitsector werd vergeleken met
die in 21 andere landen.[2] In dit inleidende hoofdstuk wordt allereerst aan de hand
van dat onderzoek de non-profitsector als concept voorgesteld, en worden enige
gegevens gepresenteerd over aard en omvang van deze sector in ons land. Na ver-
melding van ontwikkelingstrends komen keuzen voor de toekomst van de sector aan
de orde. Tot slot volgt een overzicht van de bijdragen aan dit boek.

De non-profitsector

Nederland was één van de 22 landen waarvoor in het 'Johns Hopkins comparative
nonprofit sector project' de non-profitsector voor het jaar 1995 landenvergelijkend in
kaart werd gebracht. Het ging volgens de gemeenschappelijke definitie van het project bij een non-profit om een
- organisatie (er is meer dan een informele groep of tijdelijk verband)
- met privaat karakter (dus formeel geen deel uitmakend van de overheid)

- die geen winst verdeelt (een surplus creëren voor de organisatie mag wel),
- in wezen de eigen activiteiten kan sturen en
- vrijwillig is, dat wil zeggen niet wettelijk verplicht is en tot op zekere hoogte vrijwillige bijdragen in geld of tijd aantrekt.

Vooral de laatste twee criteria zijn lastig, want wat is 'in wezen' en wat is 'tot op zekere hoogte'? De Engelstalige formuleringen *fundamentally* en *some level* bieden niet meer houvast, evenmin als *to a significant degree* respectievelijk *some meaningful voluntary participation* waarmee eerder in het project werd geprobeerd richting te geven aan het selectieproces van de nationale onderzoeksteams. De herformuleringen illustreren hoe lastig het is om redelijke minimale eisen aan de autonomie en vrijwilligheid te stellen. Voor Nederland zijn we ervan uitgegaan dat de aanbieders-vrijheid van onderwijs, de bestuurssamenstelling en de vrijheid van schoolkeuze voldoende zijn om bijzondere scholen als non-profits te beschouwen, maar dat sociale zekerheidsorganen zich vanwege gebrek aan vrijwilligheid en zelfbestuur niet kunnen classificeren. Deze ongetwijfeld discutabele beslissingen wijzen niet op een onnodig vage definitie, maar op een feitelijke vage begrensdheid van de Nederlandse non-profitsector.

Met de internationale non-profitdefinitie hebben we vanuit een primair economische invalshoek een deel van de maatschappij in kaart gebracht dat men in Nederland meestal niet economisch bekijkt, maar eerder historisch-sociologisch en politiek-bestuurlijk – als 'particulier initiatief' of 'maatschappelijk middenveld'. Economisch pleegt men de particuliere non-profits niet te onderscheiden van openbare instellingen en worden ze gezien als deel van de publieke sector, de quartaire sector of een non-profitsector inclusief overheid.

Wat valt landenvergelijkend op als we organisaties van het plaatselijke verenigingsleven, de landelijke koepels en pressiegroepen van het maatschappelijke middenveld, de kerken, de woningcorporaties, de bijzondere scholen, de stichtingen in de sfeer van de zorg, de NGO's en nog heel veel meer samenvoegen tot de Nederlandse non-profitsector volgens de 'Hopkins-definitie'?

Afgaande op het aandeel van de non-profits in de totale (betaalde) niet-agrarische werkgelegenheid[3] had ons land in 1995 met 12,9% de grootste non-profitsector. Nederland werd direct gevolgd door Ierland (11,5%) en België (10,5%) en op afstand door de overige onderzochte West-Europese landen, die zijn vermeld in tabel 1.1. Van de overige landen kwamen alleen Israël (9,2%), de Verenigde Staten (7,8%) en Australië (7,2%) in de buurt. Japan (3,5%) en Argentinië (3,2%) vielen ook nog net in de Europese bandbreedte, de resterende Oost-Europese en Latijns-Amerikaanse landen zaten daar onder.

Tabel 1.1 Betaalde en onbetaalde arbeid in de non-profitsector (% van de niet-agrarische werkgelegen-heid) en verdeling van de betaalde arbeid in de non-profitsector (% van de non-profitwerkgelegenheid)

	betaalde en onbetaalde arbeid			verdeling van de betaalde arbeid			
	betaald	vrijwillig	verhouding	zorg	onderwijs	welzijn	overig
Nederland	12,9	6,1	2,1	42	27	19	11
Ierland	11,5	2,6	4,4	28	54	5	14
België	10,5	2,5	4,2	30	39	14	17
Verenigd Koninkrijk	6,2	4,4	1,4	4	41	13	41
Duitsland	4,9	3,1	1,6	31	12	39	19
Frankrijk	4,9	4,7	1,0	15	21	40	24
Oostenrijk	4,5	1,2	3,7	12	9	64	15
Spanje	4,5	2,3	2,0	12	25	32	31
Finland	3,0	3,3	0,9	23	25	18	34

Bron: Johns Hopkins Comparative Nonprofit Sector Project

De schatting van de hoeveelheid onbetaalde arbeid of vrijwilligerswerk in de non-profitsector is met meer onzekerheid omgeven dan die van de betaalde arbeid. De cijfers in de linkerhelft van tabel 1.1 zijn echter voldoende betrouwbaar om te laten zien dat groei van de non-profitsector niet zonder meer een vervanging van onbe-taalde arbeid door betaalde arbeid betekent. In Nederland wordt relatief veel vrijwil-ligerswerk verricht, aanzienlijk meer ook dan in Ierland en België, de twee landen met een bijna even grote non-profitsector. In die landen is het aandeel van de collec-tieve financiering van de non-profitsector trouwens ook hoger dan in Nederland. Zo gezien valt het met de vaak beklaagde 'verstatelijking' van het particuliere initiatief in Nederland misschien ook nog wel mee. De rechter helft van tabel 1.1 laat zien dat de zorg verreweg het grootste werkterrein voor Nederlandse non-profits vormt. Elders is onderwijs (en onderzoek) nogal eens belangrijker. Dat het onderwijs in Nederland niet de vooraanstaande positie inneemt die men op basis van de eigen geschiedenis zou verwachten (schoolstrijd, pacificatie van 1917, artikel 23 van de Grondwet; zie hoofdstuk 13 van Erik Dees) is een bevinding die het belang van landenvergelijkende cijfers illustreert. Overigens biedt ook de geschiedschrijving over de non-profitsector in andere landen aanleiding om de uniciteit van het Nederlandse verzuilingsverhaal te relativeren.[4]

Tabel 1.2 biedt meer gedetailleerde informatie over de Nederlandse sector. De tabel vermeldt de elf hoofdsectoren van het Hopkins-project. Er is een scheidslijn aange-bracht tussen vier grote terreinen waarop voornamelijk non-profits van de verzor-gingsstaat actief zijn, en een heel divers restgebied. In het verzorgingsstaatstuk werd 90% van de 669 duizend voltijdsequivalenten (fte's) betaalde arbeid en 84% van de 98 miljard gulden uitgaven van de sector gerealiseerd en was twee derde van de

inkomsten afkomstig van de overheid, sociale verzekeringen en particuliere ziektekostenverzekeringen (samengenomen onder het kopje 'collectief'). In het restdeel
vond 16% van alle non-profituitgaven plaats, werd 58% van de in totaal geschatte
406 duizend fte's onbetaalde non-profitarbeid verricht en was twee derde van de
inkomsten afkomstig uit particuliere bijdragen, lidmaatschapsgelden en dergelijke
('bijdragen'); ook was men veel meer aangewezen op giften (15% van de inkomsten;
voor de non-profits in de verzorgingsstaatsector was dit slechts 1%; zie verder
hoofdstuk 6 van Marco Kreuger).

Tabel 1.2 Samenstelling van de Nederlandse non-profitsector, 1995 (in %)

	arbeid (fte's)			uitgavenfinancieringsbronnen*		
	betaald	onbetaald	uitgaven	collectief	bijdragen	giften
Zorg	42	7	28	96	3	1
Onderwijs en onderzoek	27	14	20	91	8	1
Welzijn	19	21	13	66	31	3
Volkshuisvesting	2	0	23	7	93	0
subtotaal 'verzorgingsstaat'	**90**	**42**	**84**	**66**	**33**	**1**
Cultuur en recreatie	4	36	6	27	65	8
Beroeps- en vakorganisaties	2	1	2	0	100	0
Internationale hulp	1	2	2	45	20	35
Milieu	1	4	2	23	60	16
(Ideële) belangenorganisaties	1	6	1	4	85	11
Filantropie en vrijwilligersorganisaties	0	0	1	0	94	3
Religie	1	8	1	0	18	82
subtotaal overige terreinen	**10**	**58**	**16**	**19**	**65**	**15**
totaal non-profitsector	100	100	100	59	38	3

* Horizontaal gepercenteerd; onder 'collectief' vallen ook de particuliere ziektekostenverzekeringen.
Bron: SCP/Johns Hopkins Comparative Nonprofit Sector Project (gegevens verzameld door Ary Burger)

De tweedeling van een 'verzorgingsstaatkant' met vooral grote professionele dienstverlenende organisaties enerzijds, en een overige sector met meer vrijwilligers, meer
verenigingsleven en al dan niet ideële belangenorganisaties en meer organisaties
met leden in plaats van klanten en gebruikers anderzijds, is eveneens niet uniek voor
Nederland. Ze wordt ook gemaakt in andere westerse landen, waarin om uiteenlopende redenen op grote schaal de voorkeur is gegeven aan particuliere uitvoering van
publieke diensten boven een scherpe scheiding tussen publieke dienstverlening en
particuliere belangenbehartiging.[5]

Wat zijn de belangrijkste ontwikkelingstrends in de non-profitsector in de afgelopen
decennia? In de leden- en belangenorganisaties die vooral onder de scheidslijn van
tabel 1.2 te vinden zijn, zijn de trends divers. Er zijn verschuivingen tussen terreinen
(minder georganiseerde religie, meer sport), en veranderingen binnen terreinen
(minder belangstelling in de politiek voor partijen en meer voor ideële belangenorga-

nisaties en losse activiteiten). Over de hele linie is er een verandering in het karakter van organisaties te signaleren: minder *face-to-face*-organisaties met een actief verenigingsleven en meer *mailing-list*-organisaties en individueel gebruik van organisaties. Ook deze trends worden in andere landen gesignaleerd, maar er is reden om te vermoeden dat de 'modernisering' van het maatschappelijke middenveld of de georganiseerde *civil society* in Nederland wat verder is voortgeschreden dan elders.[6]

De waardering van de ontwikkelingen in de leden- en belangenorganisaties verschilt. Naast sombere beschouwingen over het vluchtiger worden van het engagement van burgers en de afnemende draagkracht en zelfstandigheid van hun organisaties, zijn er positief gestemde verhalen te horen over nieuwe initiatieven van burgers en de sterker wordende positie en onderlinge verbanden van vooral ideële organisaties tegenover overheden en bedrijfsleven. Het is niet makkelijk een samenvattend beeld van de ontwikkelingen te geven.

Dat is misschien makkelijker voor de non-profitdienstverleners in de sectoren boven de scheidslijn van tabel 1.2. Op de non-profits van de verzorgingsstaat werken in Nederland en ook elders tegenstrijdige krachten in. Enerzijds wordt er gestreefd naar een scherpere scheiding van publieke en particuliere verantwoordelijkheden, waarbij de overheid ondubbelzinnig publiek verantwoordelijk is en binnen de door de overheid gestelde grenzen particuliere partijen – individuele burgers, concurrerende for-profits en non-profits en andere organisaties – in principe alle vrijheid genieten om hun eigen belangen te behartigen. Tussen de beleidsmakers, regelgevers en financiers enerzijds, en de particuliere of ten minste verzelfstandigde dienstverleners anderzijds wordt afstand gecreëerd om te vermijden dat verantwoordelijkheden verdampen in een al te nauwe samenwerking. Behalve met marktconforme managementideeën wordt dit streven onderbouwd met het vrijmarktbeleid van de Europese Unie. Grofweg komt dat erop neer dat er twee soorten organisaties mogen zijn: ondernemingen die producten of diensten leveren en uitvoerders van collectieve regelingen. De eerste concurreren met elkaar en de laatste zijn monopolies. Of de eerste for-profit of not-for-profit werken, maakt niet uit zolang markten open zijn, geen aanbieders bevoordeeld worden en de consumenten keuzevrijheid hebben. De uitvoerders van beleid hoeven niet per se overheids- of socialezekerheidsinstellingen te zijn, maar het wordt lastig als er sprake is van een afgeschermde groep beperkt concurrerende organisaties en een combinatie van de publieke taken met niet-publieke activiteiten. In het hoofdstuk van Geert Jan Hamilton wordt verder ingegaan op de Europese factor en wordt ook naar voren gebracht dat Europa niet alleen als een belemmerende factor voor de non-profitsector moet worden gezien.

Anderzijds, tegenover het streven naar publiek-particuliere ontvlechting, zijn krachten werkzaam die non-profitorganisaties steeds meer doen lijken op organisaties van de overheid en het bedrijfsleven, en die de grenzen van de non-profitsector doen vervagen.[7] Zeker in Nederland gaat het hier niet slechts om een weerbarstige praktijk van de laatste jaren, maar om iets dat is ingebed in een lange pragmatische traditie van samenwerking tussen particulier initiatief en overheden via de verzuilde groei van de verzorgingsstaat tot *public private partnerships* en poldermodel.

In de naoorlogse groei van de verzorgingsstaat zijn particuliere non-profitorganisaties niet alleen afhankelijker geworden van de overheid als financier en regelgever, ze hebben door die afhankelijkheid en door professionalisering ook trekken van overheidsinstellingen gekregen: trefwoorden zijn hier verstatelijking en bureaucratisering. Ook heeft er convergentie plaatsgevonden met publieke aanbieders zoals gemeentelijke ziekenhuizen en openbare scholen. In de afgelopen twee decennia zijn daar de convergentie van non-profits en commerciële instellingen, en de vervaging van grenzen tussen non-profit- en marktsector bijgekomen, onder andere door de verspreiding van management- en verantwoordingstechnieken en van ideeën over klantgerichtheid, en ook door feitelijke aanpassing aan concurrenten. Non-profitorganisaties komen steeds meer in concurrentie- en samenwerkingsverhoudingen met marktorganisaties terecht en gaan zelf trekken van het bedrijfsleven gaan overnemen. Daardoor vermindert de herkenbaarheid van non-profitorganisaties en van typische non-profitsectoren. Er ontwikkelen zich overgangsgebieden waarin commerciële organisaties traditionele non-profitdomeinen betreden en non-profitorganisaties de markt op gaan. Een stap verder gaat de vermenging van publieke, non-profit- en for-profitelementen binnen organisaties. Voorbeelden daarvan bieden de woningcorporaties (winst maken voor de sociale volkshuisvestingsdoelen), basisscholen (samenwerkingsscholen die openbaar en bijzonder onderwijs aanbieden) en de thuiszorg (grote bureaucratieën die commerciële activiteiten ontwikkelen in het verlengde van hun zorgarbeid). Het onderscheid tussen non-profit, profit en publiek is zelfs op het niveau van afzonderlijke organisaties steeds moeilijker te maken. Er ontstaan ambigue dienstverleningsclusters met moeilijk in te delen organisaties. De non-profitsector vervaagt en is misschien wel helemaal aan het verdwijnen.[8]

De toekomst

De hier kort aangeduide ontwikkelingen brengen gevestigde non-profitdienstverleners in onzekerheid: de identiteit is zoek, de levensbeschouwelijke achtergrond is 'weggefuseerd' of heeft geen concrete betekenis meer, de sociale basis van de begintijd van de organisatie is afgebrokkeld; men wil geen bureaucratie zijn en men is toch ook geen echte onderneming (hoewel de clientèle wel vaker op zoek gaat naar echte ondernemingen als mogelijk alternatief). Er wordt dan ook gezocht naar nieuwe modellen om de organisaties zin en vorm te geven. Daarbij gaat het grofweg om de keuze tussen 'maatschappelijke onderneming' en *civil society*.

Het idee van maatschappelijk ondernemerschap trekt de ingezette ontwikkeling van non-profits richting markt in zekere zin door naar een wenselijke toekomst. In de plaats van een van buiten- en bovenaf opgedrongen verzakelijking onder invloed van ideeën over 'new public management' en een door de overheid gewenste marktwerking, komt de eigen keuze voor een combinatie van ondernemen en idealisme. In Nederland betekent dit vooral een afscheid van het oude vocabulaire van particulier initiatief en middenveld. Maatschappelijke ondernemingen zijn gewone ondernemingen, ze verdelen alleen geen winst, en onder bepaalde voorwaarden zouden ze bevoordeeld moeten kunnen worden door de overheid. Misschien herbergen ze veel vrijwilligerswerk, maar dat hoeft niet; misschien worden ze gecontracteerd door de overheid voor het leveren van publieke diensten, maar ook dat hoeft niet. Ze zouden in ieder geval meer afstand tot de overheid moeten houden dan hun voorgangers van het verstatelijkte particuliere initiatief. Het idee van maatschappelijk ondernemerschap komt in deze bundel uitgebreider aan de orde, met name in hoofdstuk 5 van Steven de Waal en ook in de hoofdstukken 11 en 12 van Ab Klink en Paul Kalma.

Het idee van de *civil society* is vooral een herbezinning op en een poging tot actualisering van het vrijwillige en levensbeschouwelijke en politieke engagement dat de oorsprong van veel non-profits vormde. In de slotbeschouwing van *Noch markt, noch staat* heb ik om twee redenen vraagtekens geplaatst bij de *civil society* als ideale non-profitsector. Het eerste argument was dat het ideaal te romantisch is. Voor het overgrote deel van *service delivery industries* in de non-profitsector is het irreëel of onwenselijk zaken als professionele kwaliteit, economische efficiëntie en grootschalige bestuurlijke afstemming ondergeschikt te maken aan *civil-society*verlangens naar vrijwilligheid en zelfbestuur. Het tweede argument was dat voorzover dergelijke verlangens wel een rol kunnen spelen, er geen reden meer is ze te beperken tot non-profits. De eerder aangeduide convergentie van organisaties uit verschillende domeinen biedt ook een basis voor de veralgemenisering van idealen van de *civil society*. Waarom zou wat goed is voor een bijzondere school inmiddels niet ook goed zijn voor een openbare school?

Maatschappelijke ondernemer of organisatie van de *civil society* – in beide gevallen wordt verondersteld dat non-profits iets moois zijn en dat ze dienen te worden bevorderd of beschermd. Waarom zou men nog een voorkeur hebben voor non-profits als dienstverleners van de verzorgingsstaat? Daar zijn ten minste drie motiveringen voor te bedenken:
- Mobilisatie van vrijwillige hulpbronnen: particuliere instellingen kunnen nog steeds makkelijker dan de overheid giften genereren en vrijwilligers mobiliseren. Meer dan publieke instellingen kunnen ze daarvoor een beroep doen op gemeenschapszin, groepsloyaliteiten, vertrouwen in of geloof in de directere controleerbaarheid van bestuurders, of de behoefte aan overzichtelijkheid en exclusiviteit.
- Het inspelen op sociale en culturele diversiteit: particuliere organisaties kunnen zich makkelijker richten op bepaalde groepen in de samenleving en rekening houden met hun specifieke gevoeligheden en belangen. Non-profits die collectieve diensten verlenen 'dempen' zo als het ware het conflict tussen gelijkheid en bijzonderheid, vooral tussen de gelijkheid van burgers als rechthebbenden en hun bijzonderheid als ontvangers van onderwijs, zorg en dergelijke. De mogelijkheid om in brede zin, ook op groepsniveau, 'klantgericht' te zijn, is in wezen een oud argument voor 'verzuilde' organisaties, dat in multicultureel perspectief weer actueel wordt (zie hoofdstuk 4 van Tineke van den Klinkenberg en Henk Krijnen).

– Omgaan met koopkrachtoverschotten: mensen willen soms meer uitgeven aan collectieve diensten dan moet en officieel mag. Ook hier kunnen non-profits de spanning verminderen tussen gelijkheid en bijzonderheid van burgers, waarbij hun bijzonderheid nu eerder hun inkomen en bestedingswensen betreft. Non-profits kunnen groepssolidariteit organiseren tussen de grootschalige basissolidariteit van de verzorgingsstaat en de individuele vlucht naar de markt voor additionele en alternatieve diensten. Politiek zal dit koopkrachtargument voor non-profits niet minder controversieel zijn dan het voorgaande culturele argument. Hoeveel ongelijkheid tussen non-profits is acceptabel? Is uitbreiding van de groepssolidariteit buiten de overheid om, in aanvulling op een verzorgingsstaat met basisvoorzieningen, tot solidariteit tussen groepen mogelijk en strevenswaardig?[9]

Eerder werd enige scepsis geuit ten aanzien van de *civil society* als model voor de grote dienstverleners van de non-profitsector. In verschillende bijdragen in deze bundel wordt naar voren gebracht dat *civil-society*idealen van vrijwillig initiatief en zelfbestuur toch niet te gemakkelijk prijs moeten worden gegeven aan de organisatorische en economische realiteit van de grote instellingen.

Beziet men de hele sector en niet alleen de organisaties die werken voor de verzorgingsstaat, dan kan het idee van de *civil society* meer houvast bieden voor toekomstbeschouwingen. Het idee is echter op zijn minst dubbelzinnig. Als sfeer van vrijwillige maatschappelijke verbanden kan de *civil society* worden gezien als bron van sociale integratie, maar ook als plek van maatschappelijke discussie en politieke machtsvorming.[10] In het debat over non-profits krijgt de sociaal-integratieve betekenis doorgaans de meeste aandacht. In dit perspectief past ook de non-profit als element in en initiator van netwerken tussen de informele sfeer en instanties uit de publieke sfeer en marktsfeer, en als organisatie waarvan de 'gemeenschapswerking' de kern is.[11] De non-profit als aanstichter en organisator van het publieke debat en als criticus van het overheidsbeleid zal doorgaans een ander soort organisatie zijn dan de sociaal integrerende en gemeenschapsvormende non-profit. Welke eisen kan men aan non-profits stellen, in welke richting wil men ze hervormen wanneer ze in ten minste een van deze rollen een bijdrage moeten leveren aan een bloeiende *civil society*? Ondanks het enthousiasme voor de *civil society* bij vrienden van de non-profitsector, wordt deze vraag opvallend weinig gesteld, laat staan dat hij wordt beantwoord in de literatuur.[12] De Amerikaanse organisatiesocioloog Charles Perrow doet dat wel in een onlangs verschenen opstel over de bijdrage van non-profits aan de *civil society*. Onomwonden normatief maakt hij daarin onderscheid tussen 'goede', 'middelmatige' en 'slechte' non-profits.[13] Een goede non-profit is er een waarin "[A] *public, collective good* is produced, using *volunteer labour* in substantial amount, with room for *social interaction* that is *not on organisational terms*, and *below market wages* are paid." Het collectieve goed is publiek voorzover het beschikbaar is voor groepen buiten de eigen organisatie en achterban (en dat geldt zowel voor de roemruchte soepkeukens als voor de ideële belangengroep); vrijwilligerswerk is substantieel als doelen en manier van werken van de organisatie niet veranderd kunnen worden zonder instemming van de vrijwilligers (of omgekeerd: ze worden gewijzigd als de vrijwilligers anders dreigen te vertrekken); de sociale interactie mag zich niet beperken tot organisatorische functies en belangen, maar moet ruimte bieden tot uitwisseling van ervaringen en ideeën daarbuiten, en de minder dan marktconforme beloning geeft aan dat er blijkbaar een aanvullende intrinsieke beloning is van het werken aan de publieke of collectieve zaak. Een non-profit die geen publieke collectieve goederen levert maar slechts collectieve goederen voor de eigen leden (bijvoorbeeld sport en recreatie) is iets minder goed, maar nog altijd waardevol voor de *civil society*. Non-profits zijn 'middelmatig' als het vrijwilligerswerk alleen nog maar aanvullend is, als de communicatie uitsluitend op organisatiedoelen is gericht (of er helemaal geen communicatie tussen leden meer plaatsvindt omdat de leden nog slechts via acceptgiro's en media met de organisatie verbonden zijn) of de betaling voldoende moet zijn om mensen voor de organisatie te laten werken. 'Slechte' non-profits zijn belastingmijdende constructies die aan geen van de criteria meer voldoen, zoals stichtingen om commerciële bedrijven te beheren of fondsen om het geld in de familie te houden. Dat is niet irrelevant, maar evident onbedoeld en niet aan de orde in de discussie over de toekomst van de non-profitsector.

Ontwikkelingen van non-profits op langere termijn kunnen in de zin van Perrow vaak beschreven worden als een ontwikkeling van goede naar middelmatige non-profits. Misschien is die ontwikkeling op onderdelen te keren en kunnen we verder hopen op een continue aanwas van goede non-profits die het verloop van de rest compenseert. Dat levert dan ook voor de toekomst een voortdurend veranderende non-profitsector op met dienstverlenende instanties die uit het zicht verdwijnen op hybride voorzieningenmarkten; dienstverleners die zich meer richten op sociaal-integratieve en 'gemeenschapswerkende' taken en een infrastructuur blijven bieden voor sociaal en politiek engagement; nieuwe initiatieven voor dienstverlening en zelfhulp in de marges van de grote instellingen; ideële belangenorganisaties en ook organisaties die zich richten op de behartiging van belangen van de clientèle van de al dan niet nog als non-profit functionerende gevestigde dienstverleners. Wat zijn de overlevingskansen van deze verschillende organisaties, hoe wenselijk zijn ze? Welke functies, rollen of taken zijn er voor de overheid en markt of commercie in relatie tot de verschillende soorten non-profits? Heeft het zin om hier van non-profitproblemen en -perspectieven te spreken, of kunnen we wat hier non-profitsector is genoemd beter met andere begrippen benaderen? Het wordt tijd om te gaan kijken wat andere auteurs van deze bundel hierover te vertellen hebben.

Opzet van de bundel

Het boek is opgedeeld in een algemeen deel en een deel met beschouwingen vanuit de wetenschappelijke instellingen van de politieke partijen die begin 2002 in de Tweede Kamer vertegenwoordigd zijn.

In het eerste deel begint Mr. H.D. Tjeenk Willink in hoofdstuk 2 met een brede politiek-filosofische en historische verkenning van de betekenis van het particuliere initiatief – zowel 'het pi' van de initiatieven van burgers als 'het PI' van de vaak verzuilde instellingen – in de ontwikkeling van de Nederlandse maatschappelijke en politieke verhoudingen. Hij signaleert een opvallend gebrek aan belangstelling voor het particuliere initiatief in de democratische en staatkundige theorievorming in ons land. Daarnaast merkt hij op dat de teloorgang van de verzuilde groepstraditie nauwelijks is gecompenseerd door versterking van het individuele burgerschap, maar dat vooral de burger als consument en klant op de voorgrond is getreden. De beschouwing eindigt in een pleidooi voor nieuw particulier initiatief en voor een versterking van het burgerschap en van burgerorganisaties op Europees niveau.

De Europese eenwording is het onderwerp van Geert Jan Hamilton in hoofdstuk 3. Hij beschrijft de uitbreiding van het streven naar een gemeenschappelijke markt met sociale doelstellingen en de groter wordende aandacht voor diensten van algemeen belang. Hij gaat uitgebreid in op de bijzondere erkenning van het belang van non-profits in het gebruik van het concept van de 'sociale economie', waarin het niet gaat om het niet-verdelen van winst, maar om het organiseren van economische solidariteit en ontwikkelingsactiviteiten. Over de toekomst van de non-profitsector in Europa is de auteur niet somber. Daarbij is een adequate regulering van markten (met het opleggen van verplichtingen voor het algemene belang aan alle aanbieders) belangrijker dan specifieke bescherming van non-profits.

Tineke van den Klinkenberg en Henk Krijnen gaan in hoofdstuk 4 in op de gevolgen van de ontwikkeling van de multiculturele of multi-etnische samenleving voor de non-profitsector. De auteurs hanteren het onderscheid tussen dienstverlening namens de verzorgingsstaat enerzijds en vrijwillig initiatief, zelforganisaties en maatschappelijk middenveld anderzijds. Wat de verzorgingsstaat betreft, gaan zij in op interculturalisering in de omgang met gebruikers van voorzieningen, in de samenstelling van het personeelsbestand, en in de manier van werken en interne organisatie. De institutionele weerbarstigheid blijkt groot en doorbreking daarvan vergt een bredere 'sociale democratisering'. Ten aanzien van de allochtone initiatieven en zelforganisaties blijkt er een grote verscheidenheid te zijn aan oriëntaties op de eigen achtergrond en cultuur, op de Nederlandse samenleving, en op andere organisaties in het maatschappelijke middenveld. De auteurs waarschuwen tegen een overvraging van de organisaties van de kant van de overheid, die op zoek is naar vertegenwoordigers en overlegpartners, en ook tegen een verkrampte omgang met de allochtone zelforganisaties vanuit de eigen verzuilingsgeschiedenis.

Steven de Waal begint hoofdstuk 5 over de toekomst van de maatschappelijke onderneming met het onderscheiden van verschillende soorten non-profits en een analyse van de huidige problemen van publiekprivate samenwerking in ons land. Er is een hybride en vervlochten model ontstaan, waarin overheid en non-profits elkaar vaak in een wurggreep houden en verantwoordelijkheden en verantwoording onvoldoende helder zijn. Een nieuw gebalanceerd publiek-privaat model is gewenst. Na ampele overweging komt de auteur op twee toekomstscenario's: een 'gereguleerd veld van non-profitaanbieders' of een 'ondernemingsgewijze productie van publieksdiensten'. Het eerste scenario volgt vooral een aanbodmodel waarin non-profits door de overheid worden beschermd; het tweede volgt meer een vraagmodel waarbij wat de aanbieders betreft geen verschil wordt gemaakt tussen maatschappelijke (non-profit)ondernemingen en maatschappelijk verantwoordelijke (commerciële) ondernemingen. Hoe de non-profitsector zich zal ontwikkelen, hangt uiteindelijk af van de voorkeuren van de burgers/kiezers/consumenten ten aanzien van drie kwesties: hoe belangrijk vinden ze het non-profitkarakter van de aanbieders van zorg, onderwijs en dergelijke; hoe belangrijk is in hun ogen de mogelijkheid van bestuurlijke inbreng van burgers in de desbetreffende organisaties; en zijn ze tevreden met gestandaardiseerde dienstverlening of verlangen ze juist naar innovatie?

In het tweede deel met bijdragen van de aan politieke partijen gelieerde wetenschappelijke bureaus zijn de hoofdstukken niet partijpolitiek geordend van links naar rechts, van groot naar klein of in een regerings- en oppositieblok. Een volgorde is gezocht in de inhoud van de beschouwingen. Deze zijn namelijk wel geschreven vanuit een meer of minder specifieke politieke achtergrond of inspiratie, maar het zijn in meerderheid geen partijpolitieke stukken, laat staan geautoriseerde partijstandpunten. Het tweede deel begint met drie beschouwingen waarin een deel van de non-profitsector als respectievelijk de civiele samenleving, de collectieve sector en het maatschappelijke middenveld naar voren wordt gehaald in relatie tot de overheid en tot de markt of commercie. Daarop volgen drie beschouwingen waarin de non-profitsector zelf gedifferentieerder in beeld komt als terrein van belangenbehartiging en dienstverlening of collectieve voorzieningen. In de twee laatste bijdragen gaan de auteurs dieper in op de dienstverlening, in het bijzonder op het onderwijs.

In hoofdstuk 6 gaat Marco Kreuger met secundaire analyses van cijfers uit het Johns Hopkins-project in Nederland en de andere landen van het project op zoek naar de echte civiele samenleving. Deze omvat vrijwillige verbanden met een maatschappelijk doel en moet onderscheiden worden van de non-profitsector, waarin geen winst wordt nagestreefd, maar waarin ook geen sprake hoeft te zijn van maatschappelijke doelen en deugden, en waarin een ondergeschikte rol voor vrijwilligheid vaak gepaard gaat met een grote (financiële) inbreng van de overheid. Afhankelijk van de manier van benaderen valt de civiele samenleving kleiner of veel kleiner uit dan de non-profitsector. Afgaande op de financieringsbronnen heeft Nederland wel weer de grootste civiele samenleving, hetgeen te danken zou zijn aan de commercialisering van non-profits. Verdere commercialisering zou ook een goede toekomststrategie voor deze organisaties kunnen zijn.

Nico Schouten haalt in hoofdstuk 7 een ander onderdeel naar voren uit de non-profitsector, namelijk de collectieve voorzieningen voor zorg, onderwijs en welzijn. Vanuit socialistisch perspectief beziet hij met kritische blik de geschiedenis van de particuliere instellingen, van hun religieus geïnspireerde en later verzuilde ontstaan tot de huidige pogingen ze commerciëler te laten werken. Daartegenover stelt hij een dubbele democratiseringsopgave: zowel van de kant van overheden als van de kant van personeel, cliënten en hun familie moet zeggenschap over de voorzieningen worden vergroot ten koste van directies en raden van bestuur. Als dat lukt, is het verder niet zo belangrijk of de instellingen privaat- of publiekrechtelijk zijn georganiseerd. Het gaat om collectieve voorzieningen, waarvoor de overheid een duidelijke eindverantwoordelijkheid dient te dragen. Gangbare kritiek op de rol van de overheid vindt de auteur vaak niet treffend, omdat ze niet gaat over de overheid als zodanig, maar over de ideeën van de regerende politici.

In hoofdstuk 8 houdt Johan van Berkum een principiële beschouwing over het maatschappelijke middenveld oftewel het georganiseerde particuliere initiatief tussen overheid en individuele burgers. Die verantwoordelijkheden zijn een afgeleide van de verantwoordelijkheden van de overheid en het (ongeorganiseerde) particuliere initiatief. Voorzover overheidstaken aan de bijbel ontleend kunnen worden en gezien moeten worden als opdracht van God, kan de overheid ze niet overdragen aan of delen met maatschappelijke partijen. Verantwoordelijkheden in de sfeer van onder andere onderwijs, zorg en welzijn kunnen overheid en particulier initiatief echter wel delen. Het principe van soevereiniteit-in-eigen-kring is daarbij richtinggevend, maar zelden eenvoudigweg beslissend. Hoe belangrijk maatschappelijke organisaties ook kunnen zijn, zij mogen in principe geen publiekrechtelijke bevoegdheden krijgen, en verstrengeling van hun verantwoordelijkheden met die van de overheid dient te worden gemeden.

Jos van der Lans en Stavros Zouridis stellen in hoofdstuk 9 het terrein van non-profitvoorzieningen (inclusief openbare instellingen) centraal als 'publiek domein'. Dat laten ze uiteenvallen in vier op elkaar betrokken subdomeinen: het overheidsdomein, het institutionele domein of de publieke sector, het professionele domein en het burgerdomein. Van de ontwikkeling van de overheid tot aanjager en keurmeester tot de opwaardering van de burger tot kritische klant, beschrijven ze voor elk van deze domeinen ontwikkelingen die het functioneren van non-profits beïnvloeden. De meeste aandacht gaat uit naar het professionele domein, waar individuele verantwoordelijkheid en zin en kwaliteit van het werk verloren dreigen te gaan onder invloed van metende managers en politici, en van participerende gebruikers. De auteurs bepleiten andere rollen en rolverdelingen, met meer transparantie en verantwoording, meer ruimte voor professionals, en een bredere betrokkenheid van de burgers.

Roel Kuiper verkent in hoofdstuk 10 aan de hand van de koopman en de dominee de toekomst van het maatschappelijke initiatief. In de afgelopen decennia waren de beide hoofdfiguren van het particuliere initiatief in hun bestaan bedreigd door de opkomende staatsman, maar inmiddels is de koopman weer helemaal terug, ook als 'omgebouwde staatsman'. Het wordt tijd meer ruimte te claimen voor de dominee. De maatschappelijke zelforganisatie waar hij voor staat, is vooral in de verdrukking gekomen door de associatie met een in zichzelf gekeerde verzuiling in plaats van met de vrijheid en culturele verscheidenheid van maatschappelijke activiteit buiten de staat. Onder andere aan het boek *Spheres of justice* van Michael Walzer ontleent de auteur argumenten om de vrijheid van particuliere sferen en een herstel van de weinig 'statelijke' Nederlandse traditie in de aanpak van maatschappelijke problemen te bepleiten.

In hoofdstuk 11 neemt Ab Klink de herstelde waardering van het maatschappelijke middenveld in Nederland en in de ons omringende landen als uitgangspunt. De achtergronden en aanleidingen daarvoor verschillen, al zijn zingeving, moraal en gemeenschap terugkerende thema's; de consequenties van de herwaardering voor de private instellingen, hun onderlinge relaties en hun relaties met staat en markt zijn ook niet ondubbelzinnig. Na een terugblik op de publiekrechtelijke plek van het maatschappelijke initiatief, richt de auteur zich op de 'maatschappelijke onderneming' als een model voor non-profits om sociale doelen en maatschappelijke betrokkenheid toekomstgericht te organiseren. Een simpele oplossing is het niet, en de auteur behandelt de nodige problemen bij het koppelen van zakelijkheid aan waardegebondenheid en het mijden van commercie én overheidsbescherming.

Het non-profitondernemen is ook het onderwerp van Paul Kalma in hoofdstuk 12. Hij ziet dit ondernemen vooral als een uitvloeisel van de 'zachte marktwerking' in de publieke sector. Deze acht hij om een aantal redenen problematisch. Publieke en particuliere verantwoordelijkheden vervagen, de aandacht voor de inhoud van het werk vermindert, het idee van 'beleidsvrijheid' wordt verabsoluteerd, en de ruimte en waardering voor professionele vaardigheden en professionele autonomie komen in het gedrang. De auteur werkt een en ander vooral uit aan de hand van de ontwikkelingen in het onderwijs. Als pijlers van de bestuurlijke en bestuurskundige benadering van het terrein analyseert en kritiseert hij het streven naar meer autonomie voor de instellingen, vraagsturing vanuit het idee van consumentensoevereiniteit, en concurrentiebevordering om de voordelen van de markt te behalen. Tegenover de 'heilloze vermenging van publiek en privaat domein' in diverse (maatschappelijke) ondernemingsidealen bepleit Kalma de terugkeer van de (onderwijskundige) professionals in een weer ondubbelzinnig publiek domein.

In hoofdstuk 13 van de hand van Erik Dees staat opnieuw het onderwijsterrein centraal. Na een historische introductie van het onderwijsbestel richt de auteur zich vooral op hedendaagse problemen van het gemengde stelsel van openbaar en bijzonder onderwijs, en op de gangbare interpretaties van verschillende rechten en vrijheden met betrekking tot het aanbieden en volgen van onderwijs. Het onderwijsbestel is geen afspiegeling van de ontzuilde maatschappij en zou moeten worden hervormd om meer tegemoet te komen aan de eisen van kwaliteit en gelijkheid, en aan de huidige verlangens naar keuzevrijheid en participatie. Het verschil tussen openbare en bijzondere scholen zou moeten verdwijnen, waarbij voor alle scholen bestuursverantwoordelijkheid voor de ouders kan worden ingevoerd.

Overziet men de bijdragen, dan vallen een paar dingen op. Zo zijn er in de verder zeer uiteenlopende betogen overeenkomstige voorkeuren. Een ervan is het herstel van zelfstandigheid en verantwoordelijkheden voor de professionals tegenover politieke bestuurders en managers. Een andere overeenkomst is dat ondanks de veelal positieve waardering voor particuliere non-profits, specifieke beschermingsconstructies van overheidswege worden afgewezen. De instellingen moeten zichzelf zien te handhaven in eerlijke relaties met andersoortige organisaties. Op een enkele uitzondering na is daarbij ook wel beduchtheid voor commercialisering te bespeuren. De meningen over het non-profitondernemerschap lopen uiteen, niet alleen tussen de politieke partijen (Ab Klink, Steven de Waal, Paul Kalma).

Over de hele linie vinden we een bevestiging van de in het begin van dit hoofdstuk gesignaleerde dominantie van de 'verticale' (beleidskolommen) boven de 'horizontale' (de gemeenschappelijkheden benadrukkende) perceptie van non-profits. Er wordt ingegaan op deelterreinen, op zaken die publieke en particuliere organisaties betreffen, of op afzonderlijke sectoren. Wat het laatste betreft, gaat de meeste aandacht nog steeds uit naar het onderwijs. Als het non-profitvocabulaire gevolgd wordt, dan wordt meestal ook snel de tweedeling van grote voorzieningen enerzijds en belangen- en ledenorganisaties anderzijds gemaakt. Het meest opvallende zijn echter de vele bezwaren tegen het spreken van non-profits en non-profitsector. Het begrip wordt als alleen maar negatief en daarmee te onbepaald ervaren, men vindt het te economisch (Van Berkum) of juist 'achterhaald' vanwege een jaren-zeventig-zweem van idealisme (Van der Lans en Zouridis). Soms wordt een voorkeur uitgesproken voor een alternatieve nouveauté zoals non-gouvernementeel (Tjeenk Willink, Schouten) of maatschappelijke onderneming (De Waal, Van der Lans en Zouridis), maar vaker grijpt men terug op de oudere begrippen maatschappelijk middenveld en particulier initiatief. Vooral het particuliere of maatschappelijke initiatief komt naar voren als actueel en wervend concept. We hopen dat het door ons onderzoek geïmporteerde en aan de auteurs opgedrongen idee van de non-profitsector er in ieder geval toe heeft bijgedragen dat relevante onderscheidingen zijn aangebracht in onderdelen en ontwikkelingen in de publiekprivate sfeer, dat is besproken wat er riskant of veelbelovend is, en bovenal dat expliciet ter discussie is gesteld wat in deze sfeer vanuit verschillende perspectieven nastrevenswaardig is.

Noten

1 H.K. Anheier en J. Kendall (red.), *Third Sector Policy at the Crossroads*, Routledge, Londen 2001.
2 L.M. Salamon et al., *Global civil society: dimensions of the nonprofit sector*, The Johns Hopkins Center for Civil Society Studies, Baltimore 1999; A. Burger en P. Dekker (red.), *Noch markt, noch staat: De Nederlandse non-profitsector in vergelijkend perspectief*, SCP, Den Haag 2001.
3 De uitsluiting van de landbouw was nodig vanwege de geringere formalisering c.q. gebrekkige registratie van de arbeidsinzet in deze sector in enkele van de vergeleken landen.
4 Zie de landenhoofdstukken in Burger en Dekker.
5 Anheier en Kendall; J. van Til, *Growing Civil Society*, Indiana University Press, Bloomington 2000; E. Priller en A. Zimmer (red.), *Der Dritte Sektor international; mehr Markt – weniger Staat?* Sigma Verlag, Berlijn 2001.
6 Zie R.D. Putnam (red.), *Gesellschaft und Gemeinschaft*, Verlag Bertelsmann Stiftung, Gütersloh 2001; en het participatiehoofdstuk van *Nederland in Europa; sociaal en cultureel rapport 2000*, SCP, Den Haag 2000, p. 130-141.

7 Zie ook P.L. Hupe en L.C.P.M. Meijs m.m.v. M.H. Vorthoren, *Hybrid Governance*, SCP, Den Haag 2000.

8 Burger en Dekker, p. 296.

9 Zie voor een bevestigend 'communitaristisch' antwoord op deze vraag A. Etzioni, *The third way to a good society*, Demos, London 2000, en hoofdstuk 11 van Ab Klink in deze bundel.

10 Zie voor de onderscheiding van 'sociaal kapitaal' en 'publieke-opinievorming' als verschillende opbrengsten van civil-societyactiviteit P. Dekker, 'De civil society als kader van onderzoek', in: P. Dekker (red.), *Vrijwilligerswerk vergeleken*, SCP, Den Haag 1999.

11 W.B.H.J. van de Donk, *De gedragen gemeenschap*, Sdu, Den Haag 2001 (inaugurale rede Katholieke Universiteit Brabant).

12 *Civil society* lijkt soms werkelijk niet meer dan een aangewaaid etiket dat organisaties en belangenbehartigers van de non-profitsector op hun plannen en verslagen zijn gaan plakken. Als erfgenaam van het burgerinitiatieven of simpelweg omdat men niet tot staat of markt behoort, beschouwt men non-profits als *civil society* avant la lettre, lang voor de term populair werd in de jaren 1990.

13 'The rise of nonprofits and the decline of civil society', in: H.K. Anheier (red.), *Organisational theory and the non-profit form*, Centre for Civil Society, London School of Economics and Political Science, Londen 2001.

Algemene beschouwingen

2 De herwaardering van het particulier initiatief
Enkele gedachten over de toekomst van de Nederlandse non-profitsector

Herman Tjeenk Willink

1

Eigenlijk vanaf het begin van mijn ambtelijk bestaan ben ik geconfronteerd met en gefascineerd geraakt door de betekenis van de taal.

In het begin van de jaren zeventig werd op het ministerie van Algemene Zaken een neerlandicus ingeschakeld om de troonrede te fatsoeneren. Tweede-Kamervoorzitter Vondeling vond dat de troonrede vooral voor de bevolking bestemd was en dus allereerst door haar begrepen moest worden. Het werd geen succes. De troonrede is ook een vertaling van een politiek-bestuurlijke werkelijkheid waarin verschillende visies, verschillende aspecten, verschillende belangen bijeen gehouden moeten worden.

Als Regeringscommissaris Reorganisatie Rijksdienst stelde ik er in de eerste helft van de jaren tachtig een eer in de jaarberichten zo helder mogelijk te formuleren. Korte zinnen, geen moeilijke woorden. Die helderheid werd gewaardeerd, maar de jaarberichten werden als te abstract gekenschetst. Abstract: geen verband houdend met de zichtbare werkelijkheid. De jaarberichten waren geen vertaling van de werkelijkheid zoals die toen werd gezien door economen, bedrijfskundigen, organisatieadviseurs.

Mijn toenmalige kompaan en levenslange bondgenoot Paul Kuypers heeft mij geleerd dat de wijze waarop problemen van de overheid worden gedefinieerd nooit een weerspiegeling zijn van de feiten alleen. Ze zijn een bewerking van feiten. Die bewerking is gericht op de betekenis die die feiten in een systeem kunnen aannemen voor diegenen die in dat systeem de toon zetten. Er is tot nu toe weinig aandacht besteed aan de gevolgen van de verschuivende dominantie binnen de overheid van eerst juristen, daarna sociale wetenschappers, thans economen en organisatiedeskundigen. Problemen worden door hen verschillend gepercipieerd en gedefinieerd. De rol van de overheid wordt anders gezien. Pleiten juristen voor ordening en regels, sociale wetenschappers zullen de nadruk leggen op planning en interventies ten behoeve van maatschappelijke veranderingen. Economen en organisatiedeskundigen stellen productie en rendement centraal. In zekere zin creëert elke elite haar eigen overheid en haar eigen problemen (én oplossingen). Dit kan ook verklaren waarom hetgeen in de jaren zeventig als voornaamste probleem van de overheid werd gezien (gebrek aan sturend vermogen en verkokering) daarna als oplossing werd gepresenteerd (verzelfstandiging en vermarkting).

2

Niemand zal ontkennen dat de 'non-profitsector' een centraal element vormt in het Nederlandse politiek-maatschappelijke bestel. Des te opmerkelijker is het dat dat element wordt gedefinieerd naar wat het *niet* is: non-profit, non-governemental; noch markt noch staat. Markt en staat zijn, althans op dit moment, de twee ijkpunten waaraan ook het Nederlandse bestel wordt gemeten. Maar de Nederlandse traditie is een andere dan de Angelsaksische of de Franse. Vervolgens wordt geconstateerd dat de organisaties in het tussengebied tussen markt en staat aan verstatelijking en vermarkting onderhevig zijn. Een verschijnsel dat overigens niet nieuw is. Het is voor mij de vraag of met deze negatieve benadering niet een essentieel kenmerk van de Nederlandse non-profit- respectievelijk NGO-sector buiten beeld verdwijnt. Het is eveneens de vraag of de benadering niet te veel institutioneel dreigt te worden. Waarom zijn we eigenlijk afgestapt van die vroegere aanduiding 'particulier initiatief' met dat subtiele onderscheid tussen pi met kleine letter (de initiatieven van particulieren) en PI in hoofdletters (de instituties uit de verzuilde groepstraditie)? Wat zegt de overgang van pi naar PI naar middenveld naar non-profitorganisaties en NGO's over onze wijze van kijken naar de bestuurlijke werkelijkheid in Nederland? Zou juist niet in Nederland met zijn decentrale traditie bij de huidige stand van de politieke democratie een herbeschouwing van de beginselen die aan het particulier initiatief ten grondslag lagen vruchtbaar kunnen zijn?

Nederland heeft nimmer een sterke centrale staat gekend. Misschien nog belangrijker, ook de theorievorming over staat en burger is hier traditioneel zwak. We spreken zelden over staat, maar liever over de overheid. We spreken zelden over de burger, liever over klanten en kiezers. Dat is in landen om ons heen, Frankrijk, Duitsland maar ook de Angelsaksische landen wel anders. Rond het particulier initiatief, de relatie tussen staat en sociale verbanden, was er hier wél een zekere theorievorming. Wie op zoek is naar de eigen kenmerken van specifiek het Nederlandse staatsbestel vangt bij veel staatsrechtelijke geleerden inmiddels bot. Hij vindt meer bij politieke wetenschappers als Daalder, Lijphart, Van den Berg en anderen. Juristen zien de werkelijkheid anders dan sociale wetenschappers. Het blijft niettemin opvallend dat in sommige Nederlandse staatsrechtboeken, behalve aan het staatsrechtelijk begrip decentralisatie, aan die andere begrippen die in de opbouw van ons bestel zo'n belangrijke rol hebben gespeeld, subsidiariteit en soevereiniteit in eigen kring, nauwelijks tot geen aandacht meer wordt besteed. Subsidiariteit wordt inmiddels vooral met Europa geassocieerd. Toch zou de stelling te verdedigen zijn dat in Nederland meer dan elders de overheid bestond bij de gratie van het particulier initiatief en de beginselen die daaraan ten grondslag lagen. Toen het verzuilde Particulier Initiatief aan erosie onderhevig raakte, werden daarvan ook de grondbeginselen het slachtoffer en werd de overheid meer dan elders vatbaar voor de invloed van economen en organisatiedeskundigen.

3

In de afgelopen halve eeuw is het Particulier Initiatief (eerst) verstatelijkt en (vervolgens) onder invloed van de markt geraakt. Ten minste twee ontwikkelingen hebben aan die verstatelijking bijgedragen. Allereerst de professionalisering van het overwegend verzuilde Particulier Initiatief. Vanuit hun deskundigheid drongen de professionals aan op doorbreking van de levensbeschouwelijke grenzen en op het organiseren van werk naar werksoort. Zij vonden hun gesprekspartners (en bondgenoten) binnen de overheid. Een overheid die via de financiële koorden steeds meer invloed kon doen gelden en dat ook deed via regels, plannen, kwaliteitseisen. Vervolgens kwam de vermarkting. Zij is gestimuleerd door de behoefte aan bedrijfsmatig werken en vanuit de wens een oplossing te vinden voor de falende publieke en politieke controle op het sterk met de overheid verknoopte Particulier Initiatief, dat zijn verbinding met de eigen achterban steeds meer was kwijtgeraakt. Waar het PI als zelfstandige factor in het publieke domein verdween, bleef de staat over. En zo ontstond de suggestie van de sterke staat. De protesten in de jaren zestig en zeventig waren gericht tegen de regenten, maar vóór de staat. Die staat moest zorgen voor het 'goede leven'. Maar die sterke staat had in Nederland nooit bestaan. De Nederlandse staat was eigenlijk onthand door de veranderde positie van het PI; financieel met handen en voeten aan die staat verbonden, ideologisch onthecht, beroofd van de eigen achterban.

Ook tegen deze achtergrond hoeft het geen verbazing te wekken dat het resultaat van 25 jaar heroriëntatie op de rol van de overheid relatief weinig heeft opgeleverd.

Wie de macht wil terugdringen van een overheid die relatief weinig macht heeft maar wel verantwoordelijk blijft, moet niet verbaasd zijn dat de politiek terugtreedt en ambtelijke diensten aan invloed winnen.

Wie de omvang wil terugbrengen van een overheid die niet extreem omvangrijk is moet niet verbaasd zijn dat er gaten vallen die extern (bijvoorbeeld door duurbetaalde adviseurs) worden opgevuld.

4

In de afgelopen 25 jaar waren er ten minste drie verschillende invalshoeken van waaruit de heroriëntatie van de overheid is benaderd.

Allereerst de pogingen het sturend vermogen van de overheid te vergroten als antwoord op de toenemende maatschappelijke sturingsbehoeften. Voor dat sturend vermogen moest de eenheid van beleid worden versterkt door meer coördinatie aan de top van de Rijksdienst tussen ministeries en in de ministerraad.

Achteraf moeten we constateren dat onvoldoende werd beseft dat eenheid van beleid aan de top niet automatisch eenheid van uitvoering voor de burger met zich meebrengt. In plaats van een verdere hiërarchisering vond een horizontalisering plaats.

De omslag kwam vervolgens in het begin van de jaren tachtig toen de financieeleconomische situatie tot ingrijpen dwong. Eigenlijk werd de probleemstelling omgedraaid. Niet de versterking van het sturend vermogen van de overheid stond voorop, maar het terugdringen van de maatschappelijke sturingsbehoeften. De overheid kon niet alles bestieren; ze kon niet alle maatschappelijke problemen oplossen. De maatschappelijke claims op de overheid moesten worden gematigd. Burgers moesten meer zelf verantwoordelijk zijn. De overheid trad terug. Dat was de (ideologische) onderbouwing van de financieel-economisch noodzakelijke maatregelen. Daarvoor zette men zich (politiek) af tegen de 'verkwistende' sterke staat in de jaren zeventig. Niet dat die staat toen – in financiële termen gemeten – zo verkwistend was, maar men had dat beeld nodig als legitimatie. Onvoldoende werd beseft dat die staat niet zo sterk was.

Achteraf moeten we ook constateren dat de terugtred van de overheid eigenlijk nauwelijks gepaard is gegaan met een opwaardering van het particulier initiatief anders dan in financieel-economische zin. Ook dat wijst op een pover politiek-ideologisch fundament van de heroriëntatie. Het vaak bewierookte 'poldermodel' was toen nog onderdeel van de 'Hollandse ziekte'.

Met de noodzaak het bedrijfsleven meer kansen te geven, met de grotere nadruk op marktwerking en efficiency groeide ook de opvatting dat de overheidsorganisatie meer als bedrijf moet worden beschouwd, de derde benadering in de afgelopen 25 jaar. Niet het politieke en publieke belang maar bedrijfsmatig werken werd de norm voor de overheidsorganisatie.

Achteraf moeten we constateren dat onvoldoende is beseft dat de overheid juist *geen* bedrijf is en de burger niet alleen maar klant. Behalve doeltreffendheid en doelmatigheid moet elk overheidsoptreden voldoen aan de eisen die de rechtsstaat stelt (bijvoorbeeld rechtsgelijkheid en rechtszekerheid) en aan de eisen die de democratie verzekeren (bijvoorbeeld het recht mee te spreken en de plicht publieke verantwoording af te leggen).

5

Hoezeer sommigen dat misschien wensen, we kunnen niet terug naar een sterke staat in de klassieke zin, die in Nederland nooit heeft bestaan en in een democratische rechtsorde ook nergens meer mogelijk is. De staat is minder centraal komen te staan; hij is meer afhankelijk geworden van anderen, van andere overheden inclusief Europa, markt, burgers. Terwijl de mogelijkheden van burgers toenemen, krimpt de beleidsvrijheid van nationale staten. Minder dan ooit kan de staat het alleenrecht doen gelden op de verdediging van het algemeen belang. Minder dan ooit kunnen van bovenaf regels worden opgelegd. Meer dan ooit moet worden aangesloten bij ontwikkelingen van onderop. Voor het oplossen van problemen is de medewerking van de probleemhebbers nodig. Zij kennen het probleem het beste, zij kunnen beoordelen of de oplossing kan werken. Zij moeten aan die oplossing hun medewerking verlenen. (Misschien ontbreekt het hen aan kennis of kunde. Dan moet geprobeerd worden hen die kennis of kunde te leren door iemand die die kennis heeft of die kunde beheerst.)

Ook de betekenis van het primaat van de politiek is blijvend veranderd. De politieke democratie via parlement en politieke partijen is niet (meer) toereikend. Zij behoeft aanvulling. Terwijl hun belangstelling voor (actieve) deelname in politieke partijen afneemt, voelen grote groepen burgers zich betrokken bij de ontwikkelingen in de maatschappij. Uit het *Sociaal en Cultureel Rapport* 2000 blijkt opnieuw dat de rekruteringskracht van politieke partijen, vakbonden en kerken in Nederland internationaal gezien niet groot is. De Nederlanders zijn echter massaal georganiseerd binnen de sectoren natuur en milieu, mensenrechten, consumentenbelangen en sport, hobby en cultuur. Het aantal vrijwilligers is aanzienlijk.

Een ingewikkelde samenleving kan ten slotte ook niet zonder deskundigen en bureaucratieën. De ontwikkeling in ziekenhuizen bijvoorbeeld van geneesheer-directeur naar directeur-geneesheer naar directeur-manager is niet terug te draaien. Moderne (overheids)organisaties kunnen ook niet zonder bureaucratische rationaliteit. Professionalisering en bureaucratisering behoeven wél een tegenwicht. Professionals creëren immers hun eigen werkelijkheid die niet automatisch met de maatschappelijke werkelijkheid waarin burgers leven overeenkomt. Centrale bureaucratieën streven altijd naar uniformiteit die te weinig ruimte laat voor verscheidenheid. Het beginsel dat gelijke gevallen gelijk behandeld moeten worden wordt daardoor al gauw omgedraaid. Gelijke behandeling vereist gelijke gevallen. Het gaat in een moderne maatschappij echter om het organiseren van de verscheidenheid. En daar waren we in Nederland traditioneel goed in.

6

De heroriëntatie op de rol van de staat in de moderne samenleving wordt belemmerd door een gebrekkige theorievorming. Bedrijfskunde en managementtheorieën scoren meestal hoger dan sociologie en politieke theorie. Aan de andere kant is ook de analyse van beleidsprocessen in concrete gevallen gebrekkig. Waar onderzoek plaatsvindt is dat meestal ofwel beschrijvend ofwel kwantitatief. Beide manco's versterken elkaar. Waar een analyse in concrete gevallen wordt beproefd, wordt vaak teruggevallen op verouderde theoretische concepten. Waar theorievorming aan de orde is, ontbreekt de relatie met de dagelijkse praktijk.

De heroriëntatie zou daarom zeer geholpen zijn met een nauwkeurige analyse van de ontwikkelingen in de afgelopen jaren (van sociale vernieuwing tot privatisering) en met een herbezinning op de uitgangspunten die bij de opbouw van het Nederlandse staatsbestel een belangrijke rol hebben gespeeld. Ook dat leidt tot een hernieuwde aandacht voor het particulier initiatief.

Bij die heroriëntatie zouden we daarom allereerst moeten kijken waardoor het oorspronkelijk particulier initiatief steeds meer geïnstitutionaliseerd is geraakt, en onder de invloed van de staat en vervolgens van de markt is gekomen.

Ooit heb ik eens drie vormen van particulier initiatief onderscheiden. Allereerst de organisaties en instellingen die taken uitvoeren die de overheid anders zelf zou moeten verrichten. Vervolgens het particulier initiatief als noodzakelijk tegenwicht tegen de overheid. Ten slotte de instellingen en groepen die de publieke ruimte benutten voor nieuwe initiatieven; de nieuwe sociale bewegingen, de netwerken van burgers.

We moeten ons realiseren dat deze drie vormen van particulier initiatief ver-
springen, in elkaar overlopen, van positie veranderen. Processen van institutionalisering en verknoping met bestaande verhoudingen zijn onvermijdelijk. Zij zijn misschien wel enigszins te remmen, maar niet tegen te gaan. Die rem kan zitten in het
fundament waarop de instellingen zijn gebouwd en in de verbinding met hun achterban, burgers of groepen van burgers.

7

In navolging van Wijffels[1] definieer ik als particulier initiatief
    "organisaties van burgers die zich inzetten voor aspecten van het algemeen
belang en daarmee pogen een bijdrage te leveren aan de kwaliteit van de maatschappelijke ontwikkeling."
    Het zijn de initiatieven van burgers die zelf verantwoordelijkheid nemen voor
dingen die zij belangrijk vinden in de maatschappij; in zekere zin ook het lot in
eigen hand nemen; dat niet meer overlaten aan anderen, zoals aan overheden of het
bedrijfsleven. Het gaat om een echte civil society in die zin dat burgers daarin de leidende rol spelen. Die initiatieven kunnen overigens op verschillende niveaus spelen:
plaatselijk, regionaal, nationaal, internationaal.
    Aan de definitie van Wijffels zou ik overigens twee elementen willen toevoegen:
    – de gemeenschappelijk gevoelde behoefte of de gemeenschappelijk beleefde
      inspiratie als grondslag voor deze organisaties;
    – de eis de beginselen van de democratische rechtsstaat in acht te nemen;
      respect voor elkaar.

Wijffels spreekt over non-gouvernementele organisaties (NGO), een term die ook ik
in dit verband verkies boven non-profitorganisaties.
    De terminologie van de markt, het systeem van vraag en aanbod, winst en verlies,
kan in het denken over het publieke domein beter niet worden gebruikt. Het doet af
aan het eigen karakter van het publieke domein. Dit sluit overigens niet uit dat in het
publieke domein ook met de markt vergelijkbare activiteiten plaatsvinden.
    Waar de positie van politieke partijen verandert en massapartijen tot het verleden
behoren zijn organisaties van burgers in een democratische samenleving van essentieel belang als aanvulling op de politieke democratie en als tegenwicht tegen staat
en markt of beter nog als ijkpunt voor staat en markt. Noch staat noch markt zijn
een doel in zichzelf, al hebben ze hun eigen vaak dwingende rationaliteit. Dit particulier initiatief overschrijdt ook de grenzen van staat en markt. Het is niet beperkt
tot ideële zaken waar staat en markt buiten moeten blijven, noch tot de traditionele
terreinen als zorg en onderwijs. Ook op economisch terrein moet dit particulier initiatief worden gestimuleerd. Het is ook niet aan één ideologische noemer gebonden.
Het zijn ook niet alleen maar single issues (een term die vooral door politieke partijen wordt gebruikt). Het is de wens een eigen bestaan vorm te geven en daarin
eigen belang en algemeen belang te integreren. Denk bijvoorbeeld aan de initiatieven van boeren om onder het Brusselse (technocratische) juk uit te komen of aan

het 'ethisch' ondernemen. (Daartegenover het weigeren van grote advocatenkantoren om nog toevoegingen te doen.)

Denk ten slotte aan de tegenbeweging tegen de globalisering. Ook daarin staat niet het eigenbelang voorop, maar de belangen van landen en groepen die van die globalisering het slachtoffer worden.

8

Een herbezinning op de rol van de staat in de moderne samenleving zou naar mijn oordeel langs drie lijnen moeten verlopen. Het gaat daarbij steeds om verantwoordelijkheden, niet om taken. Het gaat steeds om sociale verbanden, groepen van burgers, niet noodzakelijkerwijs om instanties. De drie lijnen zijn, in volgorde van opklimmend belang:

Allereerst de verantwoordelijkheid van de overheid. De voornaamste verantwoordelijkheid van de overheid is de instandhouding en verbetering van de sociale en democratische rechtsstaat die in de klassieke en sociale grondrechten (hoofdstuk 1 van de Grondwet) heel kort en kernachtig is weergegeven. Hoe kan de overheid die verantwoordelijkheid in wisselende omstandigheden en in wisselende afhankelijkheidsrelaties waarin zij is geplaatst blijvend waarmaken? Voor het antwoord op die vraag moet in het bijzonder worden gekeken naar de verbindingen tussen overheid en maatschappij; tussen de verschillende organen van de trias; tussen politiek en ambtenaren; tussen overheden onderling. Hoe lopen die verbindingen in de praktijk? Dat moet worden geanalyseerd. Welke (staatkundige) spelregels zijn op die verbindingen van toepassing? Daarover moet opnieuw worden nagedacht. Het ene kan niet zonder het andere. We zullen dan ontdekken dat de analyse van de praktijk gebrekkig is en dat de kennis van de staatkundige theorieën van haar betekenis is afgenomen. We weten aan de ene kant niet precies hoe het in de praktijk loopt, en we modderen aan de andere kant met de spelregels.

Vervolgens de verantwoordelijkheid van het georganiseerde particulier initiatief. Het Particulier Initiatief is de uitdrukking van de eigen verantwoordelijkheid van sociale verbanden en groepen van burgers. Het particulier initiatief geeft uitdrukking aan en organiseert de verscheidenheid die de staat moet respecteren, hetgeen niet staatsonthouding betekent. In de woorden van A.K. Koekkoek:

"De staat integreert als publieke rechtsgemeenschap de niet statelijke betrekkingen op zijn territoir maar laat hierbij de eigen aard van andere sociale verbanden en relaties onaangetast."

Zolang – voeg ik ook hier toe – respect en gelijkberechtiging zijn gewaarborgd. De publieke rechtsgemeenschap moet in stand blijven.

Daarom is een hernieuwde aandacht nodig voor en een herbezinning op de beginselen subsidiariteit en soevereiniteit in eigen kring, beginselen die elkaar aanvullen. Welke sociale verbanden en groepen van burgers kunnen nu worden aangesproken op de eigen verantwoordelijkheid waarvan beide beginselen uitgaan?

Ten slotte de eigen verantwoordelijkheid van burgers. Het begrip burgerschap als 'publiek ambt' is in Nederland weinig ontwikkeld. De leer van de volkssoevereiniteit vond in dit land van 'groepssoevereiniteit' geen vruchtbare voedingsbodem. De individualisering van de laatste decennia ging niet gepaard met een sterker ontwikkeld concept van individueel burgerschap, de individuele 'goede burger'. Ook daar is een tekort aan conceptueel denken in de heroriëntatie van de overheid. (Met uitzondering van de discussie bijna tien jaar geleden rond het WRR-rapport, *Eigentijds Burgerschap*[2]). Er moet duidelijker dan tot nu toe onderscheid worden gemaakt tussen hetgeen individuen voor zichzelf het meest wenselijk kunnen achten en hun opvatting over wat collectief nodig en wenselijk is. Bijvoorbeeld winkels 24 uur open kan voor het individuele gemak wenselijk worden gevonden, maar door diezelfde individuen collectief als ongewenst worden beschouwd. Er wordt te gemakkelijk vanuit gegaan dat de burger dat onderscheid niet kan maken. De gegevens uit het *Sociaal en Cultureel Rapport* 2000 weerspreken dat. De bereidheid bij velen zich in te zetten voor het 'gemeen' bestaat dus zelfs in een samenleving die sterk op het individu gericht is geraakt, waarin succes en falen in geld worden uitgedrukt en ieder wordt geacht de 'ondernemer' van zijn eigen leven te zijn.

Het is alweer jaren geleden dat ik op een conferentie bepleitte dat de overheid anders zou kijken, anders zou oordelen en anders zou handelen. Een klein citaat:[3]
  "In veel commentaren wordt zorgelijk gesproken over de politieke desinteresse van de burgers. De belangstelling voor politieke partijen vermindert; de opkomst bij verkiezingen daalt."
  De conclusie is snel getrokken: de burger moet meer overtuigd worden van de goede bedoelingen van het openbaar bestuur. Daarop worden vervolgens de inspanningen gericht. Uit nauwkeurige analyses blijkt van politieke desinteresse van de burgers nauwelijks sprake. Burgers zijn ook redelijk tevreden over de dienstverlening door het Openbaar Bestuur. Zij hebben echter weinig vertrouwen in de traditionele politiek. Zij twijfelen aan het nut van een (actief) partijlidmaatschap. Ze achten de kans gering door verkiezingen het beleid te wijzigen. Als we er nu eens vanuit gaan dat kiezers dat goed zien. Als we er vervolgens eens vanuit gaan dat veel burgers zich zorgen maken over tal van maatschappelijke ontwikkelingen waarmee ook het Openbaar Bestuur worstelt. Als we er eens vanuit gaan dat de meeste burgers begrijpen dat niet alles direct en tegelijk kan worden opgelost. Als we ten slotte weten dat bijvoorbeeld in een stad als Amsterdam 10.000 burgers zich voor praktische oplossingen willen inzetten (in Amsterdam zijn tienmaal zoveel mensen actief in maatschappelijke clubs en groepen als er mensen lid zijn van politieke partijen; ik spreek over 1993). Als we nu – zonder romantisch optimisme – vanuit die invalshoek eens kijken naar de relatie tussen bestuur en bestuurden, politici en burgers. De burger als aangrijpingspunt, zijn problemen, zijn oplossingen, maar ook zijn bijdragen aan de publieke zaak. Waarom wordt de vrijwillige inzet van burgers voor het 'gemeen' door het openbaar bestuur vaak zo ontmoedigd (door formulieren, regeltjes, nota's) in plaats van gestimuleerd en erkend?

9

Een heroriëntatie op de rol van de overheid, op de betekenis van het georganiseerd particulier initiatief en op het burgerschap als publiek ambt kan niet zonder Europese context.

Handhaving van de democratische rechtsstaat kan niet meer zonder samenwerking met anderen. Juist in Europa kan de politieke democratie via parlement en politieke partijen het niet alleen af.

Aan het Europese burgerschap zijn al vele gevoelige woorden gewijd, maar de praktische betekenis blijft vooralsnog (onvermijdelijk) beperkt.

Voor de Unie als rechtsgemeenschap is de totstandkoming van het Handvest Grondrechten van betekenis. Daarnaast moet, omdat de structuur van die Unie een structuur sui generis zal blijven, in die rechtsgemeenschap meer nadruk worden gelegd op de beheersing van de beleidsprocessen en de kwaliteitseisen die daaraan moeten worden gesteld. In zijn advies over het Verdrag van Nice en zijn kanttekeningen bij het Handvest is ook de Raad van State daarop ingegaan. Ik zal me hier beperken tot een paar opmerkingen over het particulier initiatief in Europese context. Het begrip subsidiariteit, naar verluidt door minister-president Lubbers in de Unie geïntroduceerd, wordt daar los van zijn historische betekenis gebruikt. Subsidiariteit in de Unie heeft betrekking op de verhouding tussen staten in plaats van tussen rechtsgemeenschap en sociale verbanden. Subsidiariteit in de Unie suggereert een Europese onthouding die oorspronkelijk niet in het beginsel besloten lag.

Het particulier initiatief in de zojuist gegeven betekenis moet de publieke ruimte in Europa nog veroveren. De globalisering brengt meer mensen op de been dan de Europeanisering. Bij gebrek aan een sterke politieke democratie in Europa en door de onbepaaldheid van het Europese burgerschap dreigt die publieke ruimte te worden gevuld door het min of meer hechte verbond van deskundigen, van nationale en Europese ambtenaren en belangengroepen (de nieuwe ijzeren ring?). Dát is wat de burgers irriteert en van Europa vervreemdt. In plaats van de aandacht te concentreren op de ontwikkeling van een Europese parlementaire democratie met meer bevoegdheden voor het Europees Parlement (overigens nooit weg), zou de aandacht zich meer moeten richten op het particulier initiatief als tegenwicht tegen dat hechte verbond en als bron voor nieuwe initiatieven. Daar ligt de mogelijkheid de burgers bij Europa te betrekken. Hoe kan die relatie met burgers via particulier initiatief worden gelegd én gehandhaafd? (Denk in dit verband aan de pogingen tot doelmatig én democratisch functioneren van gesubsidieerde instellingen in de jaren zeventig). Hoe kan de Europese Unie een civil society worden waarin groepen van burgers vrijwillig betrokken zijn en hun eigen leven vorm geven? Wat leren ons de ervaringen in ontwikkelingslanden? Is het toevallig dat juist boeren in verschillende Unielanden initiatieven nemen? Het landbouwbeleid is immers het beleidsterrein dat in Europa het meest is ontwikkeld én dichtgespijkerd. Mijn antwoord is: dat is niet toevallig. Ook op andere terreinen is het nodig dat groepen van burgers het initiatief (her)nemen en de verscheidenheid organiseren. Juist Nederland met zijn traditie van particulier initiatief zou deze ontwikkeling naar een civil society in Europa moeten stimuleren. Als geen ander zouden wij moeten beseffen dat de samenspraak en het evenwicht die onze vorm van (pacificatie)democratie kenmerken alleen kunnen voortbestaan met tegenspraak en tegenwicht. Dat geldt in Nederland. Dat geldt ook in Europa.

Noten

1. Dr. H.H.F. Wijffels, voorzitter Sociaal-Economische Raad. Toespraak op de Nieuwjaarsbijeenkomst van Novib, 23 januari 2001.
2. 'Eigentijds Burgerschap', WRR publicatie vervaardigd onder leiding van H.R. van Gunsteren, Sdu-uitgeverij, Den Haag 1992.
3. Toespraak bij de opening van de conferentie 'De Democratische Stad', Amsterdam 29 maart 1993.

3   Europa en de non-profitsector

Geert Jan Hamilton

Inleiding

Ter gelegenheid van het huwelijk van de Prins van Oranje en Máxima is een Oranjefonds opgericht dat gelden inzamelt voor initiatieven die de verschillende culturen in ons land beter met elkaar in contact brengen. Het geld wordt besteed aan projecten op het gebied van jeugd, sport, cultuur en onderwijs. Zie hier een voorbeeld van een non-profitinitiatief pur sang. Europa of het Europees recht staat dit plan geenszins in de weg.

Decennia lang hield Europa zich niet of nauwelijks met liefdadigheidsinstellingen en sociale dienstverlening bezig. De laatste jaren is daar verandering in gekomen. Enerzijds is er op Europees niveau sprake van een toenemende erkenning van de bijdrage die de non-profitsector levert aan de sociale samenhang. Anderzijds is er sprake van pogingen de gepercipieerde kloof tussen de interne-marktbeginselen en beginselen van sociale dienstverlening te overbruggen.

EG-Verdrag

Toen na de oprichting van de Europese Gemeenschap voor Kolen en Staal in 1951[1] de grootscheepse plannen tot het stichten van een Europese Defensie Gemeenschap en een Europese Politieke Gemeenschap mislukten, werd de draad opgepakt met een Nederlands initiatief, uitgewerkt in een memorandum van de Beneluxregeringen, om eerst te komen tot een integratie van de nationale economieën met name door het realiseren van een gemeenschappelijke markt.[2] In het rapport van een Intergouvernementeel Comité onder voorzitterschap van de Belg Paul-Henri Spaak uit 1956 worden de contouren van de voor de invoering van een gemeenschappelijke markt noodzakelijke maatregelen en de daaraan ten grondslag liggende filosofie geschetst: "Doel van een gemeenschappelijke markt", zo begint het rapport,

"moet zijn de schepping van een grote ruimte met een gemeenschappelijke economische politiek, zodat een machtige eenheid van productie wordt gevormd en een voortdurende expansie mogelijk wordt gemaakt, evenals een toegenomen stabiliteit, een versnelde verhoging van de levensstandaard en de ontwikkeling van harmonische betrekkingen tussen de staten die erin verenigd zijn."[3]

Om dit doel te bereiken werd een fusie van de afzonderlijke markten als een absolute noodzaak gezien. Een arbeidsverdeling op grotere schaal zou een einde kunnen maken aan de verspilling van economische hulpbronnen. Productie van goederen en diensten zou vooral daar moeten plaatsvinden waar dat het meest doelmatig is. Voor leveranciers van goederen en diensten zou de hele Europese markt open moeten staan. In het Verdrag tot oprichting van de Europese Economische Gemeenschap

(Verdrag van Rome) uit 1957 is een programma ontvouwd om te komen tot die gemeenschappelijke economische markt.

Teneinde het vrije verkeer en daarmee de werking van de markt ongestoord te doen verlopen omschrijft het Verdrag, naast de zogenoemde vier vrijheden (vrij verkeer van goederen, personen, diensten en kapitaal) twee fundamentele taken van de Gemeenschap. Zij moet er allereerst voor waken dat de concurrentieverhoudingen tussen ondernemingen op de gemeenschappelijke markt niet wordt vervalst noch door het optreden van die ondernemingen zelf, noch door ingrijpen van de nationale overheden. Voorts is een harmonisatie van de nationale wetgevingen vereist, voor zover verschillen tussen de nationale rechtsstelsels nadelige gevolgen hebben voor de werking van de gemeenschappelijke markt, dat wil zeggen een vrij verkeer van goederen, personen, diensten of kapitaal in de weg staan, of de concurrentieverhoudingen op de gemeenschappelijke markt verstoren of vervalsen. De talrijke hinderpalen voor dat vrije verkeer, tot uitdrukking komend in douanetarieven, kwantitatieve importbelemmeringen, sterk uiteenlopende vestigingsvoorschriften, uiteenlopende wettelijke eisen met betrekking tot de kwaliteit van diensten en producten, zouden geleidelijk aan geslecht moeten worden. Het wegwerken van deze hinderpalen zou een geleidelijke harmonisatie van wettelijke voorschriften tussen de lidstaten op economisch terrein vergen.[4]

Het oorspronkelijke verdrag bevatte voor bepaalde doelstellingen streefdata die niet gehaald werden. Vaak is bij de Europese integratie stagnatie opgetreden. De gemeenschappelijke markt was medio jaren tachtig nog steeds niet veel meer dan een douane-unie met een niet volledig gemeenschappelijke handelspolitiek. Er bestonden nog grensbelemmeringen wegens fiscale, gezondheids-, statistische en andere controles die het Europese bedrijfsleven veel tijd en geld kostten.[5] De overvloed van nationale normen inzake samenstelling, kwaliteit, veiligheid, afmetingen, gewicht en verpakkingen van producten (in Duitsland alleen al meer dan 30.000), ter bescherming van volksgezondheid, milieu, consument, eerlijke mededinging en andere oorbare doelstellingen, veroorzaakten vanwege de aanzienlijke verschillen tussen deze normstelsels ernstige belemmeringen van het vrije goederenverkeer (de zogenoemde technische handelsbelemmeringen). Een andere sector die de integratie ernstig belemmerde was die van de overheidsaanbestedingen en -opdrachten, een economisch belangrijke sector (jaarlijks ongeveer 15% van het BNP op communautair niveau) waarin het nationaal protectionisme hoogtij vierde. Een diagnose van de situatie leidde tot een actieplan: het Witboek uit 1985. In het kader van het project 'Europa 1992' zijn in enkele jaren honderden richtlijnen tot stand gekomen gericht op voltooiing van de interne markt. Dat hoge tempo was vooral mogelijk doordat in 1986 de Europese Akte was aangenomen. Deze Akte bracht een verdragswijziging, waarbij de mogelijkheid van besluitvorming met gekwalificeerde meerderheid voor harmonisatieprojecten aanzienlijk werd uitgebreid.

Sociale economie

In het kader van 'Europa 1992' nam ook de aandacht voor de sociale dimensie van Europa toe. Mensen als Jacques Delors wilden de sociale dimensie van Europa versterken en de belangen van de burger in brede zin in Europa een meer centrale plaats geven. De Verdragen van Maastricht (1992) en Amsterdam (1998) hebben de doelstellingen van de EG verbreed met punten als het bevorderen van een hoog niveau van werkgelegenheid en sociale bescherming, een hoog niveau van bescherming en verbetering van de kwaliteit van het milieu, bescherming van de gezondheid. In artikel 16 van het EG-Verdrag heeft thans erkenning gevonden dat diensten van algemeen belang een essentiële rol spelen binnen het Europese maatschappijmodel. Het artikel erkent dat deze diensten deel uitmaken van de gemeenschappelijke waarden van de Europese Unie en onderstreept de bijdrage die zij leveren aan de sociale en territoriale samenhang.

Op deze ontwikkeling heeft de non-profitsector zeker invloed gehad. Deze sector begon zich in de tweede helft van de jaren tachtig op Europees niveau te manifesteren.[6] Zij vestigde de aandacht op het feit dat zij een sector is die niet alleen belangrijk is voor de werkgelegenheid, maar ook dat zij vaak in noden voorziet die andere sectoren laten liggen. Er bestond een zekere angst dat in een Europa waarin concurrentie en winstbejag centraal staan, de non-profitsector vermalen zou worden. De non-profitsector laat zich bij het aanbieden van diensten primair leiden door behoeften van burgers. Zij komt niet alleen met een productaanbod dat gericht is op een kapitaalkrachtige vraag. Integendeel, vaak richt zij zich op armen, sociaal zwakken, zieken, die in de marktsector niet aan hun trekken komen. Het aanbieden van diensten aan mensen die daar eigenlijk niet voor kunnen betalen vergt bereidheid bij anderen om die dienstverlening te ondersteunen. Solidariteit is daarom een sleutelwoord bij het voorzien in noden van groepen van de bevolking die zelf weinig financiële armslag hebben. Aanbieders van sociale diensten zijn veelal non-profitinstellingen, rechtspersonen die niet winstbeogend zijn, zoals coöperatieve verenigingen, onderlinge verenigingen, verenigingen en stichtingen. Kenmerkend voor de verenigingsvorm is dat het mensen samenbrengt die gemeenschappelijke doelstellingen nastreven. Soms is het oogmerk van 'vereniging' samen iets te doen voor de kwetsbare groepen in de eigen geleding.

Het gebied dat de non-profitmaatschappijen bestrijken wordt in veel Europese landen aangeduid als het gebied van de 'sociale economie', in het Frans: 'economie sociale'. In Nederland heeft dit begrip in de betekenis die daar in deze zin aan gegeven wordt nog maar nauwelijks ingang gevonden. Het terrein van de sociale economie is in een recent advies van het Economisch en Sociaal Comité van de Europese Unie als volgt omschreven: "Daar waar de markt en de staat tekortschieten, of onvoldoende doeltreffend optreden, treedt de sociale economie in werking om te voorzien in de behoeften van haar leden en de consumenten. Zij biedt de mensen de kans om hun productie en consumptie te organiseren via onafhankelijke, democratische samenwerkingsvormen. Door zich te concentreren op menselijke behoeften waarin anderszins niet of niet op doeltreffende wijze wordt voorzien, kan de sociale economie innovatieve, op de toekomst gerichte oplossingen aandragen."[7]

De sociale economie heeft in veel Europese landen de weg bereid tot de sociale zekerheidsstelsels. Ziekte- en invaliditeitsverzekeringen en ziektekostenverzekeringen vinden hun basis in de activiteiten van onderlinge waarborgmaatschappijen. Tegen betaling van een premie kregen de leden toegang tot voorzieningen, ingeval zich een bepaald risico voordeed. Het sociale karakter van deze initiatieven kwam tot uitdrukking in een toelatingsbeleid dat nadrukkelijk rekening hield met de zwakkeren, gelijke premieniveaus voor oud en jong, ziek en gezond. Zo er al premiedifferentiatie was, betaalde rijk meer dan arm. De Nederlandse ziekenfondsen zijn op deze wijze van start gegaan, evenals vergelijkbare instellingen in Duitsland, Frankrijk, België, Oostenrijk en Zwitserland.

In vele landen heeft de overheid de rol van organisator van sociale arrangementen van het particulier initiatief overgenomen. En daarmee ontstond de wettelijk geregelde sociale zekerheid, waarbij de overheid dwingend vaststelt wie verzekerd is, welke premie betaald moet worden en welke rechten op prestaties er onder welke voorwaarden zijn. De uitvoering van de sociale zekerheid is in een aantal landen in handen gebleven van dezelfde non-profitorganisaties die voorheen vrijwillige verzekeringsarrangementen aanboden. In Nederland zijn (behoudens enkele stichtingen) ziekenfondsen nog altijd onderlinge waarborgmaatschappijen naar burgerlijk recht, zij het dat zij krachtens specifiek recht (de Ziekenfondswet) zijn toegelaten tot uitvoering van de ziekenfondsverzekering, hetgeen de plicht meebrengt aan alle specifieke wettelijke voorwaarden en beperkingen te beantwoorden.

Vanuit het Europees recht bezien wordt de uitvoering van een sociale verzekering niet als een economische activiteit gezien.[8] Daarmee vallen non-profitorganisaties die uitvoering geven aan wettelijk geregelde taken, buiten de omschrijving van het terrein als boven weergegeven.[9] Wanneer men bij de aanduiding van het terrein van de 'sociale economie' niettemin uitgaat van categorieën van non-profitorganisaties dan horen organisaties als ziekenfondsen er wel toe. Omdat het zo moeilijk is een exacte definitie te geven wordt sociale economie vaak omschreven als een geheel, samengesteld uit vier categorieën ('families'): coöperatieve verenigingen, onderlinge waarborgmaatschappijen, verenigingen en stichtingen, hoewel dit eigenlijk alleen maar verschillende organisatievormen zijn, met een bepaalde juridische basis. In de jaren negentig zijn Europese koepelorganisaties van dit type maatschappijen in toenemende mate in Brussel gaan samenwerken om zo een gebundeld geluid vanuit de sector van de sociale economie te laten horen. Vanaf 1993 functioneerde in Brussel een voorlopig Consultatief Comité van Coöperaties, Onderlingen, Verenigingen en Stichtingen (kortweg samengevat als CMAF, naar de Franse begrippen Cooperatives, Mutualités, Associations, Fondations). In 1998 kreeg dit Comité een officiële status, doordat het officieel door de Europese Commissie werd ingesteld. Het Comité CMAF heeft adviezen uitgebracht over sociale economie en mededinging, toegang tot financiering voor ondernemingen van de sociale economie, regelgeving op het gebied van belastingheffing en overheidsopdrachten enzovoort. Ook heeft het

Comité de totstandkoming bepleit van Europese statuten voor rechtsvormen op verenigingsbasis, opdat burgers zich grensoverschrijdend zouden kunnen verenigen in Europese coöperaties, Europese onderlingen en Europese verenigingen. De Europese Commissie heeft ontwerpen ontwikkeld, maar de behandeling hiervan stagneert. Met steun van de Europese Commissie zijn sinds 1986 reeds zeven conferenties van de sociale economie georganiseerd, laatstelijk (in juni 2001) in Gävle, Zweden. Opvallend is dat voor deze conferenties, waaraan door duizenden vertegenwoordigers van de sociale economie is deelgenomen, altijd opvallend weinig belangstelling vanuit Nederland heeft bestaan, en dit terwijl Nederland een relatief grote non-profitsector kent.

Casus Franse mutualiteit

De problemen die non-profitmaatschappijen (menen te) ondervinden als gevolg van de interne markt kunnen worden geïllustreerd aan de hand van de casus Franse mutualiteit.

In Frankrijk spelen aanvullende ziektekostenverzekeringen een belangrijke rol in de financiering van gezondheidszorgdiensten. Achtergrond hiervan is dat de kostenvergoedingen die het Franse stelsel van sociale ziektekostenverzekering kent, scherp begrensd zijn. Gemiddeld 27% van de kosten van medische behandelingen, geneesmiddelen, ziekenhuisopneming en dergelijke blijft voor rekening van de verzekerde. Het wettelijk stelsel kent dus hoge eigen bijdragen; in feite heeft de overheid de laatste twintig jaar de groei van de collectieve lasten beteugeld door een steeds groter deel van de kosten voor rekening van de (zorggebruikende) verzekerden te laten komen. Het risico dat een sociaal verzekerde loopt wat betreft de eigen betalingen kan verzekerd worden op de particuliere verzekeringsmarkt. Naarmate het risico groter werd, namen steeds meer Fransen hun toevlucht tot een aanvullende verzekering. Voor mensen met een laag inkomen kreeg de aanvullende verzekering uit oogpunt van toegankelijkheid van zorg een steeds grotere betekenis. Zonder aanvullende verzekering was voor sommige mensen de financiële drempel naar de zorg te hoog. Naarmate de markt in omvang groeide, nam ook de concurrentie tussen de aanvullende ziektekostenverzekeraars toe. Het minst risicovolle (ofwel meest profijtelijke) marktgedrag van ziektekostenverzekeraars is het aantrekken van goede risico's en het weren van slechte risico's. Medische selectie ging in de praktijk een steeds grotere rol spelen, hoewel sommige verzekeraars daar uit sociale overwegingen eigenlijk tegen waren. Naarmate het voor laagbetaalden met een slechte gezondheidstoestand moeilijker werd tegen redelijke premie een adequate aanvullende ziektekostenverzekering af te sluiten werd de situatie op de aanvullende ziektekostenverzekeringsmarkt in toenemende mate een sociaal probleem waarvan ook de Franse regering zich niet afzijdig kon houden.

In deze context speelde zich de discussie af over de implementatie van Europese schadeverzekeringsrichtlijnen.[10] Het Franse recht kent diverse typen verzekeringsmaatschappijen die zich (onder meer) bezighouden met aanvullende ziektekostenverzekeringen: de *sociétés anonymes* en *sociétés d'assurance mutuelle*, geregeerd door de Code des Assurances, de *institutions de prévoyance* (partitair door werkgevers en werknemers bestuurde verzekeringsinstellingen), geregeerd door de Code de la Sécurité Sociale en de Code Rural, en de *mutuelles* (of *mutualités*), geregeerd door de Code de la Mutualité. Ongeveer de helft van de Fransen (30 miljoen) heeft een aanvullende verzekering bij een *mutualité*. De Franse *mutualités* (mutualiteiten) hebben als sociale onderlinge waarborgmaatschappijen gemeenschappelijke wortels met de ziekenfondsen in Nederland, België, Duitsland en Zwitserland, maar zijn anders dan de laatstgenoemde bij de invoering van de sociale ziektekostenverzekering naar de (aanvullende) marge gedrongen, en niet betrokken bij de uitvoering van de verplichte verzekering. Die uitvoering is in handen gekomen van publiekrechtelijke uitvoeringsorganisaties als de Caisse Nationale de l'Assurance Maladie des Travailleurs Salariés (CNAMTS) en de daaronder ressorterende regionale *caisses primaires*.

La *Mutualité* is als grootste vrijwillige sociale beweging in Frankrijk (in ledental groter dan de vakbeweging) niettemin een grote rol blijven spelen in het nationale debat over de sociale zekerheid. Zij strijdt voor een goed toegankelijke gezondheidszorg, waarbij zij primair pleit voor een brede, algemene (verplichte) ziektekostenverzekering. Daar waar de verplichte verzekering tekortschiet of gaten laat (zoals manifest wordt bij de eigen bijdragen), biedt zij aan haar leden aanvullende arrangementen. De paradox daarbij is dat hoe succesvoller 'la Mutualité' in het publieke debat is (en hoe breder de collectieve dekking via het publieke stelsel), hoe meer zij haar eigen ondernemingsbelangen als (aanvullende) verzekeraar schaadt. In de praktijk zijn de ondernemingsactiviteiten van de mutualiteiten, evenals die van de andere verzekeraars, de laatste twee decennia evenwel alleen maar gegroeid, omdat, zoals vermeld, de overheid het publieke aandeel in de financiering van de gezondheidszorg relatief heeft teruggebracht.

De aanpassing aan de schaderichtlijnen van de wetgeving voor schadeverzekeraars, niet zijnde *mutuelles* in de zin van de Code de la Mutualité, is zonder problemen verlopen. De aanpassing van de Code de la Mutualité, een wet die in 1999 honderd jaar bestond, heeft nog steeds niet zijn beslag gehad. Dit, terwijl de mutuelles in de zin van deze Code nadrukkelijk onder de werkingssfeer van de richtlijnen vallen.[11] De mutualiteiten hebben zich lang op het standpunt gesteld dat de Europese richtlijnen geen recht doen aan de 'specificiteit' van de onderlinge zorgverzekering: het gaat primair om een sociale activiteit. Via een lidmaatschapsverhouding wordt toegang gegeven tot medische voorzieningen; de mutualiteiten laten zich leiden door beginselen van solidariteit, zoals het niet-uitsluiten van slechte risico's en premiegelijkheid ongeacht het risico; winstoogmerk ontbreekt. In de kring van de mutualiteiten werd ontkend dat hun activiteit een verzekeringskarakter heeft. Zij vreesden door de schaderichtlijnen op een hoop geveegd te worden met de commerciële verzekeraars, *une banalisation* die vele 'mutualisten' onverdraaglijk vonden. Praktisch was er bezwaar tegen de richtlijnen, omdat duizenden kleinere mutualiteiten niet voldeden aan de solvabiliteitseisen die de richtlijnen stellen. Het risico dat deze mutualiteiten liepen was herverzekerd bij grotere onderlinge verbanden. Een heet

hangijzer was voorts het gegeven van de 'eigen instellingen' van de Franse mutualiteiten. Verscheidene mutualiteiten exploiteren sinds jaar en dag zelf medische kli-
nieken, tandartsklinieken, optiekzaken en dergelijke. De vraag was hoe deze activiteiten zich verhouden tot het verbod in de derde schaderichtlijn dat een schadeverze-
keringsmaatschappij geen andere handelsactiviteiten dan het aanbieden van verzeke-
ringsproducten mag uitoefenen.

Om olie op de golven te gooien vroeg de Franse regering aan oud-premier en lid
van het Europees Parlement Michel Rocard te adviseren over zodanige implementatie van de schaderichtlijnen dat het specifieke karakter van de mutualiteiten onder
de Code de la Mutualité zoveel mogelijk intact zou kunnen blijven. In zijn in mei
1999 verschenen rapport[12] stelt Rocard dat de specificiteit van de mutualiteiten veeleer op eigen regels en gedragscodes gebaseerd is dan op de Franse wet. Hij meent
dat het mogelijk is de Franse wetgeving aan de Europese richtlijnen aan de passen
zonder dat de mutualiteiten hun specifieke karakter hoeven te verliezen. Vanuit
Europeesrechtelijk oogpunt kan volgens Rocard niet ontkend worden dat de activiteiten van de mutualiteiten verzekeringsactiviteiten zijn. De Europese regelgeving
vormt geen belemmering voor de mutualiteiten om zich in hun bedrijfsvoering sterk
door sociale principes te laten leiden.

Wat betreft de eigen instellingen stelt Rocard zich op het standpunt dat het voor
ziektekostenverzekeraars mogelijk moet zijn hun verzekeringsprestaties 'in natura'
te leveren. De Europese richtlijnen verhinderen dat volgens hem niet. Voor zover
medische diensten en producten ook geleverd worden aan niet-verzekerden (dat wil
zeggen tegen directe betaling, en niet als verzekeringsprestatie) moet dat wel strijdig
worden geacht met de derde schaderichtlijn. Deze handelsactiviteiten zouden
moeten worden afgesplitst van het verzekeringsbedrijf en ondergebracht moeten
worden in afzonderlijke rechtspersonen. Inmiddels heeft het EG-Hof van Justitie
vastgesteld dat Frankrijk in gebreke is wat betreft de nakoming van de verplichtingen
die uit de Europese schaderichtlijnen voorvloeien.

Aan de aanpassing van de Code de la Mutualité aan de Europese schaderichtlijnen
wordt thans met voortvarendheid gewerkt. In de Franse zorgverzekeringsmarkt doen
zich, mede door de financiële consequenties van het nieuwe verzekeringsregime,
sterke fusiebewegingen voor.[13]

Inmiddels is in het Europees Parlement een debat gestart over de betekenis van de
aanvullende ziektekostenverzekering op de Europese interne markt. Dit debat is
voorlopig uitgemond in een resolutie.[14] Daarin wordt overwogen dat de ziektekostenverzekering geen monopolie van overheidsstelsels meer is, maar dat er geleidelijk
aan mechanismen zijn ontstaan in de sfeer van het particulier initiatief, met of
zonder winstoogmerk, zoals de zogeheten systemen van aanvullende ziektekostenverzekering, die steeds meer bepalend worden voor de toegang tot noodzakelijke en
kwalitatief hoogwaardige medische verzorging binnen redelijke termijn.
Discriminerende factoren van financiële of congenitale aard mogen er niet toe leiden
dat Europese burgers toereikende bescherming door een ziektekostenverzekering
moeten ontberen. Ziektekostenverzekeraars worden aangespoord om, voorzover zij

dat nog niet hebben gedaan, op nationaal en transnationaal niveau gedragscodes vast te stellen gericht op verbetering van de toegang tot de verzorging. Van belang lijkt mij dat de oproep gericht is tot álle betrokken partijen, en zich niet beperkt tot de vanouds 'sociaal gerichte' verzekeraars. De Europese Commissie wordt gevraagd een Groenboek samen te stellen, bij voorkeur met een voorstel voor een aanbeveling, die onder meer het volgende zou moeten omvatten:

- de erkenning van een gemeenschappelijke omschrijving van het begrip basis-dienstverlening, in de zin van een basisdienstverlening die elke Europese burger in het land waar hij woont, toegang garandeert tot noodzakelijke en kwalitatief hoogwaardige zorg binnen redelijke termijn;
- vastlegging, in overleg met de particuliere verzekeraars, van de garantie van naleving van de beginselen van uniforme premie en non-discriminatie van burgers;
- toepassing van een systeem van onderlinge verdeling van de kosten en risico's voor ernstig zieke personen of groepen personen; daarbij zijn verscheidene oplossingen mogelijk: de oprichting van garantiefondsen door verzekeringsbe-drijven of de sluiting van een groepscontract door representatieve vereni-gingen.[15]

Voorts wordt de Europese Commissie gevraagd een kader vast te stellen voor aanvullende ziektekostenstelsels, bij voorkeur via een voorstel voor een richtlijn die – kort weergegeven – onder meer het volgende omvat:

- verbod op het gebruik van nominatieve medische informatie, zoals genetische typologie, voor het toepassen van discriminatie op het gebied van ziektekosten-verzekeringen;
- de bepaling dat de sluiting van een contract in principe niet afhankelijk mag worden gesteld van voorafgaand medisch onderzoek, teneinde een selectie van alleen 'goede risico's' te voorkomen;
- de verplichting voor de verzekeraar een levenslange garantie te geven;
- coördinatieregels ten aanzien van de aansluiting van condities, premies en ver-zekeringsrechten voor verzekerden die binnen de EU van woonland en/of werkland veranderen;
- het recht voor verzekerden om in alle EU-lidstaten gebruik te maken van voor-zieningen, en de plicht voor de ziektekostenverzekeraars om soepeler om te gaan met het verstrekken van vergoedingen daarvoor.

In het document wordt benadrukt dat de met openbare middelen gefinancierde gezondheidszorgstelsels de uitsluitende bevoegdheid van de lidstaten dienen te blijven, en dat een royale financiering van dergelijke gezondheidszorgstelsels uit openbare middelen essentieel is voor de gezondheid van de mensen in Europa. Gesteld wordt dat de ontmanteling of drastische inperking van de wettelijke en ver-plichte stelsels, in termen van dekkingspercentage, in strijd zou zijn met de in artikel 2 van het EG-Verdrag vermelde doelstelling een hoog niveau van sociale bescher-ming te bereiken, op basis van het solidariteitsbeginsel.

De resolutie van het Europees parlement is een boeiende weerslag van de toege-nomen erkenning dat de aanvullende ziektekostenverzekering in de Europese interne markt een belangrijke aanvullende functie kan vervullen ten aanzien van de wettelijke voorzieningenstelsels. De oplossing voor deze bijzondere markt waar zowel non-profit als profitorganisaties zich bewegen, is niet de non-profits een voorkeursbehandeling te geven (bijvoorbeeld een gunstiger fiscale behandeling), maar te bepalen dat alle actoren zich moeten houden aan regels die zijn opgesteld voor het verlenen van de dienst, ook regels die zijn ingegeven door sociale motieven.

Diensten van algemeen belang, interne markt en mededinging

Het creëren van een *level playing field* voor non-profitmaatschappijen en profitmaat-schappijen in dienstensectoren die van algemeen economisch belang zijn (zoals, in de lijn van de bovenvermelde resolutie van het Europees Parlement, voor het terrein van de aanvullende particuliere ziektekostenverzekeringen zou kunnen worden nagestreefd) draagt bij aan de oplossing van sociale problematiek.
Zoals vermeld is de aandacht voor diensten van algemeen belang binnen de Europese Gemeenschap sterk toegenomen, hetgeen bevestiging heeft gevonden in het nieuwe artikel 16 van het EG-Verdrag. De Europese Commissie heeft in een tweetal Mededelingen[16] de belangrijke rol onderstreept die taken van algemeen belang spelen als het gaat om het verwezenlijken van de fundamentele doelstellingen van de Europese Unie. Juist de non-profitsector richt zich vaak op de algemene toe-gankelijkheid van diensten die voor brede lagen van burgers van betekenis zijn. Het EG-Verdrag geeft geen voorkeurspositie aan non-profitmaatschappijen, ook niet als het gaat om de vervulling van specifieke behoeftes van bepaalde bevolkingsgroepen, zoals zieken, gehandicapten of mensen met een laag inkomen. Desalniettemin zullen het vaak non-profitmaatschappijen zijn die steun vinden in de mogelijkheden die het Verdrag overheidsinstanties laat om maatregelen te treffen ten gunste van diensten van algemeen belang. Wanneer het marktmechanisme ten aanzien van diensten die van algemeen belang worden geacht, onvoldoende werkt, kan de over-heid besluiten zelf over te gaan tot het verstrekken van bepaalde diensten. Zij kan ook besluiten alle exploitanten op een markt verplichtingen van algemeen belang op te leggen. Sommige diensten van algemeen belang zijn niet geschikt om te worden verricht door een veelheid aan dienstverleners, bijvoorbeeld wanneer economisch gezien slechts één dienstverrichter overlevingskansen zou hebben. In een dergelijke situatie kunnen overheidsinstanties uitsluitende en bijzondere rechten verlenen voor het verrichten van diensten van algemeen belang, door via aanbestedingsprocedures kortlopende concessies uit te geven. Mededinging ten tijde van de gunning is een middel om ervoor te zorgen dat de opdracht die een dienst van algemeen belang moet vervullen, wordt uitgevoerd tegen de laagst mogelijke kosten voor de overheid. Ook kan de overheid een beperkt aantal exploitanten een specifieke openbare dienst opdragen en daarvoor financiële middelen ter beschikking stellen.
Op terreinen die niet specifiek onder Europese harmonisatieregelgeving vallen

hebben de lidstaten, ook krachtens het subsidiariteitsbeginsel, veel ruimte zelf te bepalen wat zij als diensten van algemeen economisch belang beschouwen. Het Europese mededingingsrecht is ingevolge artikel 86, lid 2, EG ook van toepassing ten aanzien van ondernemingen die belast zijn met het beheer van diensten van algemeen belang. Dat is slechts anders voorzover de toepassing daarvan de vervulling, in feite of in rechte, van de hun toevertrouwde taak verhindert. De Europese Commissie ziet toe op de proportionaliteit van de genomen maatregelen. Met andere woorden: zij ziet erop toe dat de middelen die worden gebruikt voor het vervullen van de taak van algemeen belang niet zullen leiden tot onnodige verstoring van het handelsverkeer. De beperkingen van de mededinging en de beperkingen van de vrijheden van de interne markt mogen niet verder gaan dan voor een effectieve tenuitvoerlegging van de taak noodzakelijk is.

Het EG-Hof van Justitie heeft geoordeeld dat er geen bezwaar tegen is dat een nationale regeling de deelneming aan de uitvoering van een taak van sociale bijstand op gezondheidsgebied voorbehoudt aan vennootschappen zonder winstoogmerk. Volgens het Hof kan een lidstaat zich bij de huidige stand van het gemeenschapsrecht in het kader van zijn bevoegdheid om zijn stelsel van sociale zekerheid in te richten op het standpunt stellen dat de verwezenlijking van de doelstellingen van een stelsel van sociale bijstand noodzakelijkerwijs inhoudt dat de toelating tot dit stelsel van particuliere aanbieders als verleners van diensten van sociale bijstand gebonden dient te zijn aan de voorwaarde dat zij geen winstoogmerk hebben.[17]

In beginsel is op economische activiteiten van zowel profit- als non-profitmaatschappijen het Europese mededingingsrecht van toepassing. Zoals eerder vermeld heeft het Europese Hof van Justitie geoordeeld dat organisaties die zijn belast met het beheer van door de staat opgelegde socialezekerheidsstelsel buiten de toepassing van de regels inzake mededinging en interne markt. In algemenere zin vallen volgens jurisprudentie van het Hof[18] tal van activiteiten die worden uitgevoerd door organisaties die grotendeels een sociale functie vervullen, geen winstoogmerk hebben en niet deelnemen aan industriële of commerciële activiteiten, doorgaans niet onder de communautaire regels inzake mededinging en interne markt. Hieronder vallen volgens de Europese Commissie diverse niet-economische taken van organisaties als vakbonden, politieke partijen, kerken en religieuze genootschappen, consumentenorganisaties, wetenschappelijke verenigingen, liefdadigheidsinstellingen en hulpverleningsorganisaties.[19]

Financiële steun aan ondernemingen die een taak van algemeen belang uitvoeren, moet worden aangemerkt als staatssteun. Steunmaatregelen van de staten die de mededinging door begunstiging van bepaalde ondernemingen vervalsen, zijn slechts toegestaan voorzover het EG-Verdrag daar ruimte voor biedt (artikel 87 EG). Behalve de uitzondering uit hoofde van artikel 86, lid 2, EG kunnen genoemd worden de derogaties ten gunste van steun om de cultuur en de instandhouding van het culturele erfgoed te bevorderen (artikel 87, lid 3, onder d, EG). Voor de non-profitsector zijn voorts van belang kaderregelingen en richtsnoeren voor staatssteun aan kleine en middelgrote ondernemingen, ondernemingen in stedelijke probleemgebieden, werkgelegenheid en opleiding, regionale steun, steun ten behoeve van het milieu en onderzoek en ontwikkeling.[20]

Slot

Het EG-Verdrag kent geen bepalingen die specifiek beschermend zijn voor de non-profitsector. Wel erkent Europa het belang van taken en functies die in de lidstaten tot dusver veelal door de non-profitsector worden behartigd. De sociale economie wordt gezien als een hoeksteen van het Europese verzorgingsmodel.[21] Zij draagt bij aan de verwezenlijking van de (niet louter economische) doelstellingen van de Europese Gemeenschap, zoals die sinds 'Maastricht' en 'Amsterdam' in het EG-Verdrag verankerd zijn. Het EG-Verdrag laat toe dat nationale overheden de vervulling van bepaalde sociale functies toevertrouwen aan maatschappijen die geen winst beogen. In een recent advies stelt het Economisch en Sociaal Comité[22] van de Europese Unie (de Europese 'SER'): "De nationale overheden van veel lidstaten zijn nu al decennia lang zo verstandig om de uitvoering van gezondheidszorg en sociale voorzieningen aan particuliere sociale instellingen zonder winstoogmerk over te laten. De noodzaak om de uitgaven van de overheid in de hand te (blijven) houden (c.q. de stijging daarvan af te remmen), terwijl de behoeften steeds groter en complexer worden, versterkt de effectieve en potentiële rol van die actoren (die kunnen worden omschreven als 'het algemeen belang dienende particuliere instellingen zonder winstoogmerk')".

Het is interessant dat de Nederlandse Sociaal Economische Raad winstoogmerk niet langer taboe acht bij de uitvoering van een basisverzekering voor de gezondheidszorg.[23] De Nederlandse regering heeft niet gekozen voor een geheel door particuliere ziektekostenverzekeraars uitgevoerde basisverzekering, maar verzet zich niet tegen winstbeogende uitvoeringsorganen.[24] Inmiddels heeft de Raad voor de Volksgezondheid en Zorg in een advies bepleit het verbod op het maken van winst in de gezondheidszorg te schrappen.[25] Non-profitorganisaties hebben, voor wat betreft de gezondheidszorg, altijd een scherp oog gehad voor publieke belangen als algemene toegankelijkheid, kwaliteit en betaalbaarheid. Selectieve dienstverlening (vooral gericht op een kapitaalkrachtige vraag), ook wel aangeduid als cherry picking, biedt de beste mogelijkheden tot het maken van winst. Slechts door adequate regulering van de markt (en het opleggen van dienstverplichtingen in het algemeen belang) zullen ongewenste uitwassen van marktwerking in sectoren als de gezondheidszorg, zoals uitsluiting, kunnen worden voorkomen. Een 'level playing field' ook wat betreft de sociale plichten van actoren die zich met diensten van algemeen economisch belang willen bezighouden, is belangrijker dan exclusieve rechten ten gunste van non-profitmaatschappijen. Interessant is dat in Zwitserland enkele jaren geleden ook voor commerciële ziektekostenverzekeraars de mogelijkheid is geopend deel te nemen aan de uitvoering van de nationale ziektekostenverzekering. Geen commerciële maatschappij heeft, gegeven het wettelijk kader waarbinnen geopereerd moet worden, tot dusver de mogelijkheid aangegrepen het speelveld te betreden.

Er is mijns inziens geen reden voor somberheid over de toekomstmogelijkheden van de non-profitsector binnen de Europese Unie. De waarden die zij van ouds verdedigt, vinden in toenemende mate erkenning op Europees niveau, en werken door in de regelgeving inzake diensten van algemeen economisch belang. Voor nieuwe, sociaal gerichte initiatieven blijft er altijd ruimte, getuige het Oranjefonds.

Noten

1. Het voorstel daartoe van de Franse politici Jean Monnet en Robert Schuman beoogde de basisindustrieën voor de oorlogsmachinerie aan het nationaal gezag te onttrekken en daarmee een oorlog tussen Duitsland en Frankrijk feitelijk onmogelijk te maken.
2. R.H. Lauwaars en C.W.A. Timmermans, *Europees recht in kort bestek*, Kluwer, Deventer 1999, p. 3 e.v.
3. Deze doelstellingen zijn thans nog terug te vinden in artikel 2 van het EG-Verdrag.
4. De middelen om de doelstellingen van het EG-Verdrag te bereiken zijn te vinden in artikel 3.
5. Lauwaars en Timmermans, a.w., 1999, p. 180.
6. In 1986 verscheen een omvangrijk document waarin de 'sociale economie' op Europees niveau onder de aandacht werd gebracht: *The co-operative, mutual and non-profit sector and its organisations in the European community*, uitgave van het Economische en Sociaal Comité, Brussel 1986.
7. Advies van het Economisch en Sociaal Comité over de 'De sociale economie en de interne markt', 2000/C 117/11.
8. EG-Hof van Justitie, gevoegde zaken C-159/91 en C-160/91, Poucet en Pistre, Jur. 1993, p. I-637.
9. In Nederland wordt aangenomen dat uitvoeringsorganen van de sociale ziektekostenverzekering (ziekenfondsen) voor een deel van hun activiteiten ondernemingen zijn, namelijk voor zover de wetgeving ruimte laat voor economische activiteit, zoals discretionaire vrijheid wat betreft zorginkoop; vgl. G.J.A. Hamilton, Gezondheidszorg en mededingingsrecht, in: A.T. Ottow en A.F. Eeken (red.), *De rol van het mededingingsrecht in gereguleerde markten*, Boom Juridische uitgevers, Den Haag 2001 (187-213), p. 207.
10. De schaderichtlijnen (73/239/EGG, 88/357/EEG en 94/49/EEG) hebben een tweeledig doel: het creëren van een 'level playing field' voor de schadeverzekeraars die actief zijn op de interne markt en de bescherming van de verzekerden; hiertoe zijn communautaire eisen gesteld aan toelating, bedrijfsvoering, solvabiliteit en toezicht; uitvoeriger: G.J.A. Hamilton , Interne markt en (aanvullende) ziektekostenverzekering, *Tijdschrift voor Gezondheidsrecht* 1/2001 (37-48), p. 38-40.
11. Artikel 6 van richtlijn 92/49 (in de plaats gekomen van artikel 8 van richtlijn 73/239/EEG).
12. Michel Rocard, Mission Mutualité et Droit Communautaire, Rapport de fin de mission, mei 1999.
13. Via de zgn. Couverture Maladie Universelle heeft Frankrijk voor burgers met een laag inkomen in 2000 gratis toegang tot een aanvullende ziektekostenverzekering mogelijk gemaakt; zie G.J.A. Hamilton, o.c., p. 45.
14. Resolutie van het Europees Parlement over de aanvullende ziektekostenverzekering (2000/2009 (INI)), voorbereid door een Commissie onder voorzitterschap – niet toevallig – van Michel Rocard.
15. In dit verband is relevant het arrest van het EG-Hof van Justitie in de zaak Van der Woude/Beatrixoord (Zaak C-222/98, 21 september 2000) waarin is bepaald dat een

door werkgevers en werknemers bij CAO overeengekomen ziektekostenverzekering-sarrangement gericht op solidariteit tussen leden van een collectiviteit van werkne-mers i.c. niet strijdig was met het EG-mededingingsrecht.

16. Diensten van algemeen economisch belang, PB C 281/3 van 26 september 1996, en Diensten van algemeen economisch belang, COM (2000) 580 def., 20 september 2000.

17. EG Hof van Justitie in de zaak Sodemare S.A. e.a. vs. Regione Lombardia, nr. C-70/95, 17 juni 1997, RZA 2001,119.

18. EG Hof van justitie in zaak Wirth, nr. C-109/93, I-6447.

19. Mededeling voornoemd 2000, p. 13.

20. Mededeling voornoemd 2000, p. 15.

21. Advies van het Economisch en Sociaal Comité over de 'De sociale economie en de interne markt', 2000/C 117/11.

22. Advies van het Economisch en Sociaal Comité over 'Sociale dienstverlening door parti-culiere organisaties zonder winstoogmerk in het kader van de verlening van diensten van algemeen belang', PbEG 7 november 2001, C 311 (33-38), p. 34.

23. Sociaal-Economische Raad, *Naar een gezond stelsel van ziektekostenverzekeringen*, Den Haag 2000.

24. Nota Vraag aan bod: hoofdlijnen van vernieuwing van het zorgstelsel, kamerstukken II 2000/01, 27 855, nr. 2.

25. Raad voor de Volksgezondheid en Zorg, *Winst en gezondheidszorg*, Zoetermeer 2002.

4   De non-profitsector en de multi-etnische samenleving

Tineke van den Klinkenberg en Henk Krijnen

De multi-etnische samenleving begint Nederlandse trekjes te krijgen. Het aantal verenigingen en organisaties op etnische, culturele en religieuze grondslag neemt een hoge vlucht en geen enkele zichzelf serieus nemende instelling in de sociale sector kan het zich permitteren de opkomst van de multi-etnische samenleving te negeren.

De multi-etnische, of zo men wil multiculturele, samenleving is welbeschouwd een feit en dit komt zeer pregnant tot uiting in de non-profitsector, het rijk waar het particulier initiatief heerst. De hausse aan interculturalisatie-initiatieven in de uiteenlopende, onderling zeer verschillende, instellingen van de verzorgingsstaat en het bonte geheel aan zelforganisaties in allochtone kring vormen hiervan het bewijs.

Evenals Paul Dekker gaan wij uit van een tweedeling in de non-profitsector. Aan de ene kant is er het segment van de professionele dienstverlening met een sociale inslag, gesubsidieerd door de overheid (zorg, onderwijs, welzijn en wonen) en aan de andere kant is er het vrijwillige initiatief (verenigingen, belangenorganisaties, pressiegroepen en dergelijke) dat losser van de overheid staat, veelal drijvend op eigen inkomsten.[1] Beide segmenten van de non-profitsector, de moeilijk grijpbare maar zeer levendige sfeer tussen overheid en markt, worden in dit hoofdstuk onder de loep genomen, met een duidelijk accent op de rol en betekenis van wat wij de zelforganisaties van allochtonen noemen.

Het maatschappelijk middenveld, zoals de non-profitsector vaak ook wordt genoemd, drukt in onze ogen een zwaar stempel op de multiculturele ontwikkeling van de samenleving. In dit hoofdstuk hopen wij aannemelijk te maken dat dit domein reeds nu al fungeert als een belangrijke 'drager' van dit dynamische ontwikkelingsproces. Interessanter echter is de vraag onder welke voorwaarden het middenveld ook een katalysator van dit proces kan zijn. Deze vraag trachten wij te beantwoorden.

De interculturalisering van de verzorgingsstaat

In de instellingen van de verzorgingsstaat worden diensten aangeboden aan burgers. Bij veel van deze 'social services' is de multi-etnische omgeving niet meer weg te denken. Steeds minder buurthuizen, jeugdhulpverlenende instellingen of scholen kunnen functioneren zonder het 'aanbod' op allochtonen af te stemmen, vooral in de grote steden. In al deze instituties, met de hun omringende netwerken, draait het in meer of mindere mate om interculturalisatie van de organisatieprocessen, soms zelfs zo sterk dat de taak van deze instellingen in een ander licht komt te staan.

In eerste instantie worden deze organisaties voornamelijk aan de 'outputkant' met de multiculturele samenleving geconfronteerd. Verantwoordelijk hiervoor is de veranderende samenstelling van de bevolking die haar weerspiegeling vindt in het klantenbestand. Doordat dit 'verkleurt', ontstaan andere behoeften waarop – noodgedwongen – moet worden ingespeeld. Bestaande vormen van dienstverlening, geworteld in professionele praktijken met een lange eigen traditie, komen onder druk te staan.

Al heel snel gaat het niet alleen meer om 'de output', maar komt de rest van de organisatie in het vizier. Een veelbeproefde interventie is die van de *interculturele communicatie*.[2] Doel van dit type interventie is om misverstanden en onbegrip, voortkomend uit onbekendheid met de cultuur en de leefwereld van allochtonen, uit de weg te ruimen. Om dit te bereiken moet effectiever – met gevoel voor het culturele verschil – gecommuniceerd worden, tussen professionals en (potentiële) klanten, tussen professionals onderling en tussen de beroepskrachten en het management. Al deze actoren – zo meent men – moeten hun interculturele sensibiliteit versterken, zodat de te leveren diensten, en daarmee de interactie tussen het diverse klantenbestand en de desbetreffende instelling, aan 'interculturele kwaliteit' winnen.

In het verlengde van deze interculturele communicatie liggen oplossingen in de sfeer van *marketing*. In deze benadering wordt een brede doelgroepenbenadering bepleit. In de praktijk komt het er vaak op neer dat het pakket van diensten niet wezenlijk wordt veranderd. De 'kloof' tussen het aanbod en de nieuwe doelgroep kan, zo wordt verondersteld, gedicht worden door – veelal letterlijk – de allochtonen in hun eigen taal te benaderen en aan te sluiten bij hun (vermeende) culturele realiteit. Een foldertje in het Turks of Arabisch is, als men een geschikte tolk kan vinden, inderdaad snel geschreven, net zo goed als het een koud kunstje is om exotische hapjes of drankjes te serveren op een ouderavond. Zonder geringschattend te zijn: deze marketingaanpak, hoe belangrijk ook, sorteert doorgaans een oppervlakkig effect, met alle teleurstellingen van dien.

De andere kant van de medaille is overigens dat de genoemde ingrepen, interculturele communicatie en etnisch-specifieke marketing, dienstverlenende organisaties op het spoor zet van meer ingrijpende organisatieveranderingen. Een verdergaande stap is de wil om meer *allochtoon personeel* aan te trekken. Twee motieven liggen doorgaans hieraan ten grondslag: krapte op de arbeidsmarkt en erkenning van het belang van interculturalisatie, vaak in combinatie met elkaar. Zodra organisaties kiezen voor een dergelijke vorm van bijdetijds personeelsbeleid, dienen zich nieuwe kwesties aan. Algemeen gesproken moeten bij deze human-resource-aanpak vele barrières worden overwonnen en talrijke vaste gewoonten opzij worden gezet. Het begint al met de manier van werven. De normale recruteringskanalen voldoen niet, directere en meer verfijnde technieken van personeelswerving moeten worden toegepast, en – minstens net zo belangrijk – de selectiecriteria moeten worden herzien. In dienstverlenende instellingen, meer dan in productgeoriënteerde marktorganisaties, wordt hierdoor een kettingreactie opgewekt. In de eerste plaats moet het zittende personeel bereid gevonden worden allochtone nieuwkomers toegang te verlenen. Ten tweede moeten de aanwezige professionals bereid zijn de nieuwkomers open tegemoet te treden en de organisatiecultuur te veranderen. Tot slot moet het management competent zijn om het hiermee gepaard gaande veranderingsproces te sturen. De bereidheid de optredende fricties onder ogen te zien en werkbare oplossingen te bedenken is een cruciale succesfactor. Maar dat de institutionele weerstanden die moeten worden overwonnen niet gering zijn, dat staat vast.

Al heel snel gaat het om de inhoud van de geboden dienst(en) zelf. Dit is ook wel begrijpelijk. Vernieuwingen op het vlak van communicatie, marketing en personeelsbeleid hebben repercussies voor het *primaire proces* van dienstverlenende organisaties. De geleverde diensten zijn namelijk geen waardevrij gegeven, maar dringen door in het dagelijks leven van de burgers die ze 'afnemen'. Het zijn, naast zakelijke, tevens sociaal-emotionele, cultureel gekleurde transacties die mensen raken in hun doen en laten, in hun gedrag, denkwijzen en gevoelens.3 De geboden diensten, zo weten de sociale dienstverleners maar al te goed, sorteren pas werkelijk effect als een verbinding totstandkomt tussen de (vaak ongearticuleerde en heterogene) behoefte(n) van de 'afnemer' en het – al dan niet fijnzinnige – aanbod van de 'aanbieder'. In de literatuur over dienstverlening wordt dan ook gesproken over 'the moment of truth': wordt werkelijk geboden wat nodig is en verlangd wordt? En vindt werkelijk die sociale interactie plaats die bij de aangeboden dienst hoort? Ten diepste zijn dit de vragen waarop interculturalisatie van dienstverlenende organisaties een antwoord moet zien te geven.

Zodra de inhoud van de dienstverlening wordt herzien, komt de *organisatie als geheel* in het vizier. Veranderingen in de wijze waarop het uitvoerende werk wordt verricht, lokken niet alleen een discussie uit over de inhoud van het werk, maar gaan gepaard met – vaak intensieve – verschuivingen in de cultuur en het management van de organisaties en instellingen in kwestie. Wie aan een schakel trekt, trekt aan de hele ketting. Veelal gaat het om een integraal proces van organisatievernieuwing, dat zich niet beperkt tot de mate van aanpassing aan de multi-etnische samenleving. Het gaat verder, de gewenste veranderingen raken aan de kernprocessen van de organisatie als zodanig. Het inzicht wint terrein dat het management in organisaties de sleutel in handen heeft. Dit vormt de hefboom voor verandering, juist omdat het gaat om een moeizaam en fragiel proces. Het management zit natuurlijk niet in de hoofdrol, maar het moet erop toezien dat het interculturalisatieproces verantwoord verloopt, niet in bijzaken verzandt en voldoende tempo houdt. Het gaat om een precaire balans, en de bewaking van dit evenwicht behoort tot de eindverantwoordelijkheden van het management. Zou het daarom zijn dat in toenemende mate advies wordt gevraagd aan externe adviesbureaus op het vlak van intercultureel management en diversiteitmanagement?

Een recente ontwikkeling is de (structurele) inzet van *intermediairs*: mensen van allochtone komaf die een rol spelen in het overbruggen van de kloof tussen migranten en instellingen. Deze 'bruggenbouwers' (in met name de gezondheidszorg, het onderwijs en het buurtgebonden werk) worden ook wel paraprofessionals genoemd. Dit zijn werkers die veelal uit de doelgroepen zelf afkomstig zijn. Zij hebben geen erkende opleiding gevolgd, maar beschikken wel over de kwaliteiten en de contacten om allochtone doelgroepen en instituties dichter bij elkaar te brengen. Wat zij gemeenschappelijk hebben, is dat zij functiegericht worden ingezet om bepaalde afgebakende taken binnen instellingen te verrichten, soms op vrijwillige maar in toenemende mate ook op betaalde basis. De formule die daarbij wordt toegepast, is die van 'zwaan-kleef-aan'. Deze formule, waarbij vernieuwende initiatieven zich nestelen in de pels van dienstverlenende instellingen, is in opmars.4

Een balans

Aan de pluskant van de balans staat het *stijgend bewustzijn* in de dienstverlenende sector. Professionals, managers, vertegenwoordigers van beroepsorganisaties, ambtenaren, beleidsmakers en een nieuwe voorhoede van allochtonen zijn zich bewust van de multi-etnische context waarbinnen geopereerd wordt. De noodzaak om het professionele repertoire van diensten te herijken, wordt gevoeld. Ook positief is het *uitstralingseffect* dat van pioniersinitiatieven uitgaat. Ze versterken de *sense of urgency* als het gaat om interculturalisatie en ze verschaffen bruikbare praktijkinformatie over hoe interculturalisatie in het primaire proces verankerd kan worden. De uitstralende werking gaat overigens verder dan de dienstverlenende instellingen zelf. Ook beroepssectoren als geheel, waaronder werkgeversorganisaties, vakbonden en beroepsverenigingen, en de overheid, als subsidieverstrekkende instantie, worden meegezogen in het proces. Zij fungeren in een aantal gevallen zelfs als voortrekker, met name door vernieuwingen in pilotprojecten te stimuleren en de resultaten daarvan te beschrijven.

Een ander pluspunt is de *veranderende mentaliteit in de vrijwilligerssector*. Niet dat het aantal allochtone vrijwilligers spectaculair stijgt, maar aan de traditionele cultuur van dienstverlenende instellingen en vrijwilligersorganisaties wordt geknaagd. Autochtonen vormen niet langer de enige doelgroep, het blijkt nodig het vertrouwde diensten- en activiteitenpakket tegen het licht te houden, en aan een opener culturele oriëntatie valt niet te ontkomen.5 Hoewel een representatieve weerspiegeling van de bevolking nog ver weg ligt, valt te verwachten dat de participatiegraad van allochtonen gestaag toeneemt. Dit is ook niet verwonderlijk, want vrijwilligerswerk in de sociale sector is een voortreffelijk stijgingskanaal voor personen van allochtone komaf die een positie op de arbeidsmarkt willen veroveren. Vrijwilligerswerk wordt – ook door hen – steeds vaker gezien als een vorm van onbetaalde arbeid die hen kwalificeert voor formele arbeidsparticipatie. Natuurlijk is dit een geleidelijk proces. Voor de laagopgeleide eerste generatie is de stap groot. Bij hen ontbreekt doorgaans het benodigde sociale kapitaal, waardoor de institutionele drempel hoog is. Maar met name personen uit de tweede en derde generatie, zeker als zij hogeropgeleid raken, bewegen zich in de goede richting.6

Aan de minkant van de balans staat een drietal andere punten. Allereerst de kwestie van de *zeggenschapsverhoudingen*. Een belangrijke manier om de relatie met de multi-etnische omgeving een dynamischer karakter te geven, is het vergroten van de zeggenschap van allochtone gebruikers over de geboden diensten. Op dit vlak staan

– zo is onze indruk – de zaken er minder florissant voor: weinig allochtonen participeren op dit niveau, het zijn de autochtonen die de toon zetten. Dat deze vorm van democratisering moeizaam van de grond komt, is alleszins verklaarbaar. In de eerste plaats staat het democratisch beheer van de dienstensector, inclusief het onderwijs, nog in de kinderschoenen. Democratisering van het maatschappelijk middenveld staat niet hoog op de politieke agenda. Als politieke partijen en beleidsmakers over democratie spreken, hebben zij het meestal over *politieke* democratie. De tweede reden is dat allochtonen in onvoldoende mate over het sociale kapitaal beschikken om in groten getale en op een effectieve wijze in meer formele zeggenschapsstructuren te opereren. Een derde oorzaak ligt in de autochtone meerderheidscultuur die door allochtonen als gesloten wordt ervaren. Zelfs als sprake is van goede wil, lukt het niet altijd om met name informele codes te doorbreken. De drie genoemde oorzaken leiden tot een gevoelig verlies op het vlak van burgerschapsvorming. Het betreurenswaardige gevolg is dat allochtonen veelal 'met de voeten stemmen'. Zij mijden intensief contact met de formele instellingen van de verzorgingsstaat en zoeken vaak hun heil in individuele 'oplossingen'.7 Afgewacht moet worden of de tweede en derde generatie zich minder ontwijkend opstelt. Wellicht neemt de participatiegraad substantieel toe, waardoor zij in de toekomst meer gewicht in de schaal gaan leggen.

Een tweede minpunt heeft betrekking op de eerdergenoemde pionierspraktijken. Het nadeel van deze intermediaire initiatieven is dat zij aan de periferie van de dienstverlenende instellingen blijven. Weliswaar zijn zij bedoeld om de kloof tussen voorziening en omgeving te verkleinen, maar zij kunnen er – juist door hun succes – ook voor zorgen dat de instellingen waaraan zij verbonden zijn de kern van hun dienstverlening intact laten. Zij lopen daardoor de kans een alibifunctie te krijgen. We moeten niet vergeten dat het in de meeste gevallen initiatieven zijn met een lokaal en tijdelijk karakter waarvan de duurzame institutionele verankering allerminst zeker is. Zij kunnen de belangrijkste actoren in deze instellingen ook een vrijbrief verschaffen voor een houding van 'kruidje-roer-me-niet'. Veel hangt af van de mate waarin de 'positieve leerervaringen' van invloed zijn op het lange-termijnorganisatiebeleid.

De institutionele weerbarstigheid moet niet worden onderschat. Onze indruk is dat – ondanks de hausse aan diversiteitmanagement – de systematische interculturalisatie van voorzieningen moeizaam van de grond komt. Zeker, het onderwerp is hoger op de organisatieagenda komen te staan, maar de papieren werkelijkheid van het beleid staat nog te ver af van de professionele werkelijkheid. Wellicht is het voornemen om te interculturaliseren nog onvoldoende verinnerlijkt. In de ene sector gaat het overigens beter dan in de andere. In het buurt- en clubhuiswerk en de zuigelingenzorg bijvoorbeeld wordt het belang van interculturalisatie meer ingezien dan in sectoren als de huisartsenzorg en de jeugdhulpverlening. Factoren die een rol spelen, zijn:
- weerstand tegen specifieke aandacht voor allochtonen (waarom zij, laten we geen onderscheid maken);

- onbekendheid met de nieuwe klanten (resulterend in stille sociale uitsluiting);
- hokjesgeest aan de kant van de zittende professionals (wij bepalen wel wat professioneel door de beugel kan);
- verouderde managementtechnieken (gericht op outputbeheersing en niet op professionele ontwikkeling);
- privatiseringsdenken (waarbij vaak voor 'winstgevende' activiteiten wordt gekozen en 'kostbare' vernieuwingen op een laag pitje worden gezet).

Een van de conclusies in het boek *Noch markt, noch staat* is: 'Dienstverlenende organisaties kunnen proberen *civil-society*-elementen in hun functioneren te versterken.'[8] Naar onze indruk zouden ze het niet alleen *kunnen* proberen, ze zouden het ook *moeten* proberen. Het is duidelijk dat we nog maar aan het begin staan van de verbetering van het democratisch beheer van dit type organisaties. Vaststaat dat het omvangrijke project van de interculturalisatie van de dienstverlenende sector onderdeel uitmaakt van het nog omvangrijkere project van de sociale democratisering van deze sector. Voorlopig zijn de voorzieningen van de verzorgingsstaat in overwegende mate nog 'autochtone bastions' in een almaar multi-etnischer wordende omgeving. Daartegenover staat echter het volgende: de dynamiek van het interculturalisatiestreven moet niet onderschat worden. De bij de dienstverlening betrokken partijen, met name in de grote en middelgrote steden, worden in toenemende mate geconfronteerd met de noodzaak hun instellingen diepgaand te interculturaliseren. Het maatschappelijk appel op deze sector zal steeds klemmender worden.

Het maatschappelijk middenveld van allochtonen

Zelforganisaties zijn organisaties die door burgers in het leven zijn geroepen. Dit soort – op het principe van zelfbeheer gebaseerde – particulier initiatief draait voor het merendeel op vrijwilligers en zorgt in hoofdzaak voor eigen inkomsten. Vaak ontvangen zij steun van de overheid, maar externe inkomsten zijn niet doorslaggevend. Een zekere mate van professionalisering is gangbaar. Zelforganisaties vervullen gelijktijdig een interne en externe functie. Ze streven naar cultureel-maatschappelijke ontplooiing van hun (kader)leden en (potentiële) doelgroep (*interne functie*) en koppelen de groep mensen die zij organiseren en zeggen te representeren aan de publieke sfeer (*externe functie*).

Voor de levensvatbaarheid en doeltreffendheid van deze organisaties is het van belang dat beide functies goed op elkaar zijn afgestemd. Het risico bestaat dat op den duur de ene functie de andere overschaduwt. Als de interne functie de overhand krijgt, kan de interactie met de buitenwereld vervagen en bestaat de kans dat behoudzucht het wint van vernieuwingsbereidheid. Als de nadruk sterk ligt op geprononceerde aanwezigheid in de publieke sfeer, ligt 'instrumentalisering' op de loer; de organisatie wordt dan het vehikel voor de verwerving van publiek aanzien en maatschappelijke invloed. Het staat buiten kijf dat zelforganisaties een wezenlijk bestanddeel van het maatschappelijk middenveld of de 'civil society' vormen, maar of zij op bevredigende wijze een rol spelen in het proces van burgerschapsvorming staat niet a-priori vast.[9]

In allochtone kring bestaan talrijke zelforganisaties. Belangrijke kenmerken van deze – zeer uiteenlopende – zelforganisaties, ook wel migrantenorganisaties genoemd, zijn dat ze op eigen initiatief zijn opgericht en voornamelijk op de vrijwillige inzet van de eigen leden of achterban draaien (met hoogstens enkele beroepskrachten als ondersteuning van het bestuur).[10]

Zelforganisaties van allochtonen kunnen worden onderscheiden naar:
- type (ledenvrijwilligersorganisaties, nieuwe sociale bewegingen, belangenorganisaties, pressiegroepen/lobby's, verenigingen, netwerkorganisaties en dergelijke);
- grondslag (etnisch, religieus, algemeen);
- schaal van opereren (landelijk, regionaal of plaatselijk);
- doelgroep (vrouwen, jongeren, vluchtelingen, beroepsgroepen enzovoort);
- domein (sport, cultuur, religie enzovoort).

Hoewel wij dit niet met cijfers kunnen staven, is het zeker dat het aantal zelforganisaties in de jaren tachtig en negentig fors is gegroeid. Naast, en vaak ook als onderdeel van, belangenbehartigingsorganisaties voor – in eerste instantie – 'gastarbeiders' of 'buitenlandse werknemers' is een hele serie andere organisaties van de grond gekomen. Enerzijds doordat er meer typen zelforganisaties zijn ontstaan, religieus, levensbeschouwelijk, cultureel, in de sfeer van sport, recreatie, taal en ontspanning en op categorale basis (vrouwen, studenten, vluchtelingen). Anderzijds omdat het aantal landen waaruit immigranten afkomstig zijn door de sprongsgewijs toenemende immigratie is verveelvoudigd.

Geleidelijk voltrekt zich een omslag van belangenbehartiging naar collectieve, en ook individuele, emancipatie. De eerste generatie migrantenorganisaties richtte zich primair op (sociaal-economische) lotsverbetering. Het toekomstperspectief bleef dubbelzinnig: blijven in Nederland of teruggaan naar het land van herkomst? Van meet af aan vervullen deze zelforganisaties naast een sociaal-economische ook een sociaal-culturele functie. Zij herscheppen als het ware de leefwereld van de landen van herkomst. Bovendien fungeren zij als een min of meer veilige thuishaven van waaruit de omringende wereld verkend en 'toegeëigend' kan worden.[11] Culturele bevestiging is een belangrijk organisatiemotief, ook al blijft dit motief impliciet. Zelforganisaties kunnen kiezen welke route zij willen volgen. Globaal gezegd kunnen ze de weg inslaan van 'culturele conservering' of 'moderne emancipatie'. In toenemende mate zal het collectieve emancipatieperspectief vergezeld gaan van een streven naar persoonlijke emancipatie in de context van de Nederlandse samenleving (voorbeelden hiervan zijn het netwerk voor hoogopgeleiden TANS, allochtone studentenverenigingen en de groep rond het tijdschrift Fast Forward). Ook de organisatievorm verandert: van gestructureerde, hiërarchisch georganiseerde verbanden naar lossere, meer op gelijkwaardigheid gebaseerde netwerken.

Tot op zekere hoogte weerspiegelen zelforganisaties de etnische, sociale en culturele diversiteit van de samenleving. Dat is begrijpelijk, want de directe link tussen leefsfeer en organisatie vergemakkelijkt de stap naar opname in een dergelijk georganiseerd verband. Enigszins gechargeerd kunnen we dan ook spreken van 'pleisterplaatsen in de publieke sfeer'. Niet iedereen zal het eens zijn met de bewering dat louter het bestaan van allochtone zelforganisaties een positieve bijdrage vormt aan het maatschappelijke proces van burgerschapsvorming. Hoe men aankijkt tegen het maatschappelijk belang van zelforganisaties hangt sterk samen met de gehanteerde definitie van burgerschap.

Leggen het lidmaatschap van een zelforganisatie of deelname aan georganiseerde activiteiten voldoende gewicht in de schaal om van burgerschap te spreken? Als 'participatie', in dit geval in het kader van zelforganisaties, het hoofdcriterium voor burgerschap is, kan de vraag bevestigend worden beantwoord. Immers, door te participeren, ook al is het weinig actief, stapt men over van de private naar de (semi)publieke sfeer. Op zijn minst maakt men gebruik van het sociale kapitaal waarover men beschikt, maar het kan ook zijn dat door participatie in zelforganisaties, in welke gradatie van betrokkenheid dan ook, het sociaal kapitaal wordt vergroot en de blik op de omringende samenleving wordt verruimd. Bovendien kan men – relatief gesproken – loskomen van knellende banden in de directe leefomgeving.

Een minder persoonsgebonden argumentatie is deze. Zelforganisaties bewegen zich meestal in een bredere, ook Nederlandse, omgeving. Institutionele contacten met andere, vergelijkbare allochtone (en wellicht ook autochtone) organisaties, met professionele dienstverlenende instellingen (faciliteiten, samenwerking) en met de overheid (subsidie, inspraak) zijn een veelvoorkomend verschijnsel. Soms ook hebben deze organisaties professionals in dienst die – uit de aard van hun functie – opereren in omgevingsnetwerken. De omgevingscontacten van zelforganisaties kunnen 'spontaan' ontstaan, maar het is ook mogelijk dat bewust verbindingen worden gezocht. Politicologen spreken in dit verband verwachtingsvol van 'partnerschapsdemocratie'. De vraag is of zelforganisaties met name een bindende rol of een brugfunctie vervullen, 'bonding' of 'bridging'? De volgende stelling gaat zeker op: "Hoe sterker migrantenorganisaties worden erkend en aangesproken op hun brugfunctie, des te groter de kans dat zij als bindmiddel in het integratieproces fungeren."[12]

Wie aan burgerschap hogere eisen stelt dan participatie en contact met de omringende samenleving, zal zelforganisaties strakker langs de meetlat leggen. Als burgerschap niet alleen een juridische, rechthebbende status is ('mogen') of gelijkstaat aan participatie in de openbare sfeer ('doen'), maar ook een kwestie is van 'kunnen' (beschikken over passende sociale competenties) of zelfs 'willen' (bereid zijn om democratische relaties met alle burgers aan te knopen, streven naar substantiële solidariteit met medeburgers), worden hogere eisen gesteld. Wie de maatschappelijke betekenis van zelforganisaties afmeet aan de mate waarin burgerschapscompetenties en een democratische attitude worden ontwikkeld of een zekere identificatie met medeburgers totstandkomt, zal kritisch kijken naar de burgerschapsvormende impulsen die van dergelijke organisaties uitgaan.[13] In het bijzonder wordt gelet op de mate van openheid die zelforganisaties tentoonspreiden: isoleren zij zich of kiezen zij voor interactie met de omgeving? Is de blik naar binnen of naar buiten gericht? En ook: wordt de Nederlandse democratische rechtscultuur in twijfel getrokken of geaccepteerd? Daarnaast wordt het interne klimaat aan een oordeel onderworpen: hoeveel geestelijke en sociale speelruimte wordt geboden aan personen in en rondom de betrokken zelforganisatie? Een dergelijke kritische benadering is naar onze overtuiging wenselijk en onontkoombaar. Niet alleen kunnen op deze manier onrustbarende praktijken en tendensen gesignaleerd worden, er ontstaat ook ruimte om hierover een openbaar debat te voeren waarbij verantwoording wordt afgelegd. Dit kan naar binnen gekeerde zelforganisaties ertoe brengen zich meer open te stellen. In het uiterste geval kan een dergelijk debat zelfs resulteren in – wettelijk gefundeerde – ingrepen in zelforganisaties.

De publieke rol van zelforganisaties

Eerder maakten wij een onderscheid tussen de interne, cultureel-maatschappelijke functie en de externe, publieke functie van zelforganisaties. Het zou contraproductief zijn zelforganisaties die voornamelijk een interne functie vervullen onevenredig aan te spreken op hun publieke taak. Maar als organisaties wel degelijk belang hechten aan hun rol in de openbaarheid, en dat zijn er vele, dan is het ook verdedigbaar hun doeltreffendheid op dit punt in ogenschouw te nemen. Daar komt bij dat steeds meer allochtone zelforganisaties worden aangesproken op hun rol in wat het 'publieke debat' heet.

Naar onze mening kunnen zelforganisaties een belangrijke rol spelen in publieke debatten. Deze kunnen zich afspelen binnen en tussen organisaties en in de publieke sfeer. In de huidige omstandigheden worden publieke debatten overheerst door hoogopgeleide autochtonen met een dito sociale status. Zelforganisaties kunnen uitgroeien tot alternatieve locaties voor het publieke debat, naast de bestaande, meer formele locaties als politieke partijen, media, debatcentra en academische en culturele instellingen.

In het proces van maatschappelijke besluitvorming en vestiging van culturele waarden wordt openbare meningsvorming steeds belangrijker. Confrontatie van meningen en waardepatronen is hierbij cruciaal.[14] Belangrijk voordeel van zelforganisaties is dat zij een minder sterk 'arenakarakter' hebben. De zelforganisaties van allochtonen zouden dit voordeel meer moeten uitbuiten. Zij zouden er goed aan doen zichzelf op te vatten als een onderdeel van het maatschappelijk middenveld. Het zich bekennen tot de primaire omgeving, het maatschappelijk middenveld, betekent voor zelforganisaties kiezen voor datgene waarin men sterk is: het bieden van een beschutte plek aan individuele burgers. Voor veel allochtone burgers is het actief zijn in een dergelijke organisatie een uitgelezen mogelijkheid om zich te manifesteren buiten de directe privé-sfeer. Deze 'nisfunctie' van zelforganisaties hoeft niet op gespannen voet te staan met hun integratieve rol. Voorwaarde is dan wel dat de desbetreffende organisatie in open verbinding staat met de buitenwereld.

Politieke overvraging

Zelforganisaties lopen het niet onaanzienlijke risico te instrumentaliseren. De overheid heeft steeds meer behoefte aan geschikte – representatieve en mondige – gesprekspartners in allochtone gemeenschappen. De happigheid van politici en beleidsmakers allochtone zelforganisaties in te schakelen als insprekende instanties, of vertegenwoordigers van deze organisaties in te zetten in politieke en publieke discussies over (kwesties in) de multiculturele samenleving is begrijpelijk, maar heeft een schaduwzijde.

Zelforganisaties worden – veelal ten onrechte – gezien als representanten van achterliggende 'allochtone gemeenschappen'. Dit is, ironisch gesproken, te veel eer. Het zuilenmodel is niet van toepassing, Allochtone zelforganisaties maken geen onderdeel uit van een conglomeraat van organisaties en instellingen met een gemeenschappelijke leefwijze en ideologie. Door hen min of meer wel als zodanig te behandelen wordt de ontwikkeling van deze organisaties belemmerd. Door bovendien het kader van deze organisaties in te zetten als 'woordvoerders' wordt interne organisatieverstarring in de hand gewerkt. Er ontstaan 'quasi-elites' die enerzijds verstrikt kunnen raken in hun publieke rol en anderzijds organisaties kunnen meeslepen in hun persoonlijke spoor. Dit kan leiden tot 'afroming': kaderleden die hun organisaties verlaten, zonder dat gelegenheid bestaat voor de vorming van nieuw kader dat het estafettestokje overneemt.

Schoenmaker, blijf bij je leest. De meeste zelforganisaties zijn niet toegerust om aan de politieke consumptiebehoefte van de overheid tegemoet te komen, sterker nog: ze zijn er niet voor opgericht. Representatie en woordvoerderschap passen in de meeste gevallen niet bij hun doelstelling en werkwijze. De houding van de overheid is ambivalent: enerzijds worden de allochtone zelforganisaties uitgenodigd van gedachten te wisselen, anderzijds worden zij met argwaan bejegend. Hen wordt – veelal omfloerst – voorgehouden hoe ze zich moderner en democratischer kunnen organiseren. Achtergrond van deze correctiedrang is de vrees voor ontsporing; de cohesie van de samenleving moet bewaakt worden. Organisaties krijgen burgerschapsplichten opgelegd in ruil voor (financiële) ondersteuning en opname in overlegstructuren.

Wil de landelijke overheid in haar behoefte aan inspraak en advies voorzien, dan kunnen twee sporen worden gevolgd. Enerzijds kan gedacht worden aan een goed geëquipeerd platform voor beleidsconsultatie. Het platform zou de diversiteit van de allochtone zelforganisaties adequaat moeten weerspiegelen. De overheid zou in een vroegtijdig stadium advies kunnen vragen over concrete beleids- en wetsvoorstellen. De deelnemers aan het platform zouden niet namens hun organisaties moeten spreken, maar zonder last of ruggespraak moeten opereren. Anderzijds kan de oprichting van een (wetenschappelijk) adviesorgaan voor immigratie en integratie worden overwogen. Doel van deze raad, bestaande uit deskundigen op verschillende terreinen, zou pro-actieve beleidsadvisering kunnen zijn. Gevraagd en ongevraagd zou deze raad, die deels ook als denktank kan fungeren, beleidsadviezen kunnen verstrekken en toekomstgerichte verkenningen kunnen uitvoeren. Beide functies – politieke consultatie en beleidsontwikkelende advisering – moeten worden gescheiden van de subsidiëring van zelforganisaties. De overheid moet ervoor waken inhoudelijke eisen te verbinden aan de financiële ondersteuning van zelforganisaties. Door een duidelijker organisatorisch kader te scheppen, kan beleidsmatige overvraging van de allochtone zelforganisaties tegen worden gegaan.

De koudwatervrees voor herzuiling

Over de noodzaak de verzorgingsstaat meer op interculturele leest te schoeien, bestaat in Nederland consensus, zowel bij politici en beleidsmakers als bij de managers en de professionals van de desbetreffende instellingen. De meningen botsen zodra gesproken wordt over dienstverlenende arrangementen op etnische basis en gescheiden woonvormen. Ook worden allochtone zelforganisaties op etnische of levensbeschouwelijke basis achterdochtig bekeken. De achtergrond van deze gereserveerde houding is de angst voor herzuiling. Men is bang voor het ontstaan van allochtone bolwerken, die het isolement vergroten en de segregatie versterken.

Naar onze smaak is deze negatieve beeldvorming het gevolg van koudwatervrees. Men is bang dat de klok vijftig jaar of nog langer wordt teruggezet. Een massale vorm van herzuiling zal zich in onze ogen echter niet voordoen. De belangrijkste voorwaarden voor het herleven van de verzuiling ontbreken. Door de individualisering en emancipatie heeft de Nederlandse samenleving een open karakter gekregen. Dit is een nagenoeg onomkeerbaar proces. Het is waarschijnlijk dat de tendens van secularisering onder allochtonen zich in de komende decennia doorzet. Voorzover sprake is van een zekere graad van verzuiling (religieuze organisaties, islamitische scholen en dergelijke) en van een bepaalde mate van sociale zelfvoorziening (etnisch ondernemerschap, familiehulp, reisbureaus en dergelijke), omvatten deze 'verzuilde initiatieven' bij lange na niet de gehele migrantengemeenschap. Ze omspannen ook niet het grootste deel van het sociale leven van allochtonen, zeker niet dat van de tweede en derde generatie en ook niet dat van de nieuwkomers (politieke vluchtelingen en economische migranten). De verbondenheid met de Nederlandse instituties is sterk, juist ook vanwege de sociale afhankelijkheid ervan. De ontwikkeling is eerder andersom: een nieuwe generatie 'evenwichtskunstenaars' dient zich aan, die een werkzame balans probeert te vinden tussen sociale gebondenheid en persoonlijke vrijheid.[15] Ook zijn er geen krachtige verzuilde elites die de achterban in het gareel houden.

Natuurlijk zijn er zorgwekkende tendensen: conservatieve elites (al dan niet met transnationale contacten) die soevereiniteit in eigen kring prediken en een nostalgisch verlangen naar sociale cohesie koesteren (en verwijzen naar een historische context die in het land van herkomst vaak allang niet meer bestaat: 'reinventing tradition'). Bij tijd en wijle komen extreme ideeën aan de oppervlakte. Zo ontstond in de afgelopen tijd beroering over homovijandige uitspraken van imams, begrip onder allochtonen voor de 11-septemberaanslag, en moslimfundamentalisme op Nederlandse basisscholen. Deze tendensen worden door de media, de politiek en de publieke opinie snel gesignaleerd. Meestal vlamt dan een fel publiek debat op met als inzet aan deze verschijnselen een halt toe te roepen. De paradox is dat door de toegenomen zichtbaarheid van allochtonen in het publieke domein corrigerende acties vanuit de dominante cultuur worden uitgelokt. Dit is een kernmechanisme van de 'civil society' dat positief moet worden gewaardeerd. Ongewenste praktijken (discriminatie) moeten worden aangepakt, maar ongewenste opvattingen moeten vrijelijk kunnen worden geuit. In veel gevallen is het beter de discussie te zoeken dan naar juridische middelen te grijpen. Natuurlijk getuigt het van beschaving 'beledigende teksten' achterwege te laten of minstens de bereidheid te tonen deze te corrigeren. Echter, aan de vrijheid van meningsuiting en vereniging moet slechts bij hoge uitzondering worden getornd.

De vraag of (een bepaalde vorm van) verzuiling een negatief effect heeft op de democratische ontplooiing van de samenleving moet overigens niet verward worden met de vraag of hieraan ruimte moet worden geboden. Dit is geen pleidooi pro of contra 'verzuiling' als zodanig. What's in a name? Wij staan een gedifferentieerde benadering voor. Het gaat erom dat telkens opnieuw wordt afgewogen op welk niveau 'verzuiling' acceptabel en wenselijk is. De vrijheid van vereniging en meningsuiting is wat ons betreft een groot goed, waaraan slechts na grondige juridische toetsing op grond van feitelijke praktijken grenzen gesteld mogen worden.

Er kan een 'ladder' van soorten organisaties en instellingen gemaakt worden. Boven aan deze ladder staan arbeidsorganisaties en de uniforme voorzieningen van de verzorgingsstaat (zoals sociale zekerheid, gezondheidszorg en onderwijs). Daarna volgen 'leefsfeergebonden arrangementen' (zoals mantelzorg, welzijnsvoorzieningen, woonvoorzieningen en dergelijke). Tot slot volgen de zelforganisaties van allochtonen, in allerlei soorten en maten.[16]

Bij het *eerste* type (arbeidsorganisaties, voorzieningen van de verzorgingsstaat) rijzen overwegend bezwaren tegen verzuiling. Het gaat hier om algemene voorzieningen, die drempelloos toegankelijk zouden moeten zijn voor alle – op het rechtsgebied aanwezige – burgers en waarbij het rechtsstatelijk gelijkheidsprincipe geldt. Het onderwijs vormt hierop in die zin een uitzondering dat de vrije stichting van scholen een grondwettelijk principe is. Het is onwaarschijnlijk dat het desbetreffende Grondwetsartikel (artikel 23) op korte termijn op de helling gaat, maar deze gegevenheid moet een fundamenteel debat over de wenselijkheid van een brede interculturele school en over de interpretatie en houdbaarheid van artikel 23 niet in de weg staan. De durf moet getoond worden om na te gaan of de scheiding tussen openbaar en bijzonder onderwijs de etnische segregatie in stand houdt en mogelijk zelfs bevordert.

Als deze relatie kan worden aangetoond, komt het politiek en maatschappelijk debat over de verzuiling in het onderwijs in een nieuw daglicht te staan. Natuurlijk dient de overheid uniforme eisen te stellen die voor alle scholen gelden. Pedagogische, didactische en bestuurskundige normen kunnen gesteld worden om de kwaliteit en de burgerschapsvormende functie van het onderwijs te beschermen en te verbeteren. Bij het *tweede* type organisaties en instellingen – de leefsfeergebonden arrangementen – zou meer ruimte moeten komen voor diversiteit. Gescheiden woonvormen in bejaardenvoorzieningen en wijken en bepaalde vormen van etnisch-specifieke mantelzorg bijvoorbeeld zouden acceptabel zijn. Het is overigens zeer wel mogelijk deze vorm van diversiteit 'in te bouwen' in algemene voorzieningen op niet-etnische grondslag. Bij het *derde* type, de zelforganisaties, is 'verzuiling' logisch en meestal niet bezwaarlijk. In het algemeen kan geconstateerd worden: hoe 'harder' en formeler de processen in de desbetreffende sfeer zijn (werken, de kost verdienen; rechtsstatelijke sociale arrangementen voor alle burgers; hoge graad van routinematige professionalisering en dergelijke), hoe minder verzuiling wordt aangetroffen en hoe minder deze ook door de meerderheidscultuur wordt geaccepteerd. En andersom: hoe meer de directe leefwereld in het geding is, hoe meer ruimte aan verzuiling geboden wordt en kan worden. Een belangrijke toetssteen pro of contra 'verzuiling' is of in het desbetreffende geval de etnische segregatie wordt bevorderd.

Slot

Het bestaan van de multi-etnische samenleving heeft vergaande gevolgen voor de non-profitsector. Dienstverlenende instellingen worden geconfronteerd met de noodzaak de inhoud van hun dienstenpakket aan een revisie te onderwerpen. De bereidheid tot het plegen van aanpassingen is in deze sector zeker aanwezig, maar van een diepgaande interculturalisering van de praktijk van deze instellingen is nog geen sprake. De institutionele weerbarstigheid is sterk. Conflicten over de wijze waarop de etnische diversiteit binnen deze instellingen haar beslag moet krijgen, blijven jammer genoeg veelal latent.

De etnische pluriformiteit van de samenleving krijgt duidelijker haar beslag in de sfeer van het organisatie- en verenigingsleven. Het aantal allochtone zelforganisaties is de afgelopen decennia fors gegroeid en de diversiteit van het organisatiebestand is toegenomen. De constatering dat deze organisaties een waardevol onderdeel van een bloeiende 'civil society' vormen, is tamelijk onomstreden. Toch wordt het allochtone middenveld gereserveerd tegemoet getreden. Veel zelforganisaties zouden zich naar binnen keren en daardoor de integratie eerder afremmen dan bevorderen. Behoudzucht en introversie zijn inderdaad een risico. Allochtone organisaties zijn niet per definitie een garantie voor goed burgerschap, maar dit is geen reden om deze vorm van pluralisme te ontraden.

In het rapport *Etniciteit, binding en burgerschap* van de Raad voor het Openbaar Bestuur wordt een analyse gemaakt van de ambivalente positie van minderheidsgroepen in Nederland. In de directe leefsfeer (familie, economie, media en reizen) is sprake van sterke bindingen, in de institutionele sfeer van zwakke bindingen. Wij citeren instemmend de Rob die zich op het standpunt stelt 'dat de overheid zich in haar streven naar volwaardig burgerschap niet zozeer druk zou moeten maken over het (voort)bestaan van sterke bindingen, als wel over een eventueel te gering aantal – of zelfs de absentie van – zwakke bindingen van leden van deze hechte gemeenschappen met de hen omringende samenleving. In dit perspectief zijn sterke bindingen alleen relevant voorzover zij het aangaan en onderhouden van andere (zwakke) bindingen verhinderen of in sterke mate belemmeren.'[17]

Dat betekent: geef ruimte aan de vrije ontwikkeling van het allochtone middenveld en ga negatieve ontwikkelingen tegen, intercultureliseer de dienstverlenende sector en leg verbindingen tussen de directe leefsfeer, waaronder de zelforganisaties, en de institutionele wereld. De gewenste toestand in een multi-etnische samenleving is immers het verdwijnen van scheidslijnen tussen bevolkingsgroepen, niet alleen in de openbare maar ook in de private sfeer.

Noten

1. Zie Paul Dekker, 'Nederland gemeten en vergeleken: conclusies en perspectieven', in: Ary Burger en Paul Dekker (red.), *Noch markt, noch staat. De Nederlandse non-profitsector in vergelijkend perspectief*, Sociaal en Cultureel Planbureau, Den Haag 2001, p. 297.
2. Een goed inzicht in de methode van interculturele communicatie biedt Edwin Hofman, *Het TOPOI-model: een pluralistische systeemtheoretische benadering van interculturele communicatie*, Bohn Stafleu Van Loghum, Houten 1999.
3. Vergelijk Marja Gastelaars, *'Human service' in veelvoud. Een typologie van dienstverlenende organisaties*, SWP, Utrecht 1997.
4. Compacte informatie is te vinden in Carmen Keunen et al., *De intermediair als bruggenbouwer*, FORUM, Utrecht 2000. Zie ook C. Gelauff-Hanzon, C. Keune en S. Tan, *Paraprofessionals: pioniers of pionnen. Een onderzoek naar de voorwaarden voor een optimale inzet*, Verwey-Jonker Instituut, Utrecht 1999.
5. Zie Joost Heinsius, *Veelkleurig organiseren. Intercultureel management voor non-profit- en vrijwilligersorganisaties*, Boom, Meppel 1995.
6. Een interessant landelijk project is 'Stap Twee'. Dit is een vijfjarenprogramma met als doel vrijwilligersorganisaties te steunen bij interculturalisatie. Voor meer informatie: www. vrijwilligersplein.nl.
7. Treffende analyses zijn te vinden in: Ruben Gowricharn, *Hollandse contrasten*, FORUM/Garant, Utrecht en Apeldoorn/Leuven 1998 en Ruben Gowricharn, *Andere gedachten. Over de multiculturele samenleving*, Damon/FORUM, Budel en Utrecht 2000.
8. Dekker, p. 300.
9. Zie Henk Krijnen (red.), *Burgerschap en maatschappelijk middenveld. De cultuur van zelforganisaties*, Stichting TMW, Haarlem 1992.
10. Een methode voor het vernieuwen van zelforganisaties is te vinden in Annette van den Bosch, Steve Elbers en Ina Wilbrink, *Zelf vormgeven aan de toekomst. Een doe-het-zelfboek empowerment voor zelforganisaties van migranten*, FORUM en SvM, Utrecht 1999.
11. Zie onder meer Rinus Penninx en Marlou Schrover, *Bastion of bindmiddel? Organisaties van immigranten in historisch perspectief*, IMES, Amsterdam 2001, en Flip Lindo, Anja van Heelsum en Rinus Penninx, *Op zoek naar eigen kracht. Vrijwilligerswerk en burgerschap onder minderheden*, Sdu, Den Haag 1997.

12. Penninx en Schrover, p. 57.
13. Een verhelderende beschouwing hierover biedt de Raad voor het Openbaar Bestuur, *Etniciteit, binding en burgerschap*, ROB, Den Haag 2001, p. 11-19.
14. Een stimulerend betoog is: Jos de Beus, *De cultus van vermijding. Visies op migrantenpolitiek in Nederland*, FORUM, Utrecht 1998.
15. Jos van der Lans, *Makassarplein. Zin en onzin van het multiculturele drama*, FORUM, Utrecht 2000, en Herman Obdeijn en Paolo de Mas, *De Marokkaanse uitdaging. De tweede generatie in een veranderend Nederland*, FORUM, Utrecht 2001.
16. Schnabel maakt een vergelijkbaar onderscheid. Zie Paul Schnabel, *De multiculturele illusie. Een pleidooi voor aanpassing en assimilatie*, FORUM, Utrecht 2000, p. 20-25.
17. Raad voor het Openbaar Bestuur, met name p. 45-55.

5   De toekomst van de maatschappelijke onderneming in Nederland

Steven de Waal

Waar staan we?

Voor een goede positionering van de Nederlandse non-profitsector in zijn institutionele verhoudingen is het altijd verstandig de typische polderoplossingen te plaatsen in de concepten en verschijnselen van de grote wereld om ons heen. Vanuit een dergelijk meer internationaal perspectief ligt het volgende onderscheid voor de hand.

A.   Non gouvernementele organisaties oftewel NGO's.

Het gaat hier om organisaties van (verontruste) burgers die vooral een pressiefunctie (*advocacy*) uitoefenen op overheid en publieke opinie. Een onderliggend of bijkomend doel is vaak de emancipatie van de betrokken burgers die aan de acties deelnemen. Vaak hebben dergelijke organisaties dan ook niet zozeer een groot uitvoerend of dienstverlenend apparaat onder hun hoede, maar veeleer een uitvoerend secretariaat of actiecentrum. Als uiting van georganiseerd burgerschap zijn deze organisaties sterk in opkomst in belang en belangstelling; zelfs de EU voert reeds enige tijd structureel overleg met dergelijke partijen.[1] In Nederland zijn zuivere voorbeelden (met ook een internationale koppeling) organisaties als Greenpeace en Amnesty International. Ook de vakbonden kunnen hieronder in hoge mate worden gerangschikt.[2] Nederland wordt in zijn verschijningsvormen alweer meer 'hybride' als we kijken naar de vele landelijke brancheverenigingen. Strikt genomen zijn deze non-profit en zeker gericht op pressie-uitoefening en non-gouvernementeel in gedrag, maar ze zijn ook gericht op een deelbelang en minder op een algemene maatschappelijke misstand. Ze opereren ook vaak in het overheidscircuit, gericht op het krijgen van meer budget of meer bevoegdheden. Ook zo'n hybride NGO in Nederland is de ANWB, die enerzijds een sterk pressie- en verenigingskarakter heeft, maar anderzijds grote en commerciële uitvoeringsdiensten kent en zelfs voor de Nederlandse overheid verkeersborden plaatst. Ook een hybride NGO-variant in Nederland zijn de politieke partijen. Deze hebben overduidelijk een pressiefunctie, maar zijn in hun *core business* zo verweven met de overheid en worden in toenemende mate gefinancierd met overheidsmiddelen dat het private karakter en de band met het maatschappelijk verband vaak verzwakt zijn.

B.   Liefdadigheidsorganisaties

Het gaat hier om organisaties 'voor het goede doel'. Op basis van de missie of dat goede doel wordt geld bij burgers en bedrijven ingezameld en wordt vrijwilligerswerk gevraagd van de betrokken burger. Internationaal worden deze organisaties gezien als de klassieke Non Profit Organization oftewel NPO. Organisatorisch is er in dit veld een duidelijk onderscheid in de competenties van *fundraising* en 'verrichten van diensten voor het goede doel', zoals zieken verzorgen, kanker bestrijden of kinderen adopteren in ontwikkelingslanden. Dit onderscheid kan leiden tot gespecialiseerde organisaties op een van beide competenties. Dit is in Nederland vrij gebruikelijk, maar internationaal zie je vaak dat NPO's beide competenties in zich (moeten) verenigen. De meest uitgewerkte literatuur en voorbeelden hiervan tref je uiteraard aan in de Verenigde Staten. Een ook internationaal opkomende trend is die van het 'contracting out' van taken en dienstverlening vanuit de overheid naar dergelijke NPO's, zodat je kunt zeggen dat de moderne NPO in zijn (internationaal) zuivere vorm ook een organisatie mag en kan zijn die overheidstaken op contractbasis uitoefent. Veel van de overheidsgerelateerde literatuur beschrijft dit als een in principe erg vruchtbare en goede variant van uitoefening van overheidstaken[3], veel van de NPO gerelateerde literatuur beschrijft ook gevaren en dilemma's. Belangrijke kwesties daarbij zijn het verlaten van de missie oftewel *mission creep*, het afhankelijk worden van overheidsmiddelen en dus (gedetailleerde) overheidssturing en het verliezen van een van de grootste kernvoordelen van een NPO, namelijk het vertrouwen bij de doelgroep en de belangeloze betrokkenheid van burgers en bedrijven. Goede zuivere voorbeelden zijn er in Nederland volop, zoals de vele liefdadigheidsfondsen, waaronder het Koningin Juliana Fonds, de Hartstichting en dergelijke. Ook in de uitvoering zijn er zuivere voorbeelden, zoals het Leger des Heils en de opvang van zeehondjes door de Waddenvereniging. Veel van de bestaande NPO's met grote uitvoeringsdiensten in Nederland, zoals scholen, universiteiten, ziekenhuizen en woningbouwverenigingen vallen nu juist niet onder dit zuivere model, aangezien zij nauwelijks tot niet bestaan van liefdadigheidsgelden (het is in sommige sectoren zelfs in discussie of sponsoring wel is toegestaan), maar juist van forse overheidsmiddelen met bijbehorende overheidssturing en controle.

C.   *Maatschappelijk Verantwoordelijke Ondernemingen oftewel 'corporate citizens'*
Het gaat hier om profitgerichte oftewel commerciële ondernemingen die ter wille van hun imago, hun positionering, maar ook uit een stevig besef van hun maatschappelijke ankers en verantwoordelijkheden, om niet en uit eigen wil bij willen dragen aan het functioneren van hun maatschappelijke omgeving. Vormen van welbegrepen eigenbelang zitten daar natuurlijk ook in en er zijn ook veel historische voorbeelden van dit gedrag door grote ondernemingen/ondernemers. Variërend van het bieden van sociale huisvesting aan arbeiders tot het stichten van lager onderwijs en het hebben van een eigen bedrijfsopleiding. Deze goede maatschappelijke intenties kunnen zich op allerlei manieren uiten, van sponsoring tot het bieden van faciliteiten voor het eigen personeel om vrijwilligerswerk te doen, van extra alert zijn op milieugevolgen, boven de wettelijke eisen tot het bieden van extra faciliteiten aan de stad waar het bedrijf gevestigd is. Goede zuivere voorbeelden in Nederland (maar niet per se beperkt tot Nederland) zijn de Ronald McDonaldhuizen, het vroegere Evoluon van Philips in Eindhoven en de structurele sponsoring van de Gasunie in Groningen van een aantal culturele zaken in die stad. Met name in de culturele hoek

(schouwburgen, festivals) is dit gedrag in Nederland ver ontwikkeld. Op terreinen als zorg en welzijn en onderwijs is dit gedrag veel zwakker, omdat daar publieke middelen en een bijbehorend gelijkheidsbeginsel een dominante rol spelen. De term 'liefdadigheid' of *corporate charity* wordt in dergelijke sectoren sterk geassocieerd met gebrek aan rechten, betutteling en dergelijke. Uit puur strategische motieven en minder vanwege het goede doel en daarom ook (nog) niet passend in het concept van de *corporate citizen* zie je ook in Nederland wel een toenemend aantal alliantities ontstaan tussen bedrijfsleven en de instellingen op deze terreinen. Deze samenwerkingsvormen gaan dan weliswaar lijken op de hiervoorgenoemde historische voorbeelden, zoals bedrijfsopleidingen en bedrijfsklinieken, maar bestaan toch duidelijk in een ander tijdsgewricht en dienen een ander doel. Je zou zelfs kunnen zeggen dat het brede maatschappelijke doel door deze alliantities eerder geschaad wordt, aangezien dergelijke strategieën er vaak op gericht zijn de eigen werknemer en de eigen marktpositie van de betrokken bedrijven te versterken ten koste van de algemene publieksgroep waarop deze instellingen zich moeten richten! De grote discussie hier is of deze private-private alliantities binnen een sterk publiek gereguleerd domein een soort 'toefje' van slagroom vormen op de grote algemeen-maatschappelijke taart der voorzieningen of dat het toch vooral een sluipend proces is dat het algemene publieksgeoriënteerde karakter ondermijnt en bepaalde groeperingen te veel bevoordeelt.

D.   *De private public service delivery organization oftewel de maatschappelijke onderneming*

Zoals hiervoor al aangegeven is het ook internationaal een opkomend fenomeen: private non-profitorganisaties die publieksdiensten leveren op overheidsafspraak en met overheidsmiddelen. Ook wereldwijd is inmiddels de literatuur over de 'social enterprise' groeiende. Deze literatuur is overigens in eerste instantie juist niet Amerikaans getint, maar vooral Europees (met name Scandinavië en Italië)[4], Zuid-Amerikaans en, pikant, Canadees. De reden hiervoor is het sterkere non-profitkarakter oftewel liefdadigheidskarakter van veel van dergelijke organisaties in de Verenigde Staten en tegelijk de klassieke huiver die daar bestaat voor vermenging van kerk en staat. Met andere woorden: in de Verenigde Staten houdt men de twee polen van de contractuele relatie, overheid aan de ene kant en NPO aan de andere kant, graag zuiver en gaat men niet gemakkelijk over tot vervlochten of structurelere varianten van partnerships. De desbetreffende contracten zijn dan ook vaak van korte duur en worden regelmatig opnieuw publiekelijk 'aanbesteed'. De non-profitonderneming daarentegen met een meer structurele partnership, zoals de maatschappelijke onderneming, is duidelijk meer hybride, in de zin dat het weliswaar een private organisatie is, maar toch diensten levert voor een algemeen publiek of voor brede doelgroepen. Deze diensten zijn dan ook nog wettelijk vastgelegd en worden met overheidsmiddelen gefinancierd. Door mij is dit concept in Nederland enige jaren terug reeds geïntroduceerd als de maatschappelijke onderneming[5] en in het Engels aangeduid als 'civil enterprise' (zie ook www.public-space.com). Op dit vlak heeft Nederland wereldwijd zowel de grootste sector (in termen van % van BNP) als ook de meest hybride. Dit typische model van particulier initiatief, ooit ontstaan als de klassieke NPO zoals in variant B aangegeven, is vooral sinds het midden van de vorige eeuw met overheidsmiddelen 'opgeblazen'. De groei van de verzorgingsstaat is in Nederland via dit publiekprivate model verlopen. Het hybride karakter is als het ware door dit beleid versterkt. Onder de sterk verstatelijkte regelgeving en belangstelling is het private karakter formeel gehandhaafd, maar feitelijk sterk aangetast. Inmiddels is met het toestaan en de werkelijke opkomst van commerciële initiatieven ook het non-profitkarakter ter discussie gesteld en wordt ook dit steeds meer hybride, in zoverre zelfs dat deze variant D bijna niet meer te onderscheiden is van variant C.[6] Vergeleken met de meer contractuele USA-variant heeft een dergelijke structureel vervlochten praktijk tussen publieke voorzieningen en private organisaties ook grote politieke consequenties. Feitelijk zijn de publieksdiensten in Nederland op het gebied van gezondheidszorg, welzijn, sociale huisvesting en onderwijs sluipenderwijs steeds verder geprivatiseerd, doordat met publieke middelen werd voortgebouwd op een privaat model. Dit veld van instellingen heeft dit echter, mede gesteund door verbonden politieke partijen, opgevat als een natuurlijk proces en zelfs als een recht en niet als een bewuste keuze van de overheid, die als het ware deze taken, publieksrechten en publieke middelen had weg te geven. Het private karakter van de instellingen, gevoegd bij hun maatschappelijke achterban, maakte ook dat het een zeer effectieve en openlijke lobby kon voeren ter bescherming van de eigen belangen. Dit geheel werd nog verder beschermd en afgeschermd doordat de overheid koos voor het klassieke bureaucratiemodel, namelijk centrale aanbodplanning over het gehele land en een bijbehorende monopoloïde inrichting van het veld als sturingsconcept. In feite houden in Nederland overheid en georganiseerd maatschappelijk middenveld hiermee elkaar volstrekt gevangen. De overheid kan niet echt concessies uitgeven of *tenders* met meerdere partijen houden, want zij heeft geen echte keus tussen instellingen en zit ook gevangen in de betrokken goed georganiseerde lobby. Een goede illustratie hiervan biedt het fenomeen dat in concurrentie aanbesteden van overheidscontracten rond welzijnswerk tot nu toe alleen echt heeft plaatsgevonden in nieuw gebouwde wijken, zoals IJburg en Leidsche Rijn, en niet of nauwelijks in de bestaande stad. Aan de andere kant zijn de betrokken instellingen echter ook volstrekt overgeleverd aan deze overheidsregulering en -middelen, want ze hebben inmiddels vaak te weinig maatschappelijke binding en missie. Even reëel is het echter om te zeggen dat deze instellingen ook nooit serieus genomen zijn in hun werkelijke private autonomie en te gemakkelijk en tevens te inconsequent tot staatsuitvoerders zijn gemaakt.[7] Het gevoel van 'ownership' ontbreekt bij de belangrijkste maatschappelijke 'aandeelhouder', de burger. Het is niet 'ons' ziekenhuis, 'onze' school enzovoort. Tegelijk kennen deze echter nauwelijks concurrenten en hebben dus ook baat bij en bescherming van diezelfde overheid. De wederzijdse klachten zijn dan ook groot en diepgevoeld, maar komen voort uit de machteloosheid die ontstaat als het rollenspel te hybride wordt en de bevoegdheden te zeer gespreid zijn. De opkomst van de Europese markt en mobiele samenleving doorbreekt dit historisch gegroeide nationale patroon. Gezien de sterk gegroeide gevoelens van *Verelendung* en gebrek aan ondernemingszin en – vrijheid wordt deze trend eigenlijk door beide partijen, overheid en maatschappelijke ondernemingen, nu omhelsd. Nederland doet wel vaker te snel mee met beleid dat in Europa wordt vastgesteld, in dit geval met goede gronden en veel maatschappelijke steun. Dit model, hier aan te duiden als een public-private civil model, is dus in zichzelf wankel en kraakt, terwijl tegelijk de druk van buiten toeneemt. De vraag naar de toekomst van dit typisch Nederlandse model is dus uiterst relevant.[8]

Druk op het public-private civil model oftewel sluipende slopende krachten

Hiervoor gaf ik al aan dat het hybride en sterk verweven model van de publiekprivate opbouw van overheid met non-profitorganisaties zoals het in Nederland nu bestaat in zichzelf instabiel is.[9] Vooral door de wijze waarop het is gegroeid en vormgegeven en de grote machteloosheid en onduidelijkheid van het model voor alle verantwoordelijke partijen. Dit wankele model wordt echter ook in toenemende mate bestookt door allerlei krachten die het verder uit balans brengen. Ik noemde in dat verband hiervoor al Europeanisering in politiek, economisch en sociaal opzicht, maar dat is nog een door iedereen als uitdagend en vernieuwend beleefde trend; er zijn nu al ook meer bedreigende, slopende krachten aan het werk.

A.   Ontzuiling
Er was vooral een indelingscriterium voor ordening van dit veld van instellingen steeds dominant dat natuurlijk alles te maken had met de verdelende rechtvaardigheid als overheidsstrategie, namelijk de indeling op religieuze/maatschappelijke grondslag. Deze basis van het huidige systeem begint ons door de voortgaande ontzuiling te ontvallen. In de gezondheidszorg is het vrijwel al gebeurd, in het onderwijs vindt veel schaalvergroting nog plaats langs klassieke verzuilde lijnen, maar in het primaire proces van het onderwijs zelf is het nauwelijks nog merkbaar en de publieke omroepen worden sterk getransformeerd tot productiehuizen. Je zou kunnen zeggen dat de verzuiling als vanzelfsprekend maatschappelijk en politiek gedragen ordeningsbeginsel al vrijwel verdwenen is, maar dat delen ervan in een nieuwe jas overleven, namelijk in zoverre dit beginsel onderscheidend weet te zijn op de markt van burgers en consumenten. Met andere woorden: de verzuiling bestaat *top-down* niet meer, maar kan *bottom-up* bestaansrecht en continuïteit hebben. We zien dit in het onderwijs waar alom de perceptie heerst onder ouders dat bijzondere scholen een betere kwaliteit leveren dan openbare. We zien dit bij publieke omroepen en verzorgingshuizen die met hun oude identiteit aansluiting weten te vinden bij moderne *lifestyle* groepen. Zo worden de new-agegroepen en spirituele groepen door KRO en NCRV opgezocht en ontstaan er bejaardenhuizen voor kunstenaars, professionals, etnische groepen enzovoort. Maar in de kern geldt dus ook hier dat een van de ontstaansgronden van het publiekprivate model feitelijk is verdwenen en is vervangen door een vorm van tucht door de markt. Dit biedt natuurlijk ook

gronden voor andere indelingscriteria en opkomst van andere, ook commerciële, partijen in ditzelfde veld.

B.   Voortgaande commercialisering en competitie

De ruimte en mogelijkheden voor meer commercieel ondernemerschap dienen zich aan. Er is meer koopkracht onder de mensen, ook na aftrek van de verplichte belastingen en premies waarmee de publieksdiensten worden gefinancierd. Er is meer consumentisme en claimgedrag. Er is meer mobiliteit waardoor ook voorzieningen in het buitenland in beeld komen. Stappen dergelijke maatschappelijke ondernemingen niet in deze opkomende koopkrachtige vraag op hun klassieke domein, dan krijgen commerciële ondernemingen veel kansen, met ook het gevaar dat deze op den duur de monopolie- of semi-monopoliepositie van de gevestigde instellingen en hun kartelconstructies met de overheid samen bedreigen. Vanuit overheidsoptiek dreigt bij deze ontwikkeling ook het gevaar dat de commercieel interessante 'krenten uit de pap' worden gevist door dergelijke commerciële partijen en dat allerlei infrastructurele kosten of instandhoudingskosten uitsluitend bij de overheid worden gelegd. De commerciële partijen betalen als het ware niet de volle prijs van hun marktpenetratie en diensten, maar ondermijnen wel de inkomstenbasis van de gevestigde non-profitorganisaties. Tevens dreigen hierdoor gaten te vallen in het nauw luisterende, want schaars en zuinig opgebouwde net van voorzieningen, hetzij doordat gevestigde instellingen het met alleen staatssubsidie niet meer volhouden, hetzij omdat arbeidskrachten in het commerciële circuit beter worden betaald. Het is ook denkbaar dat de commerciële partij ineens al dan niet door marktomstandigheden gedwongen besluit te stoppen, waardoor ook die dienstverlening wegvalt waar de burger wel op was gaan rekenen. Deze loopt dan naar de overheid om hierin verder te voorzien. Ook hier geldt dan het fenomeen dat de commerciële partij het beste van twee werelden heeft, namelijk winst bovenop de publiek betaalde infrastructuur en afstoting bij verlies, en dat anderzijds de overheid opdraait voor de 'lekker gemaakte' burger als het fout gaat. Aan de andere kant is het voor een wat objectievere buitenstaander wel paradoxaal dat door beide partijen, namelijk overheid en privaat middenveld, zo conservatief en conserverend wordt gereageerd op het op zich toch zeer te waarderen fenomeen dat burgers en werkgevers meer geld, boven op de reeds betaalde belastingen en premies, willen besteden aan zorg, onderwijs en dergelijke en dat ook willen doen bij de bestaande met publiek geld opgebouwde organisaties en voorzieningen! Belangrijke kwesties die gaan over dit effect van commercialisering en bijbehorende competitie zijn er dus ook geweest. Er is een discussie geweest over het verdwijnen van sommige ziekenhuislocaties en de vraag is gesteld hoe erg het is als dit uit het zorgaanbod verdwijnt. Er zijn enige dreigende faillissementen geweest in de thuiszorg. Met dezelfde vraag. Het gevecht rond commercialisering aan de ene kant en instandhouding van een publiek verantwoord palet van voorzieningen aan de andere kant is nog lang niet klaar en wordt vooralsnog, zo lijkt het, vooral gevoerd op de politieke markt en niet op de echte markt. De burger/consument heeft er dus ook nog niet zoveel van gemerkt. Zo is er nu een lobby vanuit het bedrijfsleven rond thema's als concurrentievervalsing door overheidsinstellingen en gesubsidieerde instellingen, kartelgedrag en de onvoldoende mogelijkheden tot commercieel ondernemen op deze terreinen. Maar we praten ook over het beschermingsgedrag van betrokken instellingen door een forse schaalvergroting, hetgeen per saldo de invloed van de markt en de consument aanzienlijk verslechtert. Overigens wordt deze schaalvergroting mede ingegeven door het van de markt halen van de zwakke broeders die anders dreigen failliet te gaan of volstrekt slechte kwaliteit te leveren. Ook hier ligt overigens een aansturingsprobleem. Het publieke belang van de private instellingen is zo groot dat eenvoudig failliet laten gaan voor de politiek eigenlijk geen optie is. Het grote gevaar is dan ook hier dat slecht management beloond en in stand wordt gehouden als overheidsbeschermingsmaatregel.

C.   De politiek als schootsveld en machtscentrum

Een kracht die destabiliserend werkt op dit geheel is de verschuiving van de rol en status van de politiek. Zoals gezegd is het bestaande publiekprivate model weinig *accountable* in de klassieke politieke zin. Het is volstrekt vaag welke minister verantwoordelijk is en ook verantwoordelijk te houden is voor falende uitvoering of dreigende leemten in het voorzieningenaanbod. Er moest een rechter aan te pas komen om de burger uit te leggen waar deze zijn/haar recht op zorg moet claimen! De pijlen van de burger richten zich echter, en niet alleen in verkiezingstijd, toch op diezelfde politiek. Ook in die zin is de pacificatiestrategie van de verzuiling en het bijbehorende instandhouden van verzuilde publieke voorzieningen ten einde. De desbetreffende non-profitinstellingen vertegenwoordigen vooral zichzelf en niet de samenleving en zijn dus geen buffer of bindingsmiddel meer tussen politiek en burger. Te midden van die publieke druk staat de politiek in Nederland echter vaak met lege handen als het gaat om machtsmiddelen en keuzevrijheid. Hier wreekt zich dat het huidige publiekprivate model nooit conceptueel doordacht is en zuiver is vormgegeven. Dat zal in de nu komende slag om de modernisering van de publieke diensten moeten gaan gebeuren en gevolgen hebben voor een aantal hybriditeiten die in het huidige model zitten.

Dat deze drie krachten het wankele model verder uit balans brengen is merkbaar. Ik noemde al de steeds opduikende vraagstukken van competitie versus zwakke broeders en van dreigend disfunctioneren versus politieke accountability, maar het gaat verder.

Er zijn de bonden van consumenten, zoals patiëntenverenigingen, ANWB, Consumentenbond, reizigersvereniging die klagen, zwartboeken schrijven, naar de rechter of de pers stappen. De vraag om de concrete publieksdienst wordt harder en scherper gesteld. 'Government deliver!'. Er zijn concrete klanten die hun rechten bij de rechter of in andere juridische procedures proberen af te dwingen en geen genoegen nemen met politieke praatjes of managers die de handen omhoog heffen. Er zijn de afkalvende ledentallen van sommige publieke organisaties, zoals omroepverenigingen en politieke partijen, er zijn de verminderde opkomstpercentages bij verkiezingen. Veel duidt op groeiend protest, claimgedrag en afhaken bij de uitleg die aan de verhoudingen gegeven wordt. Allemaal tekens dat zowel naar legitimering als rond concrete dienstverlening volgens de wettelijke standaarden het huidige model maatschappelijk kraakt en piept. De reden dat ik deze maatschappelijke signalen koppel aan het model als zodanig (en niet aan het disfunctioneren van een van de partijen of betrokken personen) komt voort uit het feit dat de antwoorden uitblijven. Geen van de partijen, overheid, betrokken instellingen, brancheverenigingen heeft op dit moment in zijn eentje het juiste antwoord paraat, men worstelt met elkaar en ten dele gebeurt dat nog voor de camera ook. Het is dus in essentie een vraagstuk van onvoldoende duidelijke rollen, onvoldoende scherpe verantwoordelijkheden, onvoldoende heldere reacties, sancties en early warning bij dreigend disfunctioneren enzovoort.

Waar moet antwoord op komen?

Om te weten hoe de contouren van een nieuw gebalanceerd publiekprivaat model er uitzien moeten we eerst even verkennen welke zaken duidelijkheid behoeven.

Dan zie ik de volgende kwesties.

1. Er is veel ambtelijk en politiek gedrag geslopen op alle niveaus van betrokken velden, er moet ruimte komen voor werkelijk ondernemerschap en initiatief en de band met de burger moet opnieuw op een moderne manier worden aangehaald. Tevens leidt dit tot een al te kortetermijngerichtheid, een conserverende houding en dus het missen van belangrijke trends in de omgeving. Een (niet zo) fraai voorbeeld hiervan was de collectieve blindheid van overheid en publieke omroepen voor de technologische ontwikkeling van satellietzenders, waardoor Luxemburg ineens een interessante vestigingslocatie gericht op de Nederlandse markt werd. Een voorbeeld dichterbij huis is natuurlijk de lange weg die het zogenoemde bachelors/mastersstelsel moest doorlopen eer het kon worden ingevoerd.[10]
2. Het non-profitkarakter is nooit goed belegd met regels en toezicht; zo moet duidelijk zijn tot hoever eventuele winstdeling binnen de instelling gaat (hoogte salarissen en dergelijke) en dient er een wet op de corporate governance van de maatschappelijke onderneming te komen.
3. Het vraagstuk van toezicht en inspectie wordt veel te nauw opgevat, duidelijker moet geregeld worden wie eerder geïnformeerd wordt, niet als het al te laat is, over managementmissers en dergelijke. De kracht van het interne toezicht, meestal de raad van commissarissen, moet versterkt worden, en dit geldt tegelijk ook voor hun aansprakelijkheid als methode tot werkelijke disciplinering van hun functioneren.
4. De politiek zelf moet duidelijk maken hoe het functioneren en de opbouw van deze publieksdiensten, hoe privaat ook uitgevoerd, moet bijdragen aan hun politieke profilering en dus herverkiezing. Waar gaan politici wel over en waarover niet. De politiek moet meer over het hoofd van deze instellingen rechtst-

reeks gaan werken voor en met de burger. Aanzetten daarvoor zitten in persoonsgebonden budgetten als financieringsinstrument, versterking van de juridische positie van de consument, maar ook in goed kijken welke pijnlijke boodschappen (bijvoorbeeld rond de dreigende verdwijning van ziekenhuizen of scholen) zijzelf verkondigt respectievelijk tot haar beleid maakt en welke meer bij de instelling zelf liggen. Dus ook hier geldt: hoe ver reikt die formeel aanwezige private verantwoordelijkheid van partijen op deze terreinen.

Scenario's voor de toekomst

Dit alles overziende zie ik de volgende scenario's voor de toekomst van de maatschappelijke ondernemingen en hun toekomstige functie.

Figuur 5.1 De toekomst van de maatschappelijke ondernemingen

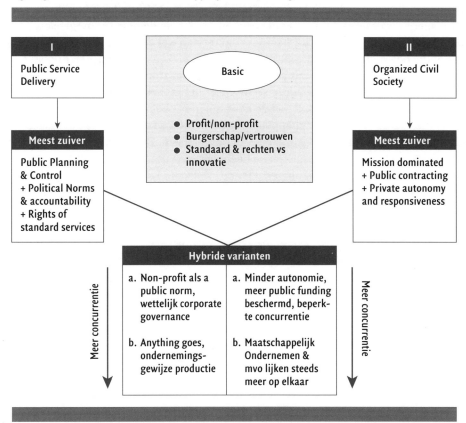

In dit schema heb ik getracht de verschillende trends en krachten en hun impact op het huidige public-private civil model weer te geven. Het schema geeft weer dat er

twee belangrijke achterliggende *paradigma's* of referentiekaders zijn waarmee naar dit huidige hybride model gekeken kan worden, namelijk dat van de *public service delivery* en dat van de *organized civil society*.[11] De meest zuivere uitwerking van het eerste paradigma zegt dat we het hier hebben over voorzieningen die geleverd moeten worden volgens publiek vastgestelde en vaak wettelijk vastgelegde normen. Voor de vaststelling van deze normen en de implementatie ervan is de politiek verantwoordelijk. De burger kan deze wettelijke rechten op goed gedefinieerde standaardvoorzieningen dan ook claimen bij betrokken instellingen, al dan niet verder af te dwingen bij een rechter. Ultiem kan deze zelfde burger bij structureel falen van het geheel van voorzieningen de politiek daarop aanspreken. Zoals gezegd betreft het hier paradigma's en zuivere denklijnen daarvan. Daarmee is het ook in hoge mate politieke theorie en zelfs retoriek. Dit neemt niet weg dat er zeker een dwingend appel van uitgaat en velen in de publieke sector een dergelijke zuivere denklijn aanhangen. De praktijk leert natuurlijk dat dergelijke normen nu niet hard omschreven zijn (Om de hoeveel kilometer moeten er welke ziekenhuisvoorzieningen zijn? Hoeveel minuten mag een ambulance er over doen?), dat vaak het geld ontbreekt om de normen mogelijk te maken (Hoeveel miljard heeft de NS nodig om treinen wel op tijd te laten rijden?) en dat politici ook niet zo gemakkelijk 'accountable' te maken zijn (Stapt een minister op als de ambulance een paar minuten te laat is en er daardoor doden vallen?).

Het tweede paradigma beziet deze sector meer in lijn met de historische ontstaansgeschiedenis ervan en ook met de door mij in het begin genoemde internationale context. De huidige maatschappelijke ondernemingen zijn volgens deze zienswijze nog steeds uitingen van georganiseerd burgerschap. De burger is ook uit zichzelf solidair en betrokken op anderen en heeft daarvoor de staat niet nodig. Sterker nog: veel van dergelijke voorzieningen voor de zwakken in de samenleving zijn het eerst gecreëerd uit dit soort burgerinitiatief nog voor de staat er een mening over had. In de meest zuivere denklijn volgens dit paradigma moeten dergelijke organisaties dus vooral gedomineerd worden door hun missie, die uitdrukkelijk ook spreekt van 'het goede doel' dat men beoogt, de privaat vormgegeven solidariteit hoog in het vaandel heeft en dat ook laat zien in praktijk. Diensten die worden geleverd voor het grote publiek of gericht op bepaalde doelgroepen die door de overheid zijn gedefinieerd worden uitgevoerd op contractbasis. Deze instellingen zijn daarin gewaardeerde contractanten. Tevens zijn ze ook vooral partner van de overheid in het meedenken over problemen en hun aanpak in de samenleving, vooral van sociale aard. Deze private organisaties hebben ook een eigen verantwoordelijkheid en karakter in het afleggen van zowel publieke verantwoording als verantwoording naar de direct betrokken burgers en leden. Ook dit is natuurlijk in hoge mate een theoretisch model, zoals ik ook in de beschrijving van de verschillende verschijningsvormen in het begin van dit artikel heb aangegeven. Vervolgens geeft het schema aan dat *twee grote krachten* inwerken op deze gepercipieerde werkelijkheid, namelijk de krachten van *meer concurrentie* (dan klassiek toegelaten in het public service delivery denken) en van *meer commercie* (dan klassiek toegelaten in het civil society denken).[12] Er zijn goede redenen waarom deze krachten nu wel hun werk kunnen en mogen doen en (bijna) niemand vanuit de officiële zuiverheid van denken overweegt het bij wet te trachten te verbieden. De voornaamste redenen zijn:

a. De politieke en economische invloed van Europa die aandringt op meer concurrentie en meer openheid van de betrokken velden, ook voor buitenlandse instellingen, commerciële aanbieders en ten gunste van de consument;

b. Het nog steeds diep verankerde besef dat grootschalige monopolide uitvoering onder directe politieke aansturing niet leidt tot erg klantvriendelijke, goed functionerende dienstverlening aan de burger (en het geheel ook erg kwetsbaar maakt voor de betrokken verantwoordelijke politieke bestuurder). Dit leidt ertoe dat in ieder scenario het private karakter in het bestel gehandhaafd zal blijven; van nationalisatie zal geen sprake zijn. Bij het handhaven van het private karakter hoort een voortdurend gevecht over de mate van autonomie, de mate van vrijheid van handelen en de mate van financiële vrijheid.

c. De Europese en zeker de Nederlandse samenleving laten een hoge mate van solidariteit zien op basis van *public funding*; daarmee is echter onverbrekelijk verbonden een relatief hoge belasting- en premiedruk. Dit laatste maakt dat in deze sectoren enerzijds altijd sterk sprake zal zijn van publieke contractering, anderzijds dat er macro-economisch gezien weinig ruimte is om geheel op liefdadigheidsgelden te gaan vertrouwen. Zoveel belangeloze koopkracht zit er immers ook niet meer bij bedrijven en burgers[13]. Deze zullen ook blijven verwijzen naar de verantwoordelijkheid van de staat onder het motto 'Daar betalen we toch ook belastingen voor?' Dit alles (publiek gegarandeerde solidariteit, hoge belastingdruk, geconditioneerd geefgedrag bij burgers en bedrijven) leidt ertoe dat commerciële inkomsten nodig zijn om het ondernemerschap en de eigen autonomie van dergelijke instellingen te bevorderen en in praktijk waar te maken. De ervaringen met overheidsgestuurde vernieuwing van publieksdiensten tot nu toe laten zien dat als de autonomie van dergelijke instellingen niet wordt bevorderd door ze de vrijheid te geven aanvullende middelen te verwerven, er van decentralisatie, deregulering en andere fraaie politieke voornemens vaak weinig komt. Daarvoor is de gecombineerde behoefte aan controle, grip en macht van politiek en bureaucratie dan toch te krachtig.

Dit geheel van twee paradigma's en twee dominante nieuwe krachten die op het huidige public-private civil model inwerken leidt tot een aantal meer hybride scenario's voor de toekomst van dit beleidsmodel. Dit natuurlijk niet tot vreugde van de aanhangers van de zuivere varianten, die dan ook naarstige pogingen doen de door mij aangegeven krachten tegen te werken, te ontkennen enzovoort. Geredeneerd vanuit de zuivere paradigma's ontstaan telkens twee meer hybride scenario's; ik vat ze uiteindelijk samen in *twee* vrij duidelijke en te verwachten *scenario's*. Het ene scenario is te benoemen als '*Gereguleerd veld van non-profitaanbieders*', het andere als '*Ondernemingsgewijze productie van publieksdiensten*'. In het eerste scenario neemt de overheid het op zich helder te definiëren welke rechten de burger heeft en aan welke normen het aanbod en de aanbieders moeten voldoen. In deze normen zijn ook opgenomen eisen ten aanzien van de corporate governance van dergelijke aanbieders: de non-profitdoelstelling, de wijze van verantwoording, de onderwerping aan inspectie en toezicht, de wijze waarop bestuurders en commissarissen worden beoordeeld enzovoort. Het veld van mogelijke aanbieders wordt dus afgeschermd en gereguleerd, waarbij het non-profitkarakter van aanbieders en hun relaties naar de burgers worden beschermd en een toelatingseis is. Binnen dat veld is het vervolgens heel goed mogelijk verder door te gaan op de weg van vraagversterking via voucher- en persoonsgebonden budgetsystemen, maar ook via *citizen charters* enzovoort. Naar Europa wordt uitgelegd dat het hier een publiek en *civil* systeem betreft met duidelijk geconditioneerde private aanbieders[14].

Het andere scenario gaat verder in het verder loslaten van de regulering en ziet alle huidige en toekomstige aanbieders als ondernemingen. De overheid bepaalt aard en mate van de rechten van burgers en de normen waaraan het aanbod moet voldoen om dit waar te maken. De keuze van de doelstelling en missie is een vrije keuze van betrokken ondernemingen. Noch het non-profitkarakter, noch typen van corporate governance worden geëist of in wetgeving vastgelegd. De eisen die worden gesteld, zijn geen andere dan de normale eisen van jaarverslaglegging, vennootschapsrecht, milieuwetgeving en dergelijke die aan alle ondernemingen worden gesteld, wellicht aangevuld met bepaalde accreditatie-eisen voor dat specifieke veld van voorzieningen. Dit ligt bijvoorbeeld bij onderwijs en gezondheidszorg nogal voor de hand en is, ook internationaal, binnen die terreinen volstrekt normaal. Het systeem is dan ook open naar Europese aanbieders. Het verschil tussen de 'maatschappelijke onderneming' en de 'maatschappelijk verantwoordelijke onderneming' is definitief verdwenen en ook uit het beleid geschrapt[15].

Wat bepaalt nu welk scenario werkelijkheid wordt? Dit is uiteindelijk de burger, zowel in zijn rol van consument van publieksdiensten, van betrokken burger in bestuur en medezeggenschap rond dergelijke organisaties en van kiezer van politici en politieke programma's. In de kern gaat het dan om drie fundamentele kwesties, waarbij het dus zeer relevant is hoe de Nederlandse burger daar zelf naar kijkt en hoe hij zich daar actief een mening over vormt.

Eerste kwestie: hoe belangrijk is het voor een consument en burger dat de organisaties die actief zijn in de medische sector, het onderwijs, de additionele werkvoorziening, de sociale woningbouw een non-profitkarakter en een officiële non-profitdoelstelling hebben of maakt het hem niet uit? Sterker nog: wellicht heeft hij meer vertrouwen in een commerciële onderneming, bijvoorbeeld wat betreft slagkracht, maar zelfs wat betreft langetermijnzorg voor klanten, leverbetrouwbaarheid en reputatie. En anderzijds: hoeveel maakt het voor het moderne functioneren van organisaties nog uit welke hoofddoelstelling ze hebben? Dient niet iedere organisatie te voldoen aan dezelfde mix van eisen in welke context van dienstverlening dan ook? Goed voorbeeld is het Amerikaanse universitaire bestel met commerciële aanbieders en non-profitaanbieders door elkaar heen, waarbij de meest succesvolle, Harvard

University, officieel een non-profitorganisatie is, maar dan wel een met het grootste ingelegde vermogen en de beste alumnivereniging.

Tweede kwestie: hoeveel vertrouwen ontleent de burger aan de mogelijkheid bestuurlijke inbreng te kunnen leveren in dergelijke organisaties? Hoe krachtig is nog dat gevoel van burgerschap ('de publieke sector is te belangrijk om aan de politici over te laten'), hoe groot is de wens dat scholen en ziekenhuizen behoren tot de samenleving, vertrouwd zijn, bestuurd worden door andere burgers? Worden de amateurs uit de straat of de notabelen uit het dorp als toezichthouders meer vertrouwd dan de beroepspolitici en hun ambtenaren als het gaat om adequaat runnen en controleren van dergelijke grote professionele organisaties? Een goed voorbeeld is het Nederlandse bestel van publieke omroepen. Zijn deze in de ogen van de consument/burger productiehuizen met al dan niet goede programma's of betekenen missie, identiteit en burgerbetrokkenheid via de verenigingsconstructie meer? (H)erkent ook de burger dat hier een samenleving wordt gemaakt, dat pluriformiteit iets anders is dan een divers programma-aanbod, dat de verenigingsstructuur waarborgt dat identiteit en stijl worden bewaakt?

Derde kwestie: hoeveel behoefte aan vernieuwing en ondernemerschap is er qua dienstverlening en bejegening van cliënten echt nodig in deze sectoren? Naarmate meer volstaan kan worden, in de ogen van de burger/consument, met standaarden qua dienstverlening is het mogelijk dit systeem strenger via wetten, protocollen en voorschriften aan te sturen. Leent het zich dus ook meer voor politieke en bureaucratische controle. Leent het zich ook beter voor vastlegging in meer juridische zin van de rechten op dergelijke standaarddiensten voor de burger. Juist als meer innovatie gevraagd wordt is een klant- en marktgerichte attitude en ondernemersvrijheid voor dergelijke organisaties hard nodig. Dan is ook de verleiding van buitenlandse en commerciële aanbieders die wel innovatief zijn des te groter en heeft zij ook meer kans van slagen.

Het zal de burger, die tevens consument, kiezer en (kleine) aandeelhouder is, zijn die de doorslag zal geven in de scenario-ontwikkeling van ons huidige, historisch gegroeide en nu nog voluit beschermde public-private civil model en daarmee van de maatschappelijke onderneming in Nederland.

Noten

1. Hoewel ook in Europa het hybride karakter van NGO's toeneemt, zie o.a. *Facts about European NGOs active in international development* (OECD 2000), overigens met als uitkomst dat in deze categorie 7,3 miljard dollar op jaarbasis omgaat (pag. 31).
2. Om die reden is er ook een apart hoofdstuk over 'Verenigingen als strategie van burgers' in mijn boek *Nieuwe Strategieën voor het publieke domein. Maatschappelijk ondernemen in de praktijk*, Samsom 2000.

3. Zie o.a. P. Joyce, *Strategy in the public sector* (Wiley 2000). In het hoofdstuk 'Involving the public' omschrijft deze de inschakeling van burgers bij publieksdiensten, o.a. onder 'improving services' en zelfs 'co-management and co-production'.
4. Zie o.a. V. Pestoff, *Beyond the market and state. Social enterprises and civil democracy in a welfare society*, Ashgate Aldershot 1998, en C. Borgaza en J. Defourny (red.), *The emergence of social enterprise*, Routledge 2001.
5. Zie voor definities en nadere omschrijvingen De Waal (noot 2), p. 50 e.v.
6. Ook door Paul Dekker geanalyseerd in het slothoofdstuk van A. Burger en P. Dekker (red.), *Noch markt, noch staat*, SCP 2001.
7. Dit is de strekking van het opinieartikel in *Het Financieele Dagblad* van 1 juni 2001 'Geen paarse bureaucratie, maar keuzevrijheid' van de CDA'ers Balkenende (toen nog financieel woordvoerder) en Dolsma.
8. Zie voor een goed internationaal overzicht van dit debat en deze varianten, waarop dus de Nederlandse situatie zoals weergegeven in variant D een belangrijke uitzondering vormt, W.W. Powell en E.S. Clemens (red.), *Private action and the public good*, Yale University Press 1998.
9. Een conclusie die niet door iedereen gedeeld wordt: 'In this country 'civil society', market and state are not seperated spheres, but in each sphere the two others are institutionally included. This system characteristic makes the whole strong and stable.' (P.L. Hupe en L.C.P.M. Meijs, *Hybrid Governance*, SCP 2000, p.163).
10. Dit voorbeeld uit het hoger onderwijs is reeds eerder beschreven in S. de Waal, 'De organisatie van de bevrijde universiteit als maatschappelijke onderneming' in M.N.A. van Marrewijk, A. Niemeijer en R.J. in 't Veld (red.), *De contouren van de bevrijde universiteit*, Lemma 1995.
11. Deze indeling is vergelijkbaar met de gesuggereerde indeling in 'welfare state part' en 'civil society part' in A. Burger en P. Dekker m.m.v. T. van der Ploeg en W. van Veen, *The nonprofitsector in the Netherlands*, SCP 2001.
12. Ook competitie heeft mogelijk al een ondermijnend effect op burgerorganisaties; zie bijvoorbeeld A. Zimmer, aangehaald in Hupe en Meijs, ibid, p. 158.
13. Hoewel deze in Nederland nog steeds aanzienlijk is en sterk wordt onderschat in zijn economische en sociale impact, zie o.a. de tweejaarlijkse rapporten van Th.N.M. Schuyt (red.), *Geven in Nederland*, Bohn Stafleu Van Loghum 1999 en 2001.
14. Delen van deze werkwijze zijn te herkennen in het SER-advies over het stelsel van ziektekostenverzekeringen uit 2001.
15. Een opmaat naar dit debat vinden we rond de studie van de Raad voor Volksgezondheid en Zorg naar het verschil tussen non-profit- en for-profitzorgaanbieders. Zie de voorpublicatie van P.P.T. Jeurissen en T.E.D. van der Grinten, 'Zorg-for-profit onderzocht', ESB D4314 (14 juni 2001).

Beschouwingen vanuit de met de politieke partijen verbonden wetenschappelijke bureaus

6   De Nederlandse civiele samenleving

Marco Kreuger

De Nederlandse non-profitsector is naar verhouding de grootste ter wereld.[1] In 1995 verschafte de sector met 670.000 voltijdsmedewerkers bijna 13% van de totale, niet-agrarische werkgelegenheid, terwijl het internationale gemiddelde op slechts 5% ligt.[2] Men kan zeggen dat dit een bevinding is waar wij Nederlanders zeer trots op mogen zijn. Wijst de relatief grote omvang van de non-profitsector immers niet op een grote mate van maatschappelijke betrokkenheid, verantwoordelijkheid, particulier initiatief en burgerzin in de Nederlandse samenleving? Deze vraag lijkt retorisch, maar is het niet. Gedurende de 19e en het begin van de 20e eeuw bestond er vrijwel geen verschil tussen het particulier initiatief en de non-profitsector. Tegenwoordig moet er echter een duidelijk onderscheid worden gemaakt tussen de *civiele samenleving*, gedefinieerd als een verzameling van vrijwillige samenwerkingsverbanden ('associations') met een bepaald maatschappelijk doel – die inderdaad gebaseerd zijn op burgerzin, maatschappelijke verantwoordelijkheid en particulier initiatief – en de *non-profitsector* als zodanig, zijnde een verzameling van particuliere organisaties die geen materiële winst nastreven en die niet noodzakelijk gebaseerd zijn op deze maatschappelijke deugden.

Voor een deel zullen de twee begrippen nog steeds overlappen, maar ze kunnen niet meer zomaar aan elkaar gelijk worden gesteld. De reden is dat in de moderne samenleving de overheid zich vaak mengt in de non-profitsector, terwijl de overheid zelf uiteraard geen deel uitmaakt van de civiele samenleving. De non-profitsector en de civiele samenleving moeten daarom duidelijk worden onderscheiden en alleen door te onderzoeken in hoeverre beide overlappen kunnen we bepalen in hoeverre de omvang van de non-profitsector ook inderdaad iets zegt over de omvang van de civiele samenleving en de mate waarin deugden als maatschappelijke verantwoorde-lijkheid en burgerzin in de samenleving zijn verankerd. Het onderscheiden van beide begrippen blijkt in de praktijk echter nogal lastig. Het probleem is vooral hoe we de civiele samenleving concreet moeten definiëren (een kleine verandering in de definitie kan een groot verschil in de omvang veroorzaken) en – daaruit voortko-mend – hoe we de mate van 'menging' van de overheid met de non-profitsector moeten beoordelen. In praktijk bestaat er namelijk geen helder onderscheid in de zin dat er aan de ene kant organisaties en sectoren bestaan die geheel onafhankelijk van de overheid opereren en aan de andere kant organisaties en sectoren die volledig afhankelijk zijn van de overheid en zodoende als een zelfstandige overheidsdienst moeten worden beschouwd. De overheid subsidieert, beïnvloedt, stuurt en reguleert, maar slechts zelden kan men onomstreden de uitspraak doen dat bepaalde organisa-ties als gevolg van hun mate van afhankelijkheid van de overheid niet tot de civiele samenleving mogen worden gerekend. Bij het bepalen van de omvang van de civiele samenleving gaat het met name om drie criteria die uitsluitend arbitrair kunnen worden ingevuld: de mate waarin organisaties privaat zijn, de mate waarin ze zelf-standig zijn en de mate waarin ze vrijwillig zijn.

Het eerste criterium impliceert dat zogenoemde 'overheidsstichtingen' – private organisaties die publieke taken uitvoeren als uitvoerende arm van de overheid – niet tot de civiele samenleving kunnen worden gerekend. Het gaat hier bijvoorbeeld om private organisaties die zijn opgericht om overheidsbeleid uit te voeren, zoals de Informatie Beheer Groep, het Centraal Bureau Rijvaardigheid of het GAK. Vooral in het Verenigd Koninkrijk wordt een duidelijk onderscheid gemaakt tussen de vrijwil-lige sector (*voluntary sector*) en organisaties die worden gezien als feitelijk onderdeel van de staat. Daarbij gaat het om scholen en universiteiten, maar ook om sport- en recreatieverenigingen en werkgevers-, werknemers- en beroepsorganisaties. De grens blijft echter altijd vaag en arbitrair. Is een private organisatie die kinderopvang verzorgt in opdracht van een bepaalde gemeente privaat of publiek? Is een universi-teit privaat of publiek? Ook van die organisaties kan men zeggen dat deze uitsluitend overheidsbeleid uitvoeren en dus niet tot de civiele samenleving mogen worden gere-kend.

Het criterium van zelfstandigheid levert nog veel grotere problemen op. Wanneer is er immers sprake van voldoende autonomie? Het ultieme criterium dat in het Johns Hopkins Comparative Nonprofit Sector Project wordt gebruikt is dat de organisatie zichzelf moet kunnen opheffen. Maar ook dan moet er een onderscheid worden gemaakt tussen feitelijke autonomie en formele autonomie. Kan de Universiteit van Amsterdam zichzelf opheffen? Kan een ziekenhuis ervoor kiezen zichzelf op te heffen? Formeel misschien wel, maar in praktijk wellicht niet. Ook dit criterium kan uitsluitend arbitrair worden gehanteerd.

Het criterium van vrijwilligheid is wellicht nog het lastigste. Het gaat hier onder meer om de keuzevrijheid van leden, werknemers en gebruikers. Vooral problema-tisch is hier subsidieverstrekking door de overheid. Wanneer de inkomsten van een organisatie grotendeels bestaan uit subsidies dan betekent dit dat een deel van de bijdrage aan de organisatie niet vrijwillig is (belasting wordt immers niet vrijwillig betaald). Dat zou dan betekenen dat deze organisaties dus niet helemaal tot de civiele samenleving kunnen worden gerekend. Maar het zou ook niet redelijk zijn om gesubsidieerde organisaties daarom helemaal niet meer tot de civiele samenle-ving te rekenen.

In dit artikel zal ik mij beperken tot het criterium van vrijwilligheid, dat in mijn ogen het belangrijkste is. Ik zal proberen een concrete definitie van de civiele samen-leving te vinden, gebaseerd op het criterium van vrijwilligheid, die zowel reëel als werkbaar is en die voldoende recht doet aan de visie dat gesubsidieerde organisaties niet volledig tot de civiele samenleving kunnen worden gerekend. Met deze definitie zal ik een poging doen om verschillen in de omvang van de civiele samenleving tussen landen te verklaren.

De relatie tussen de overheid en de non-profitsector

Wanneer we de resultaten van het Johns Hopkins Comparative Nonprofit Sector Project beschouwen dan valt op dat in de landen waar de omvang van de non-profitsector het grootst is, ook de collectieve financiering van de non-profitsector het grootst is. Namelijk: in Nederland, Ierland, België en Israël.[3] Eveneens valt op dat de non-profitsector zich in Nederland voor zo'n 90% concentreert rond de drie sectoren waar ook de meeste subsidieverstrekking is. Namelijk: onderwijs, zorg en welzijn.[4] Er blijkt dan ook een sterke positieve relatie te bestaan tussen de mate waarin de non-profitsector collectief wordt gefinancierd en de omvang van die non-profitsector.[5] Dit kan leiden tot vervelende conclusies. Het feit dat het grootste deel van de non-profitsector kennelijk vooral bestaat bij de gratie van overheidssubsidies lijkt namelijk te suggereren dat een aanzienlijk deel van de non-profitsector in financieel opzicht eerder een last vormt voor de samenleving dan een verrijking. In ieder geval heeft het consequenties voor de mate waarin we de omvang van de non-profitsector inderdaad kunnen zien als een uiting van maatschappelijke verantwoordelijkheid, particulier initiatief en burgerzin. Wanneer we kijken naar het criterium van vrijwilligheid dan moeten we concluderen dat er kennelijk een verschil bestaat tussen de omvang van de civiele samenleving en de omvang van de non-profitsector als zodanig.

Voor de subsidiëring van de non-profitsector door de overheid moet worden gecorrigeerd door het deel van de non-profitsector dat niet vrijwillig wordt gefinancierd niet mee te tellen bij de bepaling van de omvang van de civiele samenleving. Er zijn echter verschillende manieren om dit te doen, namelijk met behulp van verschillende definities van de civiele samenleving, die ieder hun eigen beperkingen kennen. Op basis van een door mij gekozen definitie wil ik de verschillen in de omvang van de civiele samenleving tussen landen analyseren, hoewel al bij voorbaat gezegd kan worden dat over de door mij gekozen definitie altijd kan worden getwist.

Definitie en omvang van de civiele samenleving

Zo'n 90% van de Nederlandse non-profitsector houdt zich voornamelijk bezig met verzorgingsstaatdiensten (zorg, onderwijs en welzijn) en men kan veronderstellen dat deze organisaties in praktijk vooral een verlengstuk vormen van de overheid.[6] Hoewel deze organisaties formeel privaat zijn, zijn ze in financiële zin vrijwel volledig publiek. Zij kunnen dus moeilijk als een werkelijk maatschappelijk middenveld tussen de staat en de burgers worden beschouwd. Eén mogelijke definitie van de civiele samenleving – op basis van het criterium van vrijwilligheid – zou daarom kunnen luiden: 'het deel van de non-profitsector dat zich niet bezighoudt met verzorgingsstaatdiensten'.

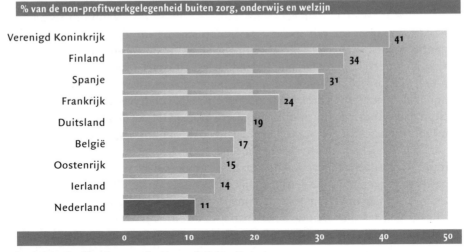

% van de non-profitwerkgelegenheid buiten zorg, onderwijs en welzijn

Bron: John Hopkins Comparative Nonprofit Sector Project

Wanneer we dit criterium toepassen, dan moeten we concluderen dat slechts 10% van de Nederlandse non-profitsector als de werkelijke civiele samenleving of vrijwillige sector kan worden aangemerkt. Op dat moment moeten we constateren dat de civiele samenleving in Nederland niet de grootste, maar juist de kleinste blijkt te zijn van de vergeleken landen. Er is in Nederland sprake van een buitengewoon grote 'verstatelijking' van het maatschappelijk middenveld.

De vraag is vervolgens of de civiele samenleving in Nederland ook in absolute omvang klein is, gemeten als percentage van de totale (niet-agrarische) werkgelegenheid. Om deze vraag te beantwoorden moeten we het percentage van de non-profitsector dat zich niet bezighoudt met verzorgingsstaatdiensten afzetten tegen de omvang van de non-profitsector (zie figuur 6.2).

In dat geval kunnen we zien dat Nederland het niet al te slecht doet. Wanneer we kijken naar het aandeel van de civiele samenleving (gedefinieerd als het deel van de non-profitsector dat zich niet bezighoudt met verzorgingsstaatdiensten) als percentage van de totale, niet agrarische werkgelegenheid, dan staat Nederland in West-Europa namelijk op een aardige vierde plaats met zo'n 1,4% van de totale werkgelegenheid.

Dit als gevolg van het feit dat de Nederlandse non-profitsector de grootste ter wereld is.

Toch is het de vraag in hoeverre dit een positief resultaat te noemen is. Voor mensen die de non-profitsector graag gelijk hadden gesteld aan de civiele samenleving moet het in ieder geval een grote teleurstelling zijn. De civiele samenleving vormt in Nederland niet 12,9% van de totale werkgelegenheid, maar slechts 1,4%. Terwijl ook de nummer één in deze vergelijking, het Verenigd Koninkrijk, amper boven de 2,5% uitkomt.

Figuur 6.2 Het civiele terrein van de non-profitsector als deel van de nationale economie

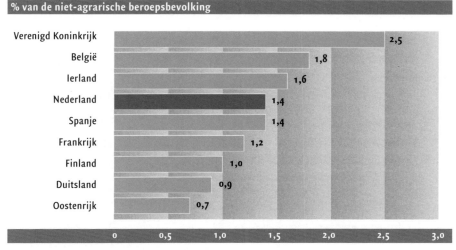

% van de niet-agrarische beroepsbevolking

Bron: John Hopkins Comparative Nonprofit Sector Project

Men kan zich echter de vraag stellen in hoeverre deze vergelijking van de civiele samenleving realistisch is. Het kaf is in de voorgaande redenering immers op een zodanig grove wijze van het koren gescheiden – namelijk op basis van de sector waarop organisaties actief zijn – dat hierdoor het gevaar van een te simplistisch beeld ontstaat. Niet alle organisaties in de onderwijs-, zorg en welzijnssector worden immers volledig door de overheid gefinancierd en er is bovendien ook wel degelijk sprake van collectieve financiering van non-profitorganisaties in andere sectoren. Ook wordt er bij deze methode geen rekening gehouden met vrijwilligerswerk.

Een betere methode zou daarom misschien zijn om de omvang van de civiele samenleving niet te meten aan al dan niet gesubsidieerde sectoren, maar aan het aandeel van de inkomsten van de non-profitsector als geheel dat niet afkomstig is van de overheid. Daarbij kan het gaan om giften en eigen inkomsten (betaling voor producten en diensten), maar ook om vrijwilligerswerk.[7] De civiele samenleving wordt in dat geval gedefinieerd als het percentage van de inkomsten van de non-profitsector dat bestaat uit eigen inkomsten en particuliere giften (zie figuur 6.3).

Wanneer we de non-profitsectoren van de verschillende landen op deze manier vergelijken (en vrijwilligerswerk ook meetellen) blijft Nederland opnieuw sterk achter bij veel andere landen. Bijna de helft van de totale middelen van de Nederlandse non-profitsector is afkomstig van de overheid, terwijl dat in landen als Spanje, Finland en de Verenigde Staten slechts een kwart is. Zo'n 60% van de financiële middelen van de Nederlandse non-profitsector is afkomstig van de overheid (wanneer vrijwilligerswerk dus niet wordt meegeteld), terwijl dat in de laatste drie landen ongeveer eenderde is.[8]

Wat is de reden van deze verschillen? Voor een grondige analyse is in dit artikel uiteraard geen ruimte. Maar op basis van deze laatste definitie van de civiele samen-

Figuur 6.3 De civiele samenleving als particuliere non-profitsector

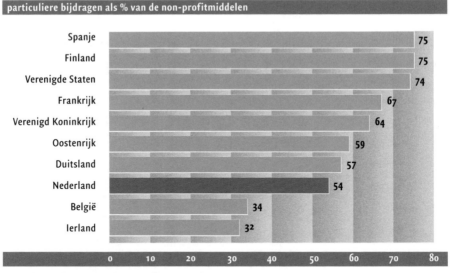

particuliere bijdragen als % van de non-profitmiddelen

Spanje	75
Finland	75
Verenigde Staten	74
Frankrijk	67
Verenigd Koninkrijk	64
Oostenrijk	59
Duitsland	57
Nederland	54
België	34
Ierland	32

Bron: John Hopkins Comparative Nonprofit Sector Project

leving en op basis van de gegevens van het Johns Hopkins Comparative Nonprofit Sector Project zou ik toch een aantal hypothesen durven stellen.

Welvaartsverschillen

De overheid financiert een groot deel van de non-profitsector en heeft daardoor een positief effect op de omvang van de non-profitsector. Omgekeerd blijkt er in het algemeen ook een duidelijk negatief verband te bestaan tussen de mate waarin de non-profitsector afhankelijk is van vrijwillige giften en de omvang van de non-profitsector.[9] Hieruit zou men kunnen afleiden dat het terugtreden van de overheid en het afbouwen van subsidies de dood in de pot is voor de non-profitsector. In het publieke debat wordt dit ook vaak beweerd. Maar de vraag is of de mate van afhankelijkheid van particuliere giften wel de bepalende factor is. De Verenigde Staten springen er bijvoorbeeld duidelijk uit als een land met een relatief grote non-profitsector en tevens een relatief grote mate van afhankelijkheid van die sector van particuliere giften. Er speelt hier kennelijk een andere factor een rol, zoals verschillen in welvaart tussen landen. De landen waarin de non-profitsector in grote mate afhankelijk is van particuliere giften en die tegelijkertijd een kleine non-profitsector kennen, zijn namelijk zonder uitzondering armere landen, zoals Roemenië, Slowakije, Hongarije en Colombia. Het is dan ook gebleken dat het geefgedrag van mensen voor een deel afhankelijk is van de algemene welvaart(sgroei).[10] Als de welvaart hoger is zijn mensen meer bereid en in staat om te geven en is het eerder mogelijk een relatief grote non-profitsector te hebben, die tevens in relatief grote mate onafhankelijk is van de overheid.

Omvang sociale voorzieningen

Maar de omvang van de sociale voorzieningen speelt waarschijnlijk eveneens een rol. Het lijkt namelijk logisch te veronderstellen dat hoe minder sociale voorzieningen er in een bepaald land zijn, hoe meer de non-profitsector afhankelijk zal zijn van particuliere giften en eigen inkomsten. Samen met de welvaartsfactor kan hiermee de uitzonderingspositie van de Verenigde Staten verder worden verklaard. De non-profitsector is in de Verenigde Staten in relatief grote mate afhankelijk van particuliere giften omdat de sociale voorzieningen relatief beperkt zijn. De Verenigde Staten hebben, in tegenstelling tot de meeste andere landen met weinig sociale voorzieningen, echter wel een relatief grote non-profitsector, omdat de welvaart in de Verenigde Staten groot is.

Meestal liggen de twee factoren in elkaars verlengde en geldt dat landen met een hoog welvaartsniveau veel sociale voorzieningen kennen en dat landen met een laag welvaartsniveau ook weinig sociale voorzieningen kunnen betalen. De Verenigde Staten zijn als deviant land met een relatief hoge welvaart en relatief weinig sociale voorzieningen erg interessant, omdat het aangeeft dat het kennelijk wel degelijk mogelijk is een relatief grote non-profitsector te hebben die eveneens relatief onafhankelijk is van overheidssubsidies.

Type verzorgingsstaat

Toch kunnen hiermee nog lang niet alle verschillen worden verklaard. De mate waarin de non-profitsector afhankelijk is van de overheid hangt namelijk niet alleen af van de omvang van de sociale voorzieningen, maar eveneens van het type verzorgingsstaat dat het desbetreffende land kent.

Nederland past in het plaatje als een land met relatief veel sociale voorzieningen en 'dus' een grote mate van afhankelijkheid van de non-profitsector van de overheid. De Scandinavische landen vormen een tegenvoorbeeld, als zijnde landen met relatief veel sociale voorzieningen en toch een relatief grote mate van onafhankelijkheid van de non-profitsector van de overheid. Dit komt waarschijnlijk doordat deze landen een ander soort verzorgingsstaat kennen.

De politicoloog Esping-Andersen heeft een befaamd onderscheid gemaakt tussen drie typen verzorgingsstaten, namelijk liberale, sociaal-democratische en corporatistische.[11]

Het liberale model kenmerkt zich door terughoudendheid met betrekking tot het door de overheid verschaffen van sociale voorzieningen. De nadruk ligt dan ook op vrijwillig particulier initiatief uit de civiele samenleving. Dit model kent een grote omvang van de non-profitsector (mits er sprake is van een welvarend land), maar een laag niveau van sociale overheidsuitgaven. Deze non-profitsector heeft daardoor een grote mate van financiële onafhankelijkheid en kan daarom voor een groot deel gelijk worden gesteld aan de civiele samenleving. De Verenigde Staten vormen hiervan een vooraanstaand voorbeeld.

Het sociaal-democratische model kenmerkt zich juist door grootschalige, door de overheid gefinancierde en verschafte sociale voorzieningen. Deze staten kennen een kleine non-profitsector en een hoog niveau van sociale overheidsuitgaven. Omdat de overheid de meeste zaken zelf regelt is er weinig ruimte voor een grote non-profitsector. Anderzijds is er daardoor ook weinig bemoeienis en steun ten aanzien van de non-profitsector. De consequentie van dit model is aldus een kleine non-profitsector, maar het grootste deel van die sector kan wel als civiele samenleving worden aangemerkt, omdat de non-profitsector relatief onafhankelijk van de overheid opereert. De Scandinavische landen zijn hiervan een goed voorbeeld.

Het corporatistische model, tot slot, vormt in feite een tussenmodel. Hoewel de overheid weinig zaken zelf ter hand neemt, houdt zij zich niet afzijdig van het sociale leven, zoals in het liberale model. In een corporatistische verzorgingsstaat financiert de overheid sociale voorzieningen, maar zij laat de uitvoering doorgaans over aan (reeds bestaande) particuliere non-profitorganisaties. Een dergelijk model kent zowel een grote omvang van de sociale overheidsuitgaven als een grote non-profitsector. Maar deze non-profitsector is in sterke mate afhankelijk van de overheid en kan daarom slechts beperkt tot de civiele samenleving worden gerekend. Nederland is hiervan een schoolvoorbeeld.[12]

Figuur 6.4 Landen naar type non-profitsector

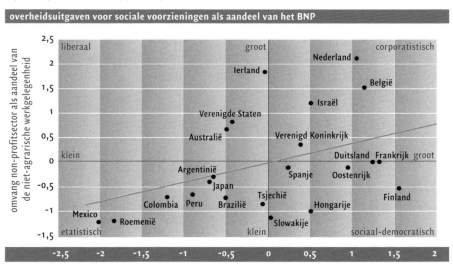

Bron: Salamon et al. , 2001, p. 263

Dit alles maakt het beeld nogal gecompliceerd. Hoge sociale overheidsuitgaven kunnen enerzijds (in een sociaal-democratische verzorgingsstaat) leiden tot een kleinere omvang van de non-profitsector, maar anderzijds (in een corporatistische verzorgingsstaat) ook juist tot een grotere omvang van de non-profitsector. De vraag is echter in hoeverre we iets kunnen zeggen over de invloed van sociale overheidsuitgaven op de omvang van de civiele samenleving.

In ieder geval kunnen we stellen dat in liberale en sociaal-democratische verzorgingsstaten een groter deel van de non-profitsector kan worden gelijkgesteld met de civiele samenleving dan in corporatistische staten. De civiele samenleving is in die staten dus relatief groter als percentage van de non-profitsector. Maar de omvang van de non-profitsector zelf zal, zoals we hebben gezien, per model eveneens verschillen. Deze is namelijk groter in liberale en corporatistische staten. Om iets te kunnen zeggen over de omvang van de civiele samenleving in verschillende typen verzorgingsstaten moeten we dus kijken naar de omvang van de civiele samenleving in *absolute* zin, als percentage van de totale (niet-agrarische) werkgelegenheid.

Figuur 6.5 De particuliere non-profitsector als deel van de nationale economie

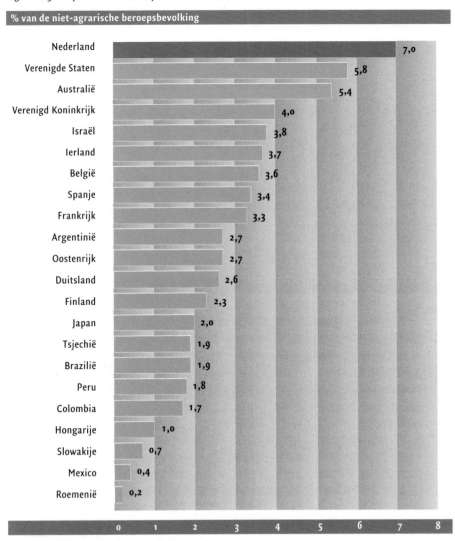

% van de niet-agrarische beroepsbevolking

Nederland	7,0
Verenigde Staten	5,8
Australië	5,4
Verenigd Koninkrijk	4,0
Israël	3,8
Ierland	3,7
België	3,6
Spanje	3,4
Frankrijk	3,3
Argentinië	2,7
Oostenrijk	2,7
Duitsland	2,6
Finland	2,3
Japan	2,0
Tsjechië	1,9
Brazilië	1,9
Peru	1,8
Colombia	1,7
Hongarije	1,0
Slowakije	0,7
Mexico	0,4
Roemenië	0,2

Bron: John Hopkins Comparative Nonprofit Sector Project

Wanneer we de relatieve omvang van de civiele samenleving (gedefinieerd als het aandeel van de non-profitsector dat privaat gefinancierd is) afzetten tegen de totale werkgelegenheid, dan zien we dat Nederland ondanks de relatief grote mate van afhankelijkheid van de non-profitsector van de overheid toch de grootste civiele samenleving ter wereld kent (groter zelfs dan de Verenigde Staten). [13] Het kleine aandeel van de Nederlandse civiele samenleving in de non-profitsector staat immers tegenover de buitengewoon grote omvang van de Nederlandse non-profitsector.

Een algemene hypothese dat landen met hogere sociale overheidsuitgaven een kleinere civiele samenleving zouden hebben blijkt dan ook niet zonder meer juist te zijn. Toch lijkt de omvang van deze uitgaven wel degelijk invloed te hebben. De invloed van de sociale overheidsuitgaven op de omvang van de civiele samenleving en op de omvang van de non-profitsector als zodanig, hangt waarschijnlijk voor een belangrijk deel af van het type verzorgingsstaat.

Particuliere verantwoordelijkheid

Wat opvalt is dat de absolute omvang van de civiele samenleving het grootste is in liberale en corporatistische landen.[14] Dat zijn dus enerzijds landen met lage sociale overheidsuitgaven en anderzijds landen met juist hoge sociale overheidsuitgaven.

Wanneer we kijken in de context van verschillende typen verzorgingsstaten moeten we echter vooral kijken naar de *manier waarop* sociale overheidsuitgaven worden gedaan (op corporatistische of op sociaal-democratische wijze). De verklarende factor zou, zoals aangegeven in figuur 6.6, kunnen zijn de mate waarin ruimte wordt geboden aan particuliere verantwoordelijkheid.[15]

Figuur 6.6 **A coincidence of policy rhetoric and private philanthropy**

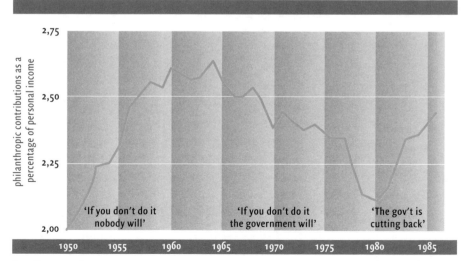

Bron: Murray, 1998, p. 110

Wanneer de overheid taken overneemt van het particulier initiatief en de civiele samenleving, zoals dat in sociaal-democratische verzorgingsstaten het geval is, kunnen we bijvoorbeeld verwachten dat een toename van de sociale overheidsuitgaven tot gevolg heeft dat de civiele samenleving in de verdrukking komt en in omvang zal afnemen. Niet alleen zullen er minder taken zijn die de civiele samenleving kan vervullen, ook zullen mensen minder bereid zijn aan een bepaald doel te geven wanneer zij weten dat anders de overheid deze taak zelf wel op zich zal nemen.

Wanneer de overheid aan de andere kant slechts particuliere initiatieven financieel ondersteunt (zoals in corporatistische verzorgingsstaten), of zich afzijdig houdt (zoals in liberale staten) dan komt de civiele samenleving minder in de verdrukking. In ieder geval onderscheidt een corporatistische verzorgingsstaat zich van een sociaal-democratische door het bestaan van een omvangrijke civiele samenleving naast de staat zelf ten minste *mogelijk* te maken, omdat de overheid in principe geen taken naar zich toe trekt. De uitvoering – en daarmee een groot deel van de verantwoordelijkheid – wordt overgelaten aan (bestaande) particuliere organisaties. Het feit dat alleen in corporatistische en liberale verzorgingsstaten een ruime mate van particuliere verantwoordelijkheid mogelijk is kan dan ook de verklaring vormen voor het feit dat een grote civiele samenleving alleen in deze staten voorkomt.

Dan rest nog de vraag of het voor de omvang van de civiele samenleving uitmaakt of er sprake is van een liberale verzorgingsstaat dan wel van een corporatistische. De omvang van de civiele samenleving is in de liberale landen (Verenigde Staten, Australië en Ierland) gemiddeld 4,95% en in corporatistische landen (Verenigd Koninkrijk, Israël, België en Nederland) gemiddeld 4,57%. Ook bij een overschrijdingskans van 10% is dit verschil niet statistisch significant, waardoor we moeten concluderen dat het hebben van een liberale of corporatistische verzorgingsstaat waarschijnlijk geen invloed heeft op de omvang van de civiele samenleving.

Dit is eigenlijk een verrassende conclusie. Men zou immers juist kunnen verwachten dat de particuliere verantwoordelijkheid in corporatistische staten minder is dan in liberale staten en dat dit ook zijn weerslag zou hebben op de omvang van de civiele samenleving. Wanneer subsidieverstrekking zodanig is dat non-profitorganisaties in grote mate afhankelijk zijn van de overheid, dan dreigt in veel gevallen immers ook de verantwoordelijkheid voor het maatschappelijk doel (daklozenopvang, sportbuurtwerk enz.) van de non-profitorganisatie te verschuiven naar de overheid. Als het doel niet wordt gehaald zal niet langer de civiele samenleving maar de overheid hierop worden aangesproken. Dit zou zich kunnen vertalen in het geefgedrag van mensen. Weeshuizen krijgen bijvoorbeeld geen of weinig particuliere giften, omdat de wezenzorg wordt gezien als een taak van de overheid. Omgekeerd zal een ruim gesubsidieerde non-profitsector zelf ook weinig noodzaak zien om actief fondsen te werven. Dit alles zou theoretisch een negatief effect moeten hebben op de omvang van de civiele samenleving, maar dat blijkt niet uit de beperkte cijfers die tot mijn beschikking staan.

Nederland

Ook voor Nederland lijkt de hypothese van particuliere verantwoordelijkheid niet op
te gaan. Nederland steekt boven alle andere landen uit als het gaat om de omvang
van zowel de non-profitsector als de civiele samenleving, maar we hebben tevens
kunnen zien dat de Nederlandse non-profitsector wel degelijk ook in zeer grote mate
afhankelijk is van de overheid. De Nederlandse overheid heeft verschillende zorgtaken op zich genomen. Toch heeft dit kennelijk geen negatieve uitwerking gehad op
de omvang van de civiele samenleving. Dit hoeft echter niet noodzakelijkerwijs te
betekenen dat de hypothese van particuliere verantwoordelijkheid (hoe minder particuliere verantwoordelijkheid, hoe kleiner de civiele samenleving) ongeldig is.

Figuur 6.7 Particuliere giften als financieringsbron

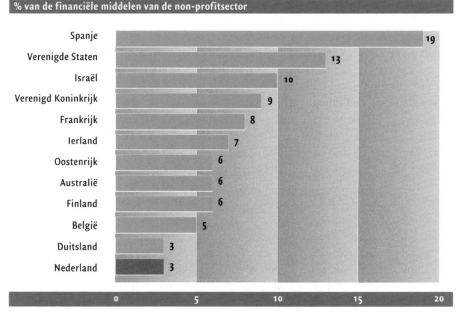

Bron: John Hopkins Comparative Nonprofit Sector Project

Wanneer we kijken naar de samenstelling van de financiële middelen van de non-
profitsector, dan valt op dat slechts een zeer klein deel van deze middelen bestaat uit
particuliere giften.[16] Nederland staat in dat opzicht samen met Duitsland op de
laatste plaats, met een magere 3% van de totale inkomsten.

Figuur 6.8 Eigen inkomsten als particuliere financieringsbron

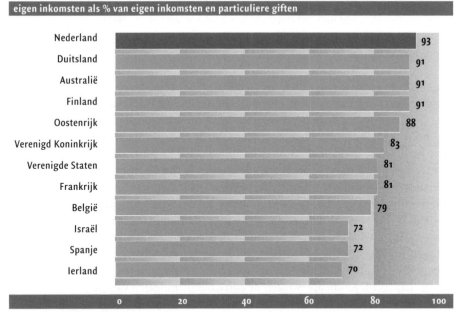

eigen inkomsten als % van eigen inkomsten en particuliere giften

Nederland	93
Duitsland	91
Australië	91
Finland	91
Oostenrijk	88
Verenigd Koninkrijk	83
Verenigde Staten	81
Frankrijk	81
België	79
Israël	72
Spanje	72
Ierland	70

Bron: John Hopkins Comparative Nonprofit Sector Project

De overige 97% van de inkomsten komen dus ofwel van de overheid (59%) ofwel uit eigen inkomsten (38%). Verreweg het grootste deel van de particuliere inkomsten (particuliere giften + eigen inkomsten), namelijk zo'n 93%, bestaat uit eigen inkomsten, zoals betaling voor producten en diensten. Daarmee staat Nederland bovenaan.

Men zou dus wel degelijk kunnen beweren dat de grote afhankelijkheid van de Nederlandse non-profitsector negatieve consequenties heeft voor het geefgedrag van mensen. De hypothese dat particuliere verantwoordelijkheid een verklarende factor is voor het verschil in de omvang van de civiele samenleving wordt dan ook niet noodzakelijk door het Nederlandse voorbeeld ontkracht.

Toch kan men niet zeggen dat er in corporatistische landen over het algemeen minder gegeven wordt. De inkomsten van de non-profitsector bestaan in liberale landen gemiddeld voor 8,67% uit particuliere giften en in corporatistische landen gemiddeld voor 6,75%, maar ook dit is geen statistisch significant verschil.[17] Dat betekent ofwel dat er geen belangrijk verband bestaat tussen een liberale en een corporatistische verzorgingsstaat als het gaat om de mate van particuliere verantwoordelijkheid, ofwel dat er geen belangrijk verband bestaat tussen particuliere verantwoordelijkheid en de omvang van de particuliere giften. Het eerste lijkt eerder het geval, want het verschil tussen sociaal-democratische landen en liberale en corporatistische landen kan met de hypothese van particuliere verantwoordelijkheid wellicht wel worden verklaard. Omdat particuliere organisaties nog steeds de verantwoordelijkheid hebben over de uitvoering van beleid, wordt de particuliere verantwoordelijkheid in corporatistische landen kennelijk niet zodanig in de verdrukking gebracht dat het een significante invloed heeft op het geefgedrag van mensen.

Commercialisering

Niettemin hebben we kunnen zien dat Nederland met zijn lage percentage particuliere giften een bijzondere positie inneemt. Uit het feit dat Nederland weinig filantropische financiering van de non-profitsector kent, maar toch een grote civiele samenleving heeft (gedefinieerd als het percentage van de non-profitsector dat gefinancierd is door particuliere middelen), kunnen we afleiden dat de grote omvang van de civiele samenleving in Nederland voornamelijk te danken is aan de grote mate waarin Nederlandse non-profitorganisaties kennelijk in staat zijn om eigen inkomsten te genereren.[18] Anders gezegd: de grote omvang van de civiele samenleving in Nederland is met name te danken aan het feit dat de Nederlandse non-profitsector sterk gecommercialiseerd is. Een belangrijk deel van de inkomsten van Woningcorporaties bestaat bijvoorbeeld uit huur, universiteiten en scholen ontvangen collegegeld (en schoolgeld) als betaling voor het onderwijs, verenigingen vragen om lidmaatschapsgeld. Kennelijk worden de particuliere middelen van Nederlandse non-profitorganisaties relatief meer op deze wijze (betaling voor diensten) opgebracht.

Op de commercialisering van de non-profitsector is in Nederland veel kritiek. Eén kritiekpunt is bijvoorbeeld dat de non-profitsector door de commercialisering minder herkenbaar zou worden. Een schoenmaker zou zich bij zijn leest moeten houden. Wanneer een stichting diensten gaat aanbieden tegen betaling, in concurrentie met andere organisaties, dan zou een dergelijke organisatie niet meer als non-profitorganisatie kunnen worden aangemerkt. Mijn stelling is echter dat men de non-profitsector en de commerciële sector niet moet definiëren naar hun methoden, maar naar hun intenties. Ook commerciële organisaties zijn vrijwillige samenwerkingsverbanden die een uitdrukking vormen van particulier initiatief. Wat de commerciële sector en de non-profitsector echter van elkaar onderscheidt is het feit dat de eerste gericht is op winst maken en de laatste op het dienen van een bepaald maatschappelijk doel. Daarbij is het echter geen probleem dat de non-profitsector en de commerciële sector in toenemende mate concurrenten zijn. De non-profitsector heeft met zijn waardegerichtheid een concurrentievoordeel bij mensen die belang hechten aan een christelijke, humanitaire of anderszins waardegebonden boodschap. Denk bijvoorbeeld aan christelijke scholen die concurreren met algemene scholen. Het 'bekennen van kleur' kan voor een bedrijf een winstgevende strategie zijn, evenals het aanbieden van producten met een ideële waarde. Te denken valt bijvoorbeeld aan supermarkten die steeds meer vegetarisch en biologisch voedsel gaan verkopen of aan de opkomst van ethisch (of groen) beleggen.[19]

Omgekeerd kan commercialisering voor de non-profitsector eveneens een verstandige strategie zijn, omdat de organisatie daardoor meer middelen verkrijgt om haar doelen na te streven. Het naar elkaar toe groeien van beide sectoren kan dus ook in het belang zijn van beide sectoren. Beide sectoren zullen steeds meer op elkaar gaan lijken en zullen zich uiteindelijk ook in de praktijk nog alleen onderscheiden door datgene wat ze definieert: hun intenties. Die intenties zijn ofwel commercieel – in eerste instantie gericht op winst – ofwel ideëel – in eerste instantie gericht op het dienen van een bepaald maatschappelijk doel. Maar verder geldt: 'everyone a business-person, some in profits, some in non-profits'.

De overheid kan deze ontwikkeling op verschillende manieren ondersteunen. In de eerste plaats kan de overheid door het vervangen van subsidies aan instellingen door subsidies aan gebruikers concurrentie tussen non-profitorganisaties onderling en tussen non-profit en profit bevorderen. Te denken valt aan een vouchersysteem in bijvoorbeeld het onderwijs, of in de gezondheidszorg.

In de tweede plaats kan de overheid ook de subsidies afbouwen of incidenteler maken. Door terug te treden creëert de overheid meer noodzaak bij de non-profitsector om verder te commercialiseren. Tot slot kan door gunstige belastingregels het maatschappelijk ondernemen en het doneren aan non-profitorganisaties en maatschappelijke doelen worden bevorderd.

Kanttekeningen

Hoewel non-profitorganisaties zich steeds commerciëler zullen opstellen zal het maatschappelijk doel uitgangspunt blijven. Toch kan men zich wel degelijk de vraag stellen in hoeverre de commercialisering gevolgen heeft voor de civiele samenleving. Hoewel we ons nu afvragen in hoeverre door de overheid gesubsidieerde organisaties tot de civiele samenleving gerekend kunnen worden, kunnen we ons immers evengoed afvragen in hoeverre commerciële eigen inkomsten van non-profitorganisaties tot de civiele samenleving behoren. Zij vormen immers geen uitdrukking van maatschappelijke betrokkenheid, verantwoordelijkheid en burgerzin. Commercialisering tast dus de bruikbaarheid van de door mij gebruikte definitie van de civiele samenleving aan. Commerciële activiteiten kunnen weliswaar worden gezien als een vorm van particulier initiatief, maar zij vormen geen uiting van burgerzin of maatschappelijke verantwoordelijkheid.

De beperkingen van de door mij gebruikte definitie komen hier aan het licht. Er blijken zelfs nog meer 'haken en ogen' te zitten aan de door mij gebruikte definitie. Een andere 'adder onder het gras' is bijvoorbeeld dat er geen rekening wordt gehouden met 'kruissubsidie', oftewel het feit dat non-profitorganisaties ook elkaar subsidiëren. Dit vormt een erg lastig probleem voor de definitie, want op deze manier kan de civiele samenleving veel groter lijken dan zij feitelijk is. Als organisatie (A) 1.000 euro krijgt van de overheid, die zij doorgeeft aan organisatie (B), die dit weer doorsluist naar organisatie (C), die organisatie (A) weer subsidieert, dan zouden we bijvoorbeeld moeten constateren dat de inkomsten van deze organisaties samen 4.000 euro bedragen, waarvan 25% bestaat uit overheidssubsidie aan organisatie (A) en 75% uit particuliere inkomsten. Terwijl er in praktijk alleen maar geld wordt rondgepompt dat voor 100% uit overheidsgeld bestaat.

Definiëring van de civiele samenleving is buitengewoon moeilijk en dat maakt het erg lastig om uitspraken te doen over de omvang ervan. Ik heb in deze bijdrage een poging gedaan om een werkbare definitie te vinden van de civiele samenleving, maar iedere definitie kent – zoals men ziet – haar beperkingen. Toch heb ik gepoogd met de gegevens van het Johns Hopkins Comparative Nonprofit Sector Project en op basis van de door mij gebruikte definitie tot een eerste vergelijkende analyse te komen van de Nederlandse civiele samenleving. Verschillen in de omvang van de civiele samenleving kunnen mogelijk worden verklaard door verschillen in welvaart, verschillen in omvang van sociale voorzieningen en verschillen in type verzorgingsstaat. Welvarende landen en landen met weinig sociale voorzieningen kennen een relatief grote civiele samenleving als aandeel van de non-profitsector, evenals landen met een liberale of sociaal-democratische verzorgingsstaat. In absolute zin is de omvang van de civiele samenleving echter het grootst in liberale en corporatistische landen. Nederland sluit hierbij aan als corporatistisch land met veel sociale voorzieningen en (daardoor) een relatief kleine civiele samenleving als aandeel van de non-profitsector. In absolute zin kenmerkt Nederland zich door een buitengewoon grote civiele samenleving (de grootste ter wereld). Maar gezien het feit dat dit met name te danken is aan de commercialisering van de non-profitsector kan men toch ook vraagtekens zetten bij de mate waarin de grote omvang van de Nederlandse civiele samenleving werkelijk een uitdrukking vormt van maatschappelijke deugden.

Noten

1. De gegevens in dit artikel zijn voornamelijk ontleend aan het Johns Hopkins Comparative Nonprofit Sector Project. Zie: Salamon, L.M. et al. *Global civil society: dimensions of the nonprofit sector*, The Johns Hopkins Center for Civil Society Studies, Baltimore 1999; A. Burger en P. Dekker (red.), *Noch markt, noch staat: De Nederlandse non-profitsector in vergelijkend perspectief*, SCP, Den Haag 2001.
2. A. Burger, 'Omvang, structuur en financiering van de non-profitsector', in: Burger en Dekker, p. 35-37.
3. Burger, vergelijk figuur 3.1 met figuur 3.5.
4. Burger, tabel 3.3.
5. Zie L.M. Salamon et al., 'Sociale oorsprongen van de non-profitsector: een landenvergelijking', in: Burger en Dekker, p. 257-259 en figuur 13.5. Zie ook Burger p. 51 en p. 57 Bijna 50% van de variantie in de omvang van de non-profitsector kan door de omvang van de sociale overheidsuitgaven worden verklaard.
6. Burger, tabel 3.3.
7. In het Johns Hopkins Comparative Nonprofit Sector Project wordt de waarde van vrijwilligerswerk dan ook wel opgeteld bij de particuliere giften: zie Salamon et al. (1999) p. 480, 'nonprofit revenues (with and without volunteer input).
8. Ibidem.
9. Salamon et al. (2001), figuur 13.4 en p. 257-258.
10. Th. Schuyt, 'Het geven van geld', in: Burger en Dekker, p. 148.
11. Gøsta Esping-Andersen, *The three worlds of welfare capitalism*, Polity Press, Cambridge 1990.
12. Salamon et al. (2001), p. 263.

13. Salamon et al. (1999) p. 480.
14. Wat in de figuur eveneens opvalt is dat een positief verband is te constateren tussen de omvang van de non-profitsector en de omvang van de civiele samenleving. Zoals we hebben kunnen zien wordt het eerste voor een groot deel zelf bepaald door eerderge-noemde factoren.
15. Zie Charles Murray, 'The Tendrils of Community', in: David Boaz (red.), *The Libertarian Reader*, New York, 1998.
16. Salamon et al. (1999) p. 480.
17. Ook niet bij een overschrijdingskans van 10%. NB. Deze conclusie is gebaseerd op zeer beperkte gegevens
18. Salamon et al. (1999) p. 480.
19. Men kan ook denken aan bedrijven met een 'sociaal' of 'milieubewust' imago, zoals IKEA, de Bodyshop en Ben & Jerry's.

7 Laat het collectieve voorzieningen blijven (heten)

Nico Schouten

Vooraf

De zogeheten non-profitsector omvat zeer uiteenlopende activiteiten. De sector is groot doordat een drietal voorzieningen – onderwijs, zorg en welzijn – voor veel werkgelegenheid zorgen en er veel geld in omgaat. Het zijn voorzieningen die in meerdere of mindere mate door de overheid of door de 'markt' worden verzorgd. Dit blijkt uit de sterk uiteenlopende situaties tussen verschillende landen.

Hierin ligt een wezenlijk onderscheid met ideële organisaties, die zich bezighouden met respectievelijk levens- en maatschappijbeschouwing, politiek, belangen, gezelligheid en recreatie in verenigingen van amateurs. Een kerk kon vroeger staatskerk zijn, maar dat had geen economische reden. Een religieuze groepering kan een onderneming lijken met steenrijke leiders, maar ze concurreert nimmer op prijs. Nog sterker geldt dit voor politieke partijen en belangenorganisaties.

Ideële organisaties kunnen wel rijk zijn door contributies, giften en de verkoop van materiaal, maar dat is niet het primaire doel. Het gaat vooral om organisaties van gelijkgezinden. Dit kan men moeilijk zeggen van onderwijs, zorg en welzijn. In de Nederlandse traditie heeft de verzuiling wel een aanzienlijke rol gespeeld bij de opkomst en verbreiding van de non-profitinstellingen, maar het was geen noodzaak, zoals een vergelijking met andere landen en de latere ontzuiling leert. Het is daarom niet erg zinvol de gemeenschappelijke aspecten met andere voorzieningen sterk te benadrukken. De verschillen zijn te groot. Deze tekst beperkt zich daarom tot een beschouwing over onderwijs, zorg en welzijn.

Socialistische traditie

In de socialistische traditie zijn er altijd veel bezwaren geweest tegen private instellingen van onderwijs, zorg en welzijn. De voorkeur werd gegeven aan een publieke voorziening omdat dan de toegang voor iedereen het best gewaarborgd kon worden. Niettemin bestond er in beginsel sympathie voor vormen van zelfbestuur, vergelijkbaar met die voor productiecoöperaties. In de praktijk bleek zelfbestuur nog geen democratie in te houden, daar de instellingen veelal autoritair werden geleid. Bovendien kon in publieke instellingen ook ruimte gemaakt worden voor medezeggenschap van personeel en consumenten. De reëel bestaande private instellingen waren vooral een bron van ongenoegen omdat de ideële uitgangspunten selectie mogelijk maakten op de toestroom van personeel en – in mindere mate – van leerlingen, zieken en hulpbehoevenden. Bij dure privaat gefinancierde instellingen wordt de selectie mogelijk gemaakt door de hoge prijs voor toelating. Een actuele ontwikkeling is de groei van 'zwarte' scholen in het openbaar onderwijs.

De private organisatie is vooral de vurige wens geweest van religieuze stromingen. Onderwijs, zorg en welzijn zijn voorzieningen die een grote invloed hebben op de beleving van het leven en de maatschappij. Het gaat om meer dan consumptie alleen. Bij onderwijs zijn vorming en visie op de samenleving belangrijke ingrediënten. Bij de gezondheidszorg speelde de geestelijke verzorging mee bij de opvang van zieken. Welzijn houdt vooral opvang in van zwakkeren in de samenleving; elites hebben het niet nodig. Het gemeenschappelijke punt is de integratie van mensen in de reële samenleving met zijn structurele ongelijkheden en concurrerende levensbeschouwingen. De opkomst van het bijzonder onderwijs in de 19e eeuw was mede een reactie op een intolerant seculier liberalisme. Bij de armenzorg speelde zeker ook het winnen van zieltjes en sociale controle. De sociale controle en godsdienstbeleving spelen nu ook bij de opkomst van islamitische scholen.

Dit ligt duidelijk anders in de goederenvoorziening. Een wasmiddel is een wasmiddel, of het nou door een protestantse, katholieke of ongelovige producent wordt geleverd. Er was lange tijd wel sprake van een zekere ideëel en politiek geïnspireerde winkelnering, maar met de schaalvergroting van bedrijven kon dit niet stand houden. Het komt nog wel voor in besloten gemeenschappen, of bij religieuze voedselvoorschriften.

Onderwijs, zorg en welzijn worden tegenwoordig wel 'producten' genoemd, maar dit tekent meer de huidige tijdgeest dan het wezen van de voorzieningen. De verschillen worden ondergeschikt verklaard aan de gemeenschappelijke aspecten. De commercieel geïnspireerde naamgeving duidt op een verschraling van de voorzieningen en een technocratisch maatschappijbeeld.

De sociale aspecten van onderwijs, zorg en welzijn zijn echter minstens zo belangrijk als de mogelijkheid van individuele 'consumptie'. De voorzieningen waren vanouds te kostbaar in verhouding tot de koopkracht van grote groepen van de bevolking. De elites waren tot op zekere hoogte bereid in de voorzieningen te investeren omdat ze er zelf belang bij hadden. De bekostiging kan via verschillende wegen plaatsvinden: via overheden (met belastingen), via een religieus genootschap en via seculiere filantropie. Welke weg gekozen wordt hangt af van de onderlinge verdeeldheid van de elites en de machtsverhoudingen ter plaatse. De keuze is niet primair ideëel geïnspireerd, al wordt het gewoonlijk zo gebracht, maar machtspolitiek.

Verzuiling

Nederland kent een lange geschiedenis van grote verdeeldheid tussen elites. De economische ontwikkeling nodigde lange tijd niet uit tot een sterk centraal gezag en de religieuze verdeeldheid – met slechts twee grote hoofdstromingen en een invloedrijke seculiere stroming – bevorderde de latere verzuiling. De 17e en 18e eeuw kennen nog een veelsoortigheid van initiatieven. Zowel rijke particulieren als kerkelijke elites, standsorganisaties en gemeentebesturen konden iets opzetten. De verzuiling slaat pas echt toe als de industrialisering op gang komt. In het kielzog daarvan zien we nieuwe armoede, nieuwe behoeften aan scholing, nieuwe technieken voor genezing en bovenal een nieuwe concurrerende maatschappijvisie.

De noodzakelijk geachte groei aan voorzieningen kost echter zoveel dat de overheid steeds meer moet bijspringen, of – bij zorg – een collectieve omslag via premies moet afdwingen. [Aan de wieg stond de sociale strijd. Het verschil met belastingheffing ligt voor personen voornamelijk in een beperking van de betalingsplicht tot een bepaald inkomensniveau en in een niet-progressieve heffing.] We hebben daardoor de eigenaardige hybride structuur gekregen van een omvangrijke privaat georganiseerde sector met een grotendeels publieke bekostiging.

In de loop van de jaren tachtig van de 20e eeuw is de bekostiging van onderwijs, zorg en welzijn door achtereenvolgende regeringen als een economisch probleem voorgesteld. In werkelijkheid gaat het om een sociaal-politiek probleem. De groei van de arbeidsproductiviteit biedt in het algemeen ruimte voor een verdere groei van de middelen. Het is een kwestie van keuze in welke middelen voor de samenleving geïnvesteerd wordt. Maar de rauwe sociale werkelijkheid is dat er grote verschillen in belangen zijn tussen de rijkere lagen van de bevolking en de armere. De rijkere lagen willen bij de teruglopende conjunctuur geen stap terug doen en hebben de macht om te beslissen over de richting van de investeringen. [Meer casino's of meer ziekenhuizen, meer luxe jachten en jachthavens of meer scholen bijvoorbeeld.] Met hun (kapitaal)bezit kan de rest van de bevolking als het ware gegijzeld worden. Het is bij de heersende politieke partijen niet de gewoonte – ook niet meer bij de PvdA – de rauwe werkelijkheid openlijk te benoemen. Het is de gewoonte de zaak te rechtvaardigen met een economisch klinkende ideologie.

De welzijnssector is grotendeels weggevaagd. Bij het onderwijs kon vooral in het tertiaire gedeelte gehakt worden omdat hiervoor geen leerplicht bestaat. Bij zorg is ook veel teloorgegaan. Niettemin is het moeilijker om grootscheeps te bezuinigen omdat de gevolgen veel directer in het oog springen. Gezondheid is een gevoelige zaak. De oplossing is gezocht in beperkingen van de capaciteit en verhoging van de zakelijke werkdruk met voorlopig nog behoud van het gelijkheidsbeginsel in de toegang. Het gevolg is een rigide, veelal bureaucratische regelgeving, groeiende wachtlijsten en mensonterende stopwatchzorg en dito opvang van bejaarden in verpleeghuizen. Tegen deze achtergrond is de wens gegroeid om meer aan de 'markt' over te laten, met name bij degenen die nu op hun beurt moeten wachten of een luxere zorg willen. In feite gaat het om commercialisering, want een vrije keus van consumenten en particulier initiatief bestaat ook buiten de commerciële wereld.

Bekostiging

Het langdurige bestaan van non-profitinstellingen laat reeds zien dat winst maken lange tijd geen noodzakelijke voorwaarde was voor hun voortbestaan. Ook overheidsbemoeienis was niet per se noodzakelijk als de bekostiging geen probleem was. Er zijn wel rijksinspecties gekomen om de kwaliteit te controleren, maar dit is geen bijzonderheid, daar voor het bedrijfsleven ook inspecties werden ingesteld. De kwaliteit van de voorzieningen wordt sterk bepaald door de toewijding van het personeel. De toewijding maakt het mogelijk extra werk te verzetten zonder er voor betaald te hoeven worden. Bij leerkrachten bijvoorbeeld die iets extra's doen om het leuk te maken op de school.

De bekostiging werd natuurlijk wel een probleem toen de voorzieningen niet meer voorbehouden waren aan koopkrachtige elites maar een volksvoorziening moesten worden. De voorzieningen zijn in het verleden in verschillende golven uitgebreid. De sociale strijd en politieke krachtsverhoudingen speelden daarbij een belangrijke rol. Zelfs op wereldschaal, zo blijkt uit de reactie in het Westen op de Sputnikshock (1957). De vrees bij de Sovjet-Unie achterop te raken leidde tot extra investeringen in het hoger onderwijs en in studiebeurzen.

De laatste grote uitbreiding dateert uit de jaren zestig en het begin van de jaren zeventig van de 20e eeuw. Er was toen een groot vertrouwen dat de conjunctuurgolven uit het verleden min of meer waren bedwongen. Toen dit niet het geval bleek te zijn brak de machtsstrijd weer uit over de prioriteiten in de samenleving. Het ging in de jaren tachtig en negentig vooral om de limitering van de toegang. In de laatste jaren gaat de strijd om het gelijkheidsbeginsel in de toegang. De middelen om de gelijkheid te ondergraven zijn privatisering en commerciële marktwerking. Dan kan het recht van de sterkste weer zijn werk doen.

De bezuinigingen van de overheid leiden tot groeiende verschillen in de kwaliteit van de instellingen. Er moeten andere inkomsten gezocht worden. Dat kan bij de gebruikers, door hogere prijzen, extra schoolgelden en dergelijke, die armere milieus niet goed op kunnen brengen. Of door voorrang te geven aan bedrijven die onderwijs en zorg tegen een aantrekkelijke prijs inkopen bij een instelling. Het kan ook met sponsoring en filantropie, waarvan vooral instellingen zullen profiteren die zich op rijkere milieus richten en instellingen die zich vriendelijk opstellen tegenover de bestaande ongelijkheden of zich levensbeschouwelijk intolerant opstellen. Een dergelijke ontwikkeling kan ook plaatsvinden als onderwijs, zorg en welzijn nog grotendeels op non-profitbasis blijven ingericht. De private rechtsvorm biedt ten principale ruimte voor een dergelijke ontwikkeling. Daarin ligt het grote verschil met de publieke rechtsvorm.

Democratisering

De SP is sterk gekant tegen de commercialisering omdat het de bestaande sociale ongelijkheden nog verder zal verscherpen. In de vrije markt gaat het immers om koopkracht en marktmacht. Zij bepalen de ontwikkeling; niet academische fantasieën over concurrentie tussen gelijken en vrije keuze. De commercialisering zal ook niet tot goedkopere voorzieningen leiden. Dit kan men goed zien aan het hogere aandeel in het BBP van uitgaven voor gezondheidszorg in de Verenigde Staten, vergeleken met bijvoorbeeld Nederland, ondanks het ontbreken van voldoende toegang tot zorg voor de armste delen van de bevolking. De vrije markt genereert zo zijn eigen kosten: organisatorische versplintering, overbehandeling, marketing, winst en rente, topsalarissen.

Aan de andere kant heeft een regierol voor overheden weinig zin als de voordelen ervan niet tot gelding worden gebracht. De overheid kan meer voor de langere termijn plannen en het publieke belang voorop stellen. De publieke voorzieningen van zorg, onderwijs en welzijn moeten dan wel ruimhartig opgezet zijn. Ze moeten gezien worden als tekens van beschaving, waarvoor iedereen zich in moet zetten. De werknemers moeten weer plezier in hun werk krijgen. Niet alleen door betaling, maar vooral ook door weer ruimte te maken voor het menselijke aspect in de contacten met leerlingen, patiënten en hulpbehoevenden.

Daarmee zouden overigens ook heel wat kosten bespaard kunnen worden: ziekte, WAO, criminaliteit. De bedrijfseconomische opvatting van efficiency is tot op heden erg kortzichtig gebleken omdat het menselijke aspect niet in de berekeningen is opgenomen. Wat niet calculeerbaar is bestaat niet, zo is het credo. Het is dus onzakelijk. Echte zakelijkheid zou uit moeten gaan van de realiteit. Dus dat het gaat om mensen die met mensen omgaan.

Veel non-profit instellingen hebben langzamerhand hun oorspronkelijke drijfveren verloren. Zowel de ontzuiling als de ontbinding van traditionele elites ondergraven de behoefte om autonoom te blijven. Tegelijkertijd is – via regelgeving en bekostiging – meer greep op de instellingen gekomen van de rijksoverheid, en dreigen nieuwe commerciële elites, die eraan willen verdienen, de ontwikkeling te gaan sturen. In de eerste plaats door aan te sturen op privatisering; in de tweede plaats door belanghebbende toeleveranciers en financiers (er gaat steeds meer geld om in de hulpmiddelen); in de derde plaats door grote afnemers (bedrijven die snel nieuwe arbeidskrachten behoeven of voorrang wensen bij het oplappen van hun zieken). De SP stelt daartegenover dat meer moet worden gedaan aan democratische controle.

De meeste instellingen dienen een lokale of regionale gemeenschap. De overheden op dit niveau zouden een belangrijke stem moeten hebben. Maar niet alleen overheden, ook het personeel en cliënten, of hun verwanten. De autonomie van de huidige instellingen is te veel autonomie van directies en raden van toezicht. De vroegere band met een levensbeschouwelijke gemeenschap raakt verloren, en daarmee ook een zekere controle uit die gemeenschap. De directieposten raken steeds meer bezet door beroepsbestuurders die op grote afstand staan van de werkvloer en gevangen zitten in de economische ideologie dat het gaat om het managen van een 'product'. In de raden van toezicht nemen grote zakenlui nogal eens een prominente plaats in. De fusiedrift uit het bedrijfsleven wordt nageaapt; en evenals in het bedrijfsleven leiden fusies bij zorg en onderwijs vaak tot een slechtere bedrijfsvoering.

De grootschaligheid leidt tot een vervreemding van het bestuur ten opzichte van de gemeenschap waarvoor de voorzieningen bedoeld zijn. Het is toch van den gekke dat een ziekenhuisdirectie kan besluiten tot opheffing van een locatie terwijl de lokale gemeenschap daar mordicus tegen is. Bij het middelbaar onderwijs is helaas al veel gefuseerd onder druk van de rijksoverheid. De frustraties en demotivering van het onderwijzend personeel zijn alom bekend. De vervreemding onder scholieren in de onderwijsfabrieken bevordert onverschilligheid en criminaliteit. Het ziekteverzuim is hoog. Hierbij speelt ook de wispelturige wijziging van vakken, vakkenpakketten en eindtermen.

Als de democratische controle van binnen en buiten goed geregeld is, is het wellicht niet meer zo belangrijk of een instelling juridisch gezien publiek of privaat is georganiseerd. Anders gezegd, als een instelling door de meest betrokkenen vooral gezien wordt als een instelling die de hele gemeenschap moet dienen valt een drijfveer weg om juridisch autonoom te willen zijn. Het particularisme van de verzuiling en het particularisme van de markt zijn dan overwonnen. Zover is het nog lang niet in de samenleving. De democratie in instellingen is vaak niet goed geregeld en de dienende functie staat onder druk van het bekrompen profijtbeginsel. De toekomst van non-profitinstellingen hangt dus af van de visie op de waarde die men hecht aan onderwijs, zorg en welzijn voor de hele gemeenschap. Met het oog op de grote ongelijkheden in de samenleving moet er in elk geval een goede, voor iedereen toegankelijke publieke voorziening aanwezig zijn. Het onderwijs dient een open houding aan te nemen tegenover verschillende levensbeschouwingen in de samenleving. De overheid moet – met behoud van het recht op inspectie – vertrouwen hebben in de toewijding en de creativiteit van het personeel.

Falen

Er wordt wel gesteld dat de overheid moest optreden omdat de 'vrije markt' niet in staat was voldoende in voorzieningen te voorzien. Althans vroeger. Dit wordt 'marktfalen' genoemd. Dit is een vreemde benadering van de werkelijkheid. Het vooronderstelt dat 'de markt' het doel heeft om in alle mogelijke behoeften te voorzien. Dit is niet zo. Een ondernemer heeft het doel inkomsten te genereren waarvan hij kan leven. In het kapitalisme vaak ook om steeds meer bezit op te hopen. Hij faalt alleen als hij verlies lijdt of zelfs failliet gaat. De rest is zijn zorg niet. Tenminste, niet als ondernemer; mogelijk wel als burger of christen of wat dan ook. Er bestaat dus geen marktfalen. Er bestaat wel een falen van ideologen die naïeve verwachtingen koesteren en daaruit theorieën destilleren.

In wezen geldt dit ook voor de overheid. Het begrip 'overheidsfalen' is evenzeer een ideologisch begrip. Een overheid kan in eerste instantie alleen 'falen' als een uitgesproken doelstelling niet wordt bereikt. Het is echter niet 'de' overheid die een doelstelling uitspreekt, maar een gekozen bestuur die op een gegeven ogenblik de overheid runt. In de kritiek op de overheid wordt dit punt onnoemlijk vaak buiten beschouwing gelaten. De problemen in de zorg worden bijvoorbeeld geweten aan de centralistische aanbodplanning zonder zich af te vragen welke politieke kringen om welke reden tot zo'n planning besloten hebben. De kritiek wordt daarmee apolitiek en technocratisch. Er wordt geen rekening gehouden met de politieke en economische tegenstellingen in de samenleving. Hetzelfde zien we in het onderwijs. Overheidsbesturen moeten vaak compromissen sluiten vanwege de tegenstellingen of vanwege uiteenlopende visies. Daar kunnen heel kromme compromissen tussen zitten. Er kan bij de uitvoering ook stil verzet zijn in de samenleving, en soms ook in ambtelijke diensten.

Bij het voorbeeld van de aanbodplanning ging het simpelweg om een bezuiniging en om de wil van bovenaf de distributie van middelen in detail te regelen. De gevolgen wijzen niet zozeer op een falen van de operatie, maar op het slagen ervan. De wachtlijsten zijn voor een groot deel een succes te noemen. De operatie was bedoeld om kosten te besparen. Het falen ligt meer in de kortzichtigheid van de techniek. Er werd veel verspild door de krampachtigheid in de toewijzing van middelen en verantwoording van het gebruik. Dit gaf ook extra veel wachtenden.

Dit wil niet zeggen dat men alles aan de overheid kan overlaten. Een centraal orgaan kan niet alles in detail overzien en regelen. Maar dit is geen vaststelling die specifiek voor de overheid geldt. Ook in private organisaties kan de fout worden gemaakt van te veel centralisme. Hetzelfde geldt voor de territoriumdrift van functionarissen of staven. De kritiek moet dan ook op het krampachtige centralisme worden gericht. Er was eigenlijk sprake van georganiseerd wantrouwen in de mensen op de werkvloer. Zij zouden te veel begaan kunnen zijn met het lot van de patiënten. Dit wantrouwen is een politieke zaak en geen zaak van planning. Opmerkelijk is dat regelgeving minder strak is voor private initiatieven. De commercie wordt blind vertrouwd, terwijl de toegewijde mensen uit de non-profitinstellingen worden gewantrouwd. De omgekeerde wereld van wat je zou mogen verwachten. De politieke achtergrond is die van bezuiniging op volksvoorzieningen. [De wispelturigheid in het onderwijs moet mede gezien worden in het licht van een krampachtige bezorgdheid over de internationale concurrentie.]

Het is in dit verband te begrijpen dat de irritatie groeit over de bemoeizucht van 'de' overheid. Maar deze irritatie raakt niet de sociaal-politieke kern van de conflicten. Het kan toch niet toevallig zijn dat de gigantische regeldrift is gegroeid in een periode waarin het neoliberalisme de politieke agenda bepaalde en de vvd als voornaamste pleitbezorger in de jaren tachtig en negentig vaker dan enige andere partij in de regering zat. De bemoeizucht van de overheid was er op gericht gierig te zijn in volksvoorzieningen ten behoeve van de belastingverlaging voor de rijkere lagen van de bevolking.

Tot slot

De benaming non-profit is eigenlijk vreemd. Zij vooronderstelt dat winst maken de natuurlijke drijfveer is van voorziening van goederen en diensten in de samenleving. Daar is veel op af te dingen. Niet-gouvernementeel klinkt iets beter, maar is eveneens ongelukkig. Aan de ene kant zijn private ondernemingen evenmin gouvernementeel; aan de andere kant zijn overheden juist zwaar betrokken bij de bekostiging en regelgeving van de grootste sectoren. Men zou eventueel kunnen spreken over private nutsvoorzieningen, naar het voorbeeld van publieke nutsbedrijven. Beter is het weer over collectieve voorzieningen te spreken, zoals lange tijd gebruikelijk was. En daarnaast over ideële en belangenorganisaties.

8   Omwille van de verantwoordelijkheid

Johan van Berkum

Onze samenleving is de laatste decennia op verschillende fronten sterk in beweging. Dat geldt ook voor de klassieke indeling tussen overheid en burger. In het begin van de vorige eeuw was nog duidelijk af te bakenen wat tot de taak en verantwoordelijkheid van de overheid behoorde en wat tot de verantwoordelijkheid van de burger of het maatschappelijk middenveld. Nu is dat veel lastiger vast te stellen. Er is een ontwikkeling gaande waarbij overheid en maatschappij meer en meer vervlechten. Ook lijkt een verzakelijking op te treden in het publieke domein, waarin meer taken, verantwoordelijkheden en bevoegdheden worden toegekend aan het maatschappelijk middenveld. Daarbij komt dat ook het maatschappelijk middenveld aan verandering onderhevig is. Individuen lijken zich minder te willen binden aan maatschappelijke organisaties waarin gezamenlijk verantwoordelijkheid wordt gedragen voor maatschappelijke taken. Kortom: de verhoudingen en verantwoordelijkheden tussen overheid, burger en maatschappelijk middenveld zijn aan het verschuiven.

In dit essay staat het maatschappelijk middenveld centraal. De aanleiding tot het schrijven van dit essay is een publicatie van het SCP getiteld *Noch markt, noch staat*, waarin wordt ingegaan op de Nederlandse non-profitsector in internationaal vergelijkend perspectief. Aan de Staatkundig Gereformeerde Partij (SGP) is gevraagd met een reactie te komen door haar visie op de toekomst van de non-profitsector te geven en daarbij in te gaan op de veranderende verhoudingen tussen overheid en burger.

In deze bijdrage wordt aan dit verzoek voldaan door enkele gedachten op papier te zetten. De opbouw van het essay is als volgt. Om te beginnen worden de termen 'non-profitsector' en 'maatschappelijk middenveld' afgetast. Deze terminologische invalshoek is van belang voor de rest van het betoog. Vervolgens wordt vanuit staatkundig gereformeerd perspectief een visie gegeven op de inrichting van de samenleving, waarbij onder andere wordt ingegaan op het bestaan en het takenpakket van het maatschappelijk middenveld. Daarna wordt aandacht besteed aan enkele ontwikkelingen in de verhouding tussen overheid en maatschappelijk middenveld. Het essay wordt afgesloten met een korte nabeschouwing.

Begripsomschrijving

Non-profitsector of maatschappelijk middenveld
Twee begrippen spelen in de discussie een rol, te weten 'maatschappelijk middenveld' en 'non-profitorganisaties'. De term maatschappelijk middenveld heeft onze voorkeur boven het begrip non-profitsector. Er zijn ten minste drie redenen voor deze keus te noemen. Ten eerste is in de aanduiding non-profitsector sprake van een negatief geformuleerde omschrijving: non-profit. Het gaat dus om organisaties die geen winst maken. Het is de vraag of dat het meest wezenlijke is van de organisaties

die door deze term worden aangeduid. Is het niet interessanter te weten wat deze organisaties wél doen? Daarmee is het tweede bezwaar in beeld. Door te spreken over de non-profitsector wordt geen inzicht gegeven in de activiteiten van deze organisaties en in welke plaats deze organisaties innemen in de samenleving. De omschrijving is dus erg beperkt. Een derde bezwaar tegen de aanduiding non-profitsector is dat dit begrip de discussie makkelijk versmalt tot een puur economische benadering van deze sector. Sociologische en politieke gezichtspunten blijven veelal buiten beeld, terwijl daarover zeker interessante zaken naar voren kunnen worden gebracht.

Deze bezwaren worden in het scp-rapport: *Noch markt, noch staat* (deels) onderkend. Men heeft echter toch voor deze omschrijving gekozen omdat daardoor een internationale vergelijking mogelijk is. Om aan de genoemde bezwaren (grotendeels) tegemoet te komen wordt in dit betoog niet gesproken over de non-profitsector maar over het maatschappelijk middenveld. Dit betekent overigens niet dat maatschappelijk middenveld en non-profitsector hetzelfde zijn.

Twee kanttekeningen moeten hierbij gemaakt worden. Allereerst bestaan er profit-organisaties die tot het maatschappelijk middenveld worden gerekend. Ten tweede zijn er non-profitorganisaties die niet tot het maatschappelijk middenveld behoren. In het genoemde scp-rapport wordt echter gesteld dat het niet-commerciële maatschappelijk middenveld binnen Nederland een goede aanduiding kan zijn van de non-profitsector.[1] Het gebruik van de aanduiding maatschappelijk middenveld hoeft dus geen problemen op te leveren als maar rekening wordt gehouden met de twee genoemde kanttekeningen.

Wat is maatschappelijk middenveld?

Maatschappelijk middenveld, waar hebben we het dan eigenlijk over? Het maatschappelijk middenveld is het veld tussen de overheid en de individuele leden van de samenleving. De term maatschappelijk middenveld duidt dus de plaats aan die deze maatschappelijke organisaties en instituten in het maatschappelijk bestel innemen. Het onderscheidt zich van de overheid vanwege het private karakter en het onderscheidt zich van het particulier initiatief, doordat er sprake is van een georganiseerd verband.

Maatschappelijk middenveld wordt ook wel aangeduid als georganiseerd particulier initiatief. Onder particulier initiatief worden activiteiten van burgers of groepen burgers verstaan die het individuele belang overstijgen. Zodra dit georganiseerd plaatsvindt, wordt gesproken van maatschappelijk middenveld. Het middenveld is dus een verzameling van door burgers opgerichte en in stand gehouden organisaties en instellingen. Het gaat daarbij nadrukkelijk om organisaties en instellingen met een particuliere organisatievorm. In de praktijk zijn het vooral verenigingen en stichtingen die behoren tot het maatschappelijk middenveld.

Organisaties die behoren tot het maatschappelijk middenveld richten zich veelal op het bereiken van bepaalde doelen, waaronder het behartigen van belangen. Voorbeelden hiervan zijn vakbonden, milieuorganisaties, werkgeversorganisaties en de ANWB. Andere maatschappelijke organisaties vervullen bepaalde maatschappelijke functies. Hierbij kan gedacht worden aan bejaardenhuizen en schoolbesturen.

Visie op de inrichting van de samenleving

De visie op het maatschappelijk middenveld hangt nauw samen met de visie op de aard en de omvang van de overheidstaak. De mate van overheidsbemoeienis is immers omgekeerd evenredig met de ruimte die aan het maatschappelijk middenveld en het particulier initiatief wordt toegemeten. Te veel verantwoordelijkheden en taken aan de overheid toemeten, of daar zelfs geen grens aan stellen, betekent dus automatisch een inperking van de vrijheid van burgers en maatschappelijke verbanden. Teneinde een visie op het maatschappelijk middenveld te verwoorden is het onjuist niet eerst te definiëren wat de verantwoordelijkheden van het particulier initiatief zijn en wat de verantwoordelijkheden en taken van de overheid. Het maatschappelijk middenveld staat daar immers tussenin. Kortom: de visie op het maatschappelijk middenveld is niet los te zien van de visie op de inrichting van de samenleving. Hieronder worden de verantwoordelijkheden van de verschillende actoren geschetst, zoals de SGP dat voorstaat.

Overheid

De SGP heeft haar visie op de aard en omvang van de overheidstaak verwoord en vastgelegd in de nota *Dienstbaar tot gerechtigheid*.[2] De SGP is van mening dat de overheid dienstbaar moet zijn tot gerechtigheid. Dienstbaarheid heeft in deze visie twee aspecten.

Enerzijds moet de overheid dienstbaar zijn aan God, want zij is Zijn ambassadeur op aarde. De SGP ziet de overheid als dienares van God. Zij is onderworpen aan Gods gezag en gebod en maakt die geboden tot normatieve uitgangspunten voor haar beleid. In de Bijbel wordt de overheid verantwoordelijkheden opgedragen en de overheid dient daarover verantwoording af te leggen aan God, aan Wie zij haar gezag ontleent. Deze verantwoordelijkheden mogen en kunnen niet worden gedeeld met maatschappelijke verbanden. Maatschappelijke verbanden mogen dus geen verlengstuk zijn of worden van de overheid en de politiek. Dat zou betekenen dat de overheid haar bijzondere roeping en verantwoordelijkheid miskent. De overheid heeft een eigen publiekrechtelijke verantwoordelijkheid en zij mag die niet overdragen aan het maatschappelijk middenveld. Staat en maatschappij zijn twee kringen die ieder een eigen verantwoordelijkheid hebben tegenover God.

Anderzijds is de overheid er voor de onderdanen. Zij is er ten dienste en ten goede van de onderdanen. Dit betekent dat de overheid niet een kille, afstandelijke houding tegenover haar onderdanen mag aannemen, maar met betrokkenheid, respect, liefde en geduld haar beleid moet trachten te verwezenlijken.[3] Dit betekent niet dat de overheid de uitvoering van allerlei taken zelf ter hand moet nemen. Binnen deze normatieve visie past juist de gedachte dat maatschappelijke organisaties zo veel mogelijk taken zelf uit moeten voeren. De overheid moet de zelfstandigheid van de maatschappelijke verbanden respecteren en ervoor zorgen dat binnen deze verbanden individuen de ruimte hebben om hun roeping uit te voeren in verantwoordelijkheid tegenover God. Daarnaast staat de overheid verder af van de burger dan de maatschappelijke organisaties. Het ligt dan voor de hand dat de overheid binnen randvoorwaarden zo veel mogelijk het maatschappelijk middenveld de vrije hand geeft om dienstbaar tot gerechtigheid bezig te zijn. De overheid kan kaders scheppen of randvoorwaarden stellen om de dienstbaarheid tot gerechtigheid te waarborgen, maar de uitvoering van de taken kan zo veel mogelijk gebeuren door maatschappelijke organisaties. Het gaat dan om taken die niet door de overheid zelf hoeven te worden uitgevoerd en die de mogelijkheden van individuen overstijgen.

Wat betekent de hiervoor beschreven visie concreet voor de omvang van de overheidstaak? Er zijn taken die in de visie van de SGP exclusief aan de overheid zijn voorbehouden om zorg te kunnen dragen voor de publieke gerechtigheid. Het voert te ver hier uitgebreid op in te gaan, maar concreet betekent dit in de visie van de SGP dat de overheid een exclusieve verantwoordelijkheid heeft op de volgende terreinen: justitie, politie, defensie, buitenlands beleid, infrastructuur (grotendeels), ruimtelijke ordening en in sterke mate milieubeleid. De verantwoordelijkheid op deze terreinen mag de overheid dus niet delen met het maatschappelijk middenveld.

Daarnaast zijn er taken waar de overheid een gezamenlijke verantwoordelijkheid heeft met de samenlevingsverbanden. Dat betreft de terreinen van onderwijs, volkshuisvesting, volksgezondheid, welzijn, sociale en economische zaken.

Deze korte opsomming maakt duidelijk dat de SGP voor het maatschappelijk middenveld veel verantwoordelijkheden ziet weggelegd. De SGP geeft de maatschappij veel ruimte om zelf initiatieven te ontplooien. Wanneer de grenzen van de gerechtigheid worden overschreden, treedt de overheid op. Maar er zijn ook beleidsterreinen die voorbehouden zijn aan de overheid en waar geen ruimte is voor een gedeelde verantwoordelijkheid tussen overheid en maatschappelijk middenveld.

Particulier initiatief

Vanaf haar ontstaan in 1918 is binnen de SGP altijd sterk de nadruk gelegd op het particulier initiatief. Ieder mens heeft namelijk een persoonlijke verantwoordelijkheid en roeping. De mens heeft van God de opdracht gekregen om de aarde te bouwen en te bewaren. Voor de uitvoering van die opdracht moet de mens persoonlijk tegenover God verantwoording afleggen. De SGP heeft zich om deze reden altijd sterk gemaakt voor de vrijheid en eigen verantwoordelijkheid van het individu en ook van het economische leven.

In artikel 23 van het beginselprogramma van de SGP komt de waarde die de SGP hecht aan het particulier initiatief tot uitdrukking in de woorden: "De overheid dient het particulier initiatief en het verantwoordelijkheidsbesef van ondernemingen en organisaties, gericht op een rechtmatig en niet-verspillend optreden in het maatschappelijke leven, te stimuleren."[4]

De nadruk die de SGP legt op het particulier initiatief heeft ook als doel de grens van de overheidsbemoeienis aan te geven. Het is niet zo dat de overheid per definitie geen taak heeft, maar deze taak is zoals hiervoor gezegd begrensd. Het gevaar van te veel overheidsbemoeienis is dat het particulier initiatief onvoldoende haar eigen verantwoordelijkheid kan nemen.

Maatschappelijk middenveld

De SGP-visie op het particulier initiatief is door te trekken naar het maatschappelijk middenveld. In hoofdzaak geldt hetzelfde. Ook maatschappelijke organisaties en instellingen hebben een eigen verantwoordelijkheid. Het verschil is dat het particulier initiatief zich nu heeft georganiseerd om gezamenlijk de verantwoordelijkheid voor bepaalde activiteiten te dragen. Om dit te kunnen doen moeten deze organisaties de ruimte hebben om zelfstandig activiteiten te verrichten. Deze gedachte komt voort uit het principe van de soevereiniteit-in-eigen-kring.

De SGP hecht in zoverre aan dit principe dat zij wil voorkómen dat de overheid haar bevoegdheden uitbreidt over maatschappelijke organisaties en instellingen, waarin individuen georganiseerd diverse taken uitvoeren die niet tot de overheid behoren. Het probleem van dit principe is echter dat het richtinggevend is en niet concreet aanwijst waar de grenzen van de verantwoordelijkheden liggen. Het is waar dat maatschappelijke organisaties een eigen verantwoordelijkheid hebben; het is evenzeer waar dat ze een verantwoordelijkheid ten opzichte van elkaar hebben. Dit aspect komt in het principe van soevereiniteit-in-eigen-kring onvoldoende tot uitdrukking.[5]

Het maatschappelijk middenveld is zowel van betekenis voor de overheid en de politiek als voor de maatschappij.

De SGP heeft altijd het belang onderkend van een goede relatie tussen politiek en maatschappelijk middenveld. Maatschappelijke organisaties zijn sterk betrokken bij de problematiek waarvoor ze zich georganiseerd hebben. Daardoor hebben ze het voordeel dat ze veel beter dan de overheid zicht hebben op de (maatschappelijke) problemen die zich op hun terrein voordoen. Ze zijn dan ook veelal beter geïnformeerd dan de overheid. Maatschappelijke organisaties kunnen voor de politiek een belangrijke signaleringsfunctie vervullen. De overheid kan van deze kennis gebruikmaken bij het formuleren en uitvoeren van haar beleid. De overheid doet er daarom goed aan maatschappelijke organisaties te betrekken bij de besluitvorming. Maatschappelijke organisaties kunnen de belangen van een bepaalde bevolkingsgroep laten meewegen in de beleidsbepaling. De overheid kan dan op basis van alle informatie komen tot een afgewogen beleidsplan. Voordeel van het consulteren van maatschappelijke organisaties is dat vooraf de legitimiteit van het te voeren beleid veiliggesteld kan worden.

Maatschappelijke organisaties kunnen ook een belangrijke controlefunctie vervullen. Het beleid dat de overheid voert vindt zijn weerslag in de samenleving. Veelal heeft beleid betrekking op een bepaalde groep mensen. Deze mensen kunnen heel goed bekijken of het gevoerde beleid ook effectief is. De overheid kan dus vanuit de maatschappelijke organisaties signalen opvangen of het overheidsbeleid het gewenste resultaat heeft. En als de overheid er niet om vraagt, kunnen de maatschappelijke organisaties zelf aangeven of er problemen zijn.

Deze positieve inbreng van het betrekken van het maatschappelijk middenveld bij de besluitvorming betekent niet dat er geen schaduwzijden aan het consulteren van het maatschappelijk middenveld zitten.

Er moet rekening worden gehouden met het gegeven dat maatschappelijke organisaties veelal eenzijdig opkomen voor de belangen van de groep zie ze vertegenwoordigen. Een voorbeeld hiervan is de ANWB. Deze organisatie komt op voor de belangen van de verkeersdeelnemers. De ANWB verzet zich over het algemeen tegen maatregelen die autorijden duurder maken. Maar naast de belangen van automobilisten moet de overheid ook rekening houden met het milieu, de beschikbare ruimte en andere zaken. De overheid moet dus meerdere vaak tegenstrijdige belangen afwegen. Dat is een taak die bij uitstek voor de overheid als gezagsdrager is weggelegd. Alleen de overheid kan op een zo onafhankelijk mogelijke wijze het algemeen belang behartigen, waarbij de kanttekening past dat coalitiebelang soms boven nationaal belang gaat. Maar om de legitimiteit van het beleid te bevorderen, is het van belang dat de overheid het maatschappelijk middenveld betrekt bij de beleidsbepaling en beleidsevaluatie. Uiteraard is het daarbij van belang dat het maatschappelijk middenveld goed wordt geïnformeerd over de weging van de verschillende belangen bij de besluitvorming.

Ook voor de maatschappij heeft het maatschappelijk middenveld betekenis en functie. Met betrekking tot het economische leven heeft het maatschappelijk middenveld een belangrijke taak. Het middenveld zorgt voor een ordening van sectoren en bedrijfstakken. De private partijen maken met elkaar afspraken op basis van privaatrechtelijke regelingen.

Om niet meer te noemen, is het maatschappelijk middenveld van belang voor de sociale cohesie. Dergelijke organisaties zouden verschillende nuttige functies kunnen vervullen: integratie van individuen in de samenleving, vorming en instandhouding van waarden en normen, een grotere legitimiteit van de politieke besluitvorming en ervaring opdoen met besturen en het afwegen van belangen. Omwille van de sociale cohesie is een bloeiend maatschappelijk middenveld essentieel voor onze samenleving.[6] Hierbij speelt ook het hoge percentage vrijwilligerswerk in de maatschappelijke organisaties een rol. Vrijwilligers zijn over het algemeen goed gemotiveerde arbeidskrachten die een belangrijke meerwaarde hebben voor deze organisaties en veelal blijk geven van een hechte betrokkenheid met de organisatie en het werk van de organisatie.

Ontwikkelingen in de inrichting van de samenleving

In het begin van de vorige eeuw was het maatschappelijk middenveld sterk georganiseerd vanuit de levensbeschouwelijke zuilen. Er was een grote diversiteit aan maatschappelijke organisaties variërend van zondagsscholen, sportclubs en fokverenigingen tot ziekenfondsen en coöperatieve melkfabrieken. Veel van deze organisaties vervulden taken die later, bij de uitbouw van de verzorgingsstaat, door de overheid zijn overgenomen.7 Nu zien we dat de overheid zich meer en meer gaat beperken tot haar kerntaken. Van de weeromstuit zijn veel zaken naar de markt overgeheveld. Ook activiteiten die voorheen door het maatschappelijk middenveld werden uitgevoerd, zijn geprivatiseerd. Hieronder worden enkele ontwikkelingen genoemd en becommentarieerd.

Regiospreiding

Een eerste ontwikkeling die waargenomen wordt, is het veranderende karakter van de maatschappelijke organisaties. In de vorige eeuw waren maatschappelijke organisaties de spreekbuis van de levensbeschouwelijke richtingen in Nederland. Nu zien we dat veel minder en organiseren maatschappelijke organisaties zich steeds meer per regio. Een duidelijk voorbeeld van deze ontwikkeling is te zien in de zorgsector. Dit heeft consequenties voor de levensbeschouwelijke organisaties die nog een landelijk dekkingsgebied hebben. Ook voor deze organisaties moet het mogelijk blijven om vanuit hun levensbeschouwing maatschappelijke taken uit te voeren waar vraag naar is, maar waarbij de zorgvragers verspreid zijn over het hele land.

Vervlechting overheid en maatschappij

Een andere ontwikkeling is de steeds grotere vervlechting die optreedt tussen overheid en maatschappij. Deze vermenging of vervlechting kan op twee manieren optreden. Het kan zijn dat verantwoordelijkheden die bij de overheid horen, worden overgeheveld naar maatschappelijke organisaties of instellingen. Het kan ook zijn dat de overheid de verantwoordelijkheden die behoren bij maatschappelijke organisaties annexeert.

Deze tendens waarbij staat en maatschappij steeds meer in elkaar opgaan, wijst de SGP af. De SGP staat voor een strikte scheiding van verantwoordelijkheden van overheid en maatschappij. Dit betekent concreet dat het maatschappelijk middenveld geen verlengstuk is van de overheid en dat de overheid geen taken op zich neemt die behoren tot de verantwoordelijkheid van het maatschappelijk middenveld of het particulier initiatief. Aan het maatschappelijk middenveld mogen dus geen publiekrechtelijke bevoegdheden worden toegekend.

De SGP onderkent dat in een gecompliceerde samenleving een nadrukkelijk onderscheid tussen private en publieke bevoegdheden minder makkelijk te maken is dan vroeger. Terecht is gesignaleerd dat het maatschappelijk middenveld niet altijd even duidelijk te scheiden is van overheid en bedrijfsleven. Er is soms sprake van een hybride structuur. Maatschappelijke organisaties vervullen vaak niet alleen publieke taken, maar ontplooien tegelijkertijd maatschappelijke activiteiten. Als voorbeeld van deze situatie kunnen woningcorporaties genoemd worden.

Zoals hiervoor gezegd heeft de SGP als belangrijke voorwaarde dat maatschappelijke organisaties die belast zijn met de uitvoering van een overheidstaak nooit een publiek karakter mogen hebben of krijgen. Maatschappelijke organisaties zijn geen overheid en mogen om die reden geen publiekrechtelijke status krijgen. De SGP ziet dat als een miskenning van de eigen verantwoordelijkheid van de overheid, die zij niet mag delen met de maatschappij.

De SGP heeft op zich geen bezwaar tegen maatschappelijke organisaties die zowel overheidstaken uitvoeren als marktactiviteiten verrichten. Een belangrijk punt is wel dat verantwoording wordt afgelegd voor de gelden die van de overheid zijn ontvangen voor de uitvoering van overheidstaken. Het kan niet zo zijn dat overheidsgeld gebruikt wordt om niet-overheidstaken te financieren. Dit heeft alles te maken met de vervlechting van publieke en private belangen. Als de overheid meent dat het beleid dat ze heeft vastgesteld beter door maatschappelijke organisaties kan worden uitgevoerd, hoeft dat op zich geen bezwaar te zijn, als van tevoren maar duidelijke afspraken zijn gemaakt over de taakuitvoering en de daarbijbehorende verantwoordelijkheden. Een uitzondering hierop vormen de taken waarvan vastgesteld is dat de uitvoering daarvan in de visie van de SGP door de overheid zelf dient te geschieden.

In de volgende twee paragrafen worden twee voorbeelden genoemd waarbij sprake is van een vervlechting van overheid en maatschappij, te weten publiekprivate samenwerking en de publiekrechtelijke bedrijfsorganisatie.

Publiekprivate samenwerking
De publiekprivate samenwerking is een fenomeen dat aandacht verdient. Ook bij dergelijke samenwerkingsverbanden kan het maatschappelijk middenveld betrokken zijn. Door publiekprivate samenwerking kunnen publieke verantwoordelijkheden in private handen komen. Om de gevaren van deze verstrengeling van publieke en private belangen aan te geven en aan te tonen dat een dergelijke werkwijze onverantwoord kan zijn, noemen we een voorbeeld ter illustratie. Een treffend voorbeeld is de publiekprivate samenwerking bij de aanleg van de A4 tussen Delft en Schiedam. Enkele jaren geleden hebben we kunnen constateren dat deze vorm van samenwerking kan leiden tot een conflict tussen de overheid en het bedrijfsleven. Het bedrijfsleven zou de aanleg van de weg financieren en de A4 vervolgens exploiteren door middel van tolheffing. Alles leek goed te gaan, totdat de overheid haar plannen kenbaar maakte om rekeningrijden in te voeren in de Randstad en dus ook op de A4. Het invoeren van rekeningrijden heeft tot doel de mobiliteit in Nederland terug te dringen. Wanneer rekeningrijden slaagt, zullen er dus minder auto's op de weg zijn. Het bedrijfsleven was dan ook niet gelukkig met de plannen van de overheid voor invoering van rekeningrijden. Naast de ABN-AMRO (financierder) had de werkgeversorganisatie VNO-NCW een belangrijk aandeel in de kritiek. VNO-NCW behoort tot het maatschappelijk middenveld en vreesde dat de exploitatie van de A4 in gevaar zou komen. Invoering van rekeningrijden zou ertoe leiden dat er te weinig auto's van de A4 gebruik zouden maken om de privaat gefinancierde weg rendabel te maken. Het is nauwelijks te voorkomen dat in dergelijke situaties publieke en private belangen botsen.

Dergelijke situaties moeten voorkomen worden door duidelijk te stellen dat de zorg voor infrastructuur een verantwoordelijkheid van de overheid is en niet van overheid én bedrijfsleven of maatschappelijk middenveld. Wanneer in de toekomst overwogen wordt het maatschappelijk middenveld te betrekken bij de uitvoering van overheidstaken, moeten situaties als hiervoor genoemd voorkomen worden. Het maatschappelijk middenveld mag geen verlengstuk van de overheid worden. Verantwoordelijkheden moeten duidelijk afgebakend blijven.

Publiekrechtelijke bedrijfsorganisaties

Een tweede voorbeeld van de vervlechting van staat en maatschappij en van vermenging van verantwoordelijkheden is de publiekrechtelijke bedrijfsorganisatie (PBO). Bij een PBO gaat het om een particulier initiatief dat een publiekrechtelijke status heeft gekregen. Het belangrijkste SGP-bezwaar is dat publieke bevoegdheden in private handen worden gegeven. Hier vindt dus een vermenging plaats van het private en publieke terrein. De SGP wil niet zover gaan dat een PBO op voorhand niet op haar steun kan rekenen, maar onderkent zeer zeker de bezwaren. De SGP erkent namelijk dat de markt veelal uit zichzelf niet in staat is tot gezamenlijke bindende afspraken te komen.

Gezien de vermenging van publiek- en privaatrecht, stelt de SGP vier eisen aan de acceptatie van PBO's. Allereerst moet de regeling het algemeen belang dienen en moeten er zowel ondernemingsbelangen als publieke belangen en waarden een rol spelen. Vervolgens moet vaststaan dat de zaken die in het geding zijn alleen via de publiekrechtelijke bedrijfsorganisatie kunnen worden gerealiseerd en niet via minder ingrijpende alternatieven als coöperaties en privaatrechtelijke regelingen. In de derde plaats moet een afweging worden gemaakt tussen het beoogde algemeen belang en de beperking van de ondernemingsvrijheid die uit het publiekrechtelijk ingrijpen volgt. De druk die op ondernemingen wordt uitgeoefend moet in verhouding staan tot het publieke doel. Wordt ten slotte voor een PBO-constructie gekozen, dan moet de private partij voor draagvlak in de sector zorgen en de publieke partij de regeling toetsen of de normen gerealiseerd worden.[8]

Horizontalisering

Een andere ontwikkeling in de samenleving is de horizontalisering van de maatschappelijke verhoudingen en het ontstaan van een netwerksamenleving die daarmee gepaard gaat.[9] Dit betekent dat de communicatie van burgers met de overheid minder via maatschappelijke organisaties plaatsvindt. De informatie- en communicatietechnologie heeft het mogelijk gemaakt dat burgers zelfstandig communiceren met de overheid.

Daarnaast heeft de informatie- en communicatietechnologie het de burgers makkelijk gemaakt op een snelle manier wisselende netwerken te vormen om te communiceren met de overheid. In plaats van herkenbare maatschappelijke organisaties is een ontwikkeling te zien naar kortstondige, voortdurend wisselende verbindingen tussen overheid en burger. De betekenis van bestaande maatschappelijke organisaties neemt hierdoor af. De SGP vindt dit een slechte ontwikkeling. De democratische processen worden daardoor namelijk minder zichtbaar. Het gevaar is groot dat de samenleving minder zicht krijgt op de afweging van de verschillende belangen die in het geding zijn.

Een ander gevaar is dat door horizontalisering de overheid en de politiek meer en meer worden geconfronteerd met de privé-belangen van burgers. Daardoor wordt het lastiger om beleid te formuleren waarmee het algemeen belang gediend is. Daarnaast vormt de groep burgers die gebruik maakt van de informatie- en communicatietechnologie geen afspiegeling van de samenleving. Het gevaar is reëel dat de beleidsvorming nog sterker wordt bepaald door de elite van de samenleving.

Europeanisering

Om niet meer te noemen zien we dat de europeanisering ook gevolgen heeft voor de plaats en betekenis van het maatschappelijk middenveld, want 'Europa' krijgt steeds meer bevoegdheden of trekt steeds meer bevoegdheden naar zich toe. Bij de Europese overheid geldt hoofdzakelijk dezelfde opstelling als bij de nationale overheid. Het is zaak dat maatschappelijke organisaties ook daar bij de besluitvorming worden betrokken.

Het standpunt van de SGP wat betreft het overhevelen van overheidstaken naar Europa is helder. De SGP gaat uit van het subsidiariteitsbeginsel. Dat wil zeggen dat taken die door de nationale overheid zelf kunnen uitgevoerd worden, niet mogen worden overgeheveld naar 'Europa'. Dat laat onverlet dat als eenmaal besloten is taken over te dragen naar Europa, de maatschappelijke organisaties eventueel in samenwerking met verwante organisaties uit andere Europese landen de handen ineen moeten slaan om de beleidsbepalers te informeren over relevante beleidsinformatie. Ook daar ligt een taak voor het maatschappelijk middenveld. Grenzen mogen veranderen of verdwijnen, maar dat mag in de visie van de SGP niet ten koste gaan van de zelfstandigheid en eigen roeping van de maatschappelijke verbanden en de daarbij behorende verantwoordelijkheden voor burger en overheid. Ook 'Europa' moet het maatschappelijk middenveld de ruimte geven om haar eigen verantwoordelijkheid te kunnen dragen.

Tot slot

Samenvattend ziet de SGP voor het maatschappelijk middenveld een wezenlijke functie weggelegd in de verhouding tussen overheid en burger. Enerzijds fungeren de organisaties en instellingen die behoren tot het middenveld als verbinding tussen overheid en burgers en anderzijds vormen ze een buffer tussen de staatsmacht en de voor de privé-belangen opkomende burgers. Het maatschappelijk middenveld is dan ook onmisbaar voor een gezonde samenleving, omdat de verantwoordelijkheid voor de bijdrage aan de inrichting en functionering van de samenleving zo dicht mogelijk bij de burger ligt.

Voor een goed begrip: in deze bijdrage is hoofdzakelijk gesproken over maatschappelijke organisaties die taken uitvoeren die anders de overheid zelf moet uitvoeren en over maatschappelijke organisaties die zelfstandig taken uitvoeren waar de overheid helemaal geen verantwoordelijkheid heeft. Dan praten we over het maatschappelijk middenveld als tegenwicht naast de overheid. Daarnaast zijn er andere categorieën maatschappelijk middenveld te onderscheiden.

Noten

1. A. Burger en P. Dekker (red.), *Noch markt, noch staat. De Nederlandse non-profitsector in vergelijkend perspectief*, Sociaal en Cultureel Planbureau, Den Haag 2001, p. 6.
2. H.F. Massink e.a., *Dienstbaar tot gerechtigheid. SGP-visie op de aard en omvang van de overheidstaak*, Houten 1993.
3. H.F. Massink e.a., *Dienstbaar tot gerechtigheid. SGP-visie op de aard en omvang van de overheidstaak*, Houten 1993, p. 30.
4. *Toelichting op het Program van Beginselen van de Staatkundig Gereformeerde Partij*, Den Haag 1996, p. 96.
5. H.F. Massink e.a., *Dienstbaar tot gerechtigheid. SGP-visie op de aard en omvang van de overheidstaak*, Houten 1993, p. 84.
6. Meer hierover zie W.J. van Noort, Sociale bewegingen, in: *Compendium voor politiek en samenleving in Nederland*, Alphen aan den Rijn.
7. U. Rosenthal e.a., *Openbaar bestuur, beleid, organisatie en politiek*, Alphen aan den Rijn 1996, 5e druk, p. 270.
8. J.J. Polder e.a., *Tussen beginsel en belang. Normatieve gedachten over economie, markt en samenleving*, Houten 1998, p. 149-151.
9. Oud-minister Peper heeft een essay geschreven waarin onder andere deze ontwikkeling gesignaleerd wordt. Het essay heeft als titel: *Op zoek naar samenhang en richting. Een essay over de veranderende verhoudingen tussen overheid en samenleving*, 12 juli 1999.

9 Eisende consumenten of mondige burgers?
Nieuw kabinet moet publieke sector moderniseren

Jos van der Lans en Stavros Zouridis

Van twee zielen naar één kloppend hart

Van oudsher huizen er in de gelederen van GroenLinks twee zielen. De eerste heeft haar hart verpand aan de burger en zijn zelforganiserende vermogen. Daarvan zijn de (door GroenLinks zo gewenste) veranderingen te verwachten, vandaar dat de partij zo nadrukkelijk haar oor te luister legt bij sociale bewegingen en non-gouvernementele organisaties als de milieu- en natuurbeweging. De tweede ziel van GroenLinks heeft een wat meer etatistische inborst. Wie het onwenselijke in de samenleving wil keren, zal daartoe de geëigende machtsinstrumenten moeten inzetten op het niveau van de staat. Alleen overheden kunnen, in deze opvatting, *tegelijkertijd* maatschappelijke veranderingen afdwingen én democratisch inbedden.

Je zou het ook anders kunnen zeggen: voor het goede in de mens mogen burgers van GroenLinks op zichzelf vertrouwen, voor het slechte werpt de partij de overheid in de strijd. Op deze ambiguïteit heeft GroenLinks overigens niet het alleenrecht; feitelijk worstelt elke in de vorige eeuw groot geworden politieke beweging ermee. Maar waar liberale, christelijke en socialistische bewegingen politiek verankerd zijn geraakt in het staatsapparaat en grotendeels zijn losgeweekt van hun verzuilde non-gouvernementele achterban, is dat bij de relatief jonge groene beweging niet het geval.

Meer dan andere partijen kijkt GroenLinks daarom tegelijkertijd twee kanten op: naar de burgers, waarbij zelfbeschikking, eigen initiatief, zelforganisatie, zeggenschap en (directe) democratie hoog in het groene vaandel staan geschreven, en naar de overheid die nu eenmaal de macht in handen heeft om met wet- en regelgeving de samenleving in overeenstemming te brengen met de 'duurzame en sociaal rechtvaardige' wensen van GroenLinks.

In de voorbereiding van het meest recente verkiezingsprogramma van GroenLinks, waar wij beiden aan meegeschreven hebben, bleek dat deze klassieke dubbelreflex te simplistisch is om de complexiteit van de moderne samenleving tot begrip te brengen.[1] Sterker, bij nieuwe bestuurlijke instrumenten als 'persoonsgebonden budgetten', 'vouchers' en 'rugzakjes' bleken de meningen in het groene kamp steeds verder uit elkaar te lopen. Waar de zelfbeschikkende vleugel 'vraagsturing' als een verrijking van de individuele mogelijkheden zag, meende de meer collectivistisch georiënteerde dat de bewaking van de dienstverleningskwaliteit van de publieke sector niet door individuele rechten, maar door de overheid gestuurd moest worden.

In het verkiezingsprogramma is gepoogd een stap verder te komen.[2] Het programma baseert zich op een analysekader waarin verschillende subdomeinen bij elkaar het publieke domein vormen, waarbij elk domein zijn eigen verantwoordelijkheid, dynamiek en geschiedenis kent. Ze zijn op elkaar betrokken, maar zijn niet tot elkaar te reduceren. Het geheel vormt een kloppend hart met vier aparte kamers, die met elkaar in een permanente open verbinding staan.

Het gaat daarbij om de volgende vier domeinen: het overheidsdomein, het institutionele domein/de publieke sector, het professionele domein en het burgerdomein. Die domeinen grijpen op een ingewikkelde wijze in elkaar. Er zijn formele betrekkingen, regels en financieringsstelsels, maar er is *in* en *tussen* deze domeinen ook een politiek-ideologische strijd gaande, die deels in het parlement plaatsvindt, maar die ook op vele andere plaatsen, zoals in beroepsverenigingen, tussen werkgevers en werknemers, aan directietafels, in ondernemingsraden, in vormen van burgerparticipatie, ja zelfs in de spreekkamers tot uitdrukking komt.

Een politieke partij moet aan dit dynamische publieke domein richting geven. GroenLinks heeft in dat opzicht hoge ambities. Het gaat daarbij niet alleen om meer geld voor de publieke sector als zodanig (daarover zijn de meeste partijen het wel eens), maar vooral over de vraag hoe de vier domeinen zo op elkaar betrokken kunnen worden dat de kwaliteit van de dienstverlening maatschappelijk rendeert, dat het vertrouwen in instituties (dat de laatste jaren de nodige averij heeft opgelopen) wordt vergroot, dat het een aantrekkelijke sfeer wordt om in te werken en dat burgers zich er ook verantwoordelijk voor voelen. Om die ambitie waar te maken is, zoals we verderop zullen bepleiten, een operatie 'modernisering publieke sector' onvermijdelijk geworden.

Non-profitsector: een achterhaald begrip

Waarom is deze politiek-abstracte prelude van belang als het gaat om een beschouwing over de toekomst van de non-profitsector? In de eerste plaats om duidelijk te maken dat het fenomeen 'non-profitsector' op zichzelf weinig betekenis heeft, want dit institutionele domein is eigenlijk alleen te begrijpen in zijn relatie tot andere domeinen.

In de tweede plaats helpt deze prelude het ongemak dat we voelen bij de term non-profitsector onder woorden te brengen. Dekker heeft daar in zijn inleiding tot deze bundel al verstandige dingen over geschreven.[3] Want voor ons is niet essentieel of de non-profitsector al dan niet winst maakt, maar in welke mate instellingen maatschappelijke prestaties leveren en/of publieke taken verrichten. De meeste woningcorporaties kennen inmiddels bedrijfsactiviteiten die behoorlijk rendabel zijn, maar zo lang die winsten in een soort Robin Hood-constructie aangewend kunnen worden om de publieke zaak van de volkshuisvesting te dienen zien wij geen reden ze buiten beschouwing te laten.[4]

In onze beleving is de aanduiding non-profit als analytisch begrip achterhaald. Het ruikt nog een beetje naar de jaren zeventig, de tijd waarin de ideële doelstellingen van een organisatie door de vlag non-profit nog eens nadrukkelijk onderstreept moesten worden. Maar na de verzakelijkingstherapie van de jaren tachtig is 'winst maken' een veel minder beladen begrip geworden en gaat de discussie vooral over de vraag *hoe* rendementen totstandkomen en *wat* er mee gedaan wordt. In dat opzicht menen wij dat de term 'maatschappelijk ondernemen' veel perspectiefrijker en dynamischer is dan het wat statische begrip 'non-profitorganisatie'.

Bovendien is de aanduiding onvoldoende onderscheidend, want je kunt zowel de Vereniging Milieudefensie als het Academisch Medisch Centrum in Amsterdam ermee aanduiden. Dekker trekt in zijn inleiding terecht een cesuur tussen organisaties op terreinen als zorg, onderwijs, wonen en welzijn en sociale zekerheid die gelieerd zijn aan de verzorgingsstaat, en organisaties en initiatieven die veel meer door burgers, waarden en belangen worden gedragen. In de eerste – verreweg de grootste –categorie domineert het institutionele en professionele belang, in de tweede ligt het accent veel meer op de vrijwillige en ideële betrokkenheid van burgers. Deze sfeer stemt meer overeen met de Angelsaksische aanduiding *civil society*.

De politieke discussie van de komende jaren zal zich – ook binnen GroenLinks zelf – vooral richten op de eerste categorie, op het functioneren van de publieke sector. Het gaat om vragen als: Hoe stuurt een overheid maatschappelijke prestaties? Hoe verantwoorden publieke instituties zich? Moeten mensen in de zorg, het onderwijs, de sociale zekerheid vooral als een individuele consument gezien worden of als burger bij de kwaliteit van de publieke sector betrokken worden? Het politieke denken over deze vragen is nog volop in ontwikkeling en dat lijkt ons voldoende rechtvaardiging om ons betoog daar dan ook op toe te spitsen.

De overheid als keurmeester

Terecht constateert Tjeenk Willink in zijn bijdrage aan deze bundel dat Nederland nooit een krachtige overheid heeft gekend. Het zijn vooral de confessionele politieke partijen geweest die dat hebben voorkomen. Voor hen was een sterke staat een angstvisioen, dat *coûte que coûte* voorkomen moest worden. Vandaar de nadruk op het subsidiariteitsbeginsel en de pleidooien voor 'soevereiniteit in eigen kring'. Zo ontstonden in ons land de meeste publieke voorzieningen op het terrein van onderwijs, zorg, welzijn en wonen. De overheid had daar tot diep in de twintigste eeuw relatief weinig over te zeggen. De socioloog Van Doorn omschreef dit ooit treffend als "baas in eigen huis, en het huis ten laste van de gemeenschap".[5]

De verzorgingsstaat veranderde dat in de tweede helft van de twintigste eeuw, maar op een specifieke Nederlandse manier. De overheid verzorgde de planning (het beleidstoverwoord uit de jaren zestig en zeventig); de instellingen deden het werk. Voor een nieuw personeelslid moest men toestemming krijgen van Den Haag, maar wat de persoon in kwestie uitspookte... daarin waren de Haagse ambtenaren op de keper beschouwd niet echt geïnteresseerd. De keukens bleven – indachtig de oude traditie van soevereiniteit – gesloten.

Het beeld van een bemoeizuchtige overheid en Haagse regelneverij, dat nogal eens uit kringen van het onderwijs en gezondheidszorg opklinkt, is dan ook sterk ideologisch gekleurd. Het zegt *de facto* weinig over de daadwerkelijke bemoeienissen van de overheid (want die vallen in de praktijk erg mee, de Nederlandse inspecties

zijn de welwillendheid zelve), en meer over de klassieke mentaliteit die sinds men-
senheugenis in Nederlandse publieke voorzieningen wordt gereproduceerd en die
neerkomt op een eenvoudige boodschap: laat ons onze gang gaan. En in feite is dat
ook wat de Nederlandse overheid doet, zeker nadat in de jaren negentig het bedrijfsmatig denken in opkomst was.

Pas de laatste jaren is de overheid zich in dit opzicht nadrukkelijker gaan roeren.
Bijvoorbeeld in het grotestedenbeleid hamert de overheid nadrukkelijk op duidelijke
prestatie-indicatoren; en stuurt zij visitatiecommissies het land in die er voor zorgen
dat gemeenten (en dus instellingen die profiteren van het grotestedenbeleid) met de
billen bloot moeten. Daarmee komt de eerste beweging in beeld die de toekomst van
de Nederlandse publieke sector raakt: de overheid als aanjager en keurmeester van
maatschappelijke prestaties.

De legitimatie van de publieke sector

Het tweede domein betreft de publieke sector zelf. Ooit heette dat: particulier initiatief, om aan te duiden dat het hier niet-statelijke organisatievormen betrof die voortgekomen waren uit initiatieven van burgers. Deze omvangrijke tussenlaag, die tot op
de dag van vandaag het organische tussenweefsel vormt van de Nederlandse verzorgingsstaat, is de afgelopen decennia ingrijpend veranderd.

De eerste verandering heeft te maken met de ontzuiling. Waar lange tijd notabelen uit de zuilen de dienst uitmaakten in besturen van deze organisaties werden
deze verbindingen langzaam doorgesneden. Dat opende de weg voor een vergaande
professionalisering van het bestuur en het management.

De tweede verandering betreft de lossere verhouding tot de overheid. Ooit moest
er voor de aanschaf van een potlood nog toestemming in Den Haag gevraagd
worden, met de terugtredende overheid werden de organisaties in toenemende mate
ook financieel zelfstandig. Ze kregen een budget en daarmee moest men het in principe zelf zien te rooien.

Een derde verandering is dat hun speelveld steeds meer werd geduid in termen
van een markt van vraag en aanbod, waarin hun dienstverlening als product werd
gezien, die op de markt te gelde gemaakt zou moeten worden. Voorzieningen evalu-
eerden daarmee in rap tempo tot bedrijfsmatig geordende instituties, die hun eigen
calculaties gingen maken, efficiency-eisen stelden enzovoort. In de ene sector
(volkshuisvesting) is dat verder ontwikkeld dan in een andere sector (welzijnswerk,
basisonderwijs), maar de trend gaat onmiskenbaar in deze richting.

Dat leidde tot een vierde ontwikkeling: schaalvergroting. De publieke sector
kende in Nederland nog geen twintig jaar geleden een vuistdikke telefoongids met
adressen en telefoonnummers. Die gids is tegenwoordig aanmerkelijk dunner. Geen
deelsector ontsnapte aan deze trend. Wie niet meedeed telde niet mee of werd simpelweg opgeheven. En met de nieuwe instellingsnamen verscheen er een nieuwe
lichting managers op het toneel, die een heel nieuw beleidsinstrumentarium en het
daarbij horende jargon introduceerde.

Een vijfde verandering was dat de mensen die deze sector bevolkten (zowel 'klanten' als werknemers) in een tijdsbestek van twee decennia totaal anders in het leven kwamen staan: mondiger, individueler, minder gevoelig voor hiërarchische verhoudingen. Dat had grote gevolgen: zowel voor de cultuur van deze instellingen als voor face-to-face contacten tussen professionals en publiek.

Deze vijf, hier kort aangestipte, ontwikkelingen hebben er in een periode van nog geen twintig jaar voor gezorgd dat de publieke sector in Nederland ingrijpend van karakter is veranderd. Het is van god los geraakt, geprofessionaliseerd, in meerdere of mindere mate geëconomiseerd. De woningcorporaties zijn in deze een mooi voorbeeld. Voorzagen zij dertig jaar geleden vooral in goedkope huisvesting voor laagbetaalden, tegenwoordig zijn naast sociale verhuurders ook marktpartijen op de vastgoedmarkt, maken zij winsten en worden ze door ondernemende managers geleid.

Maar met al deze veranderingen is een vraag onbeantwoord gebleven: wie bepaalt nog of deze instellingen hun werk goed doen? Vrijwel zonder uitzondering zijn het immers organisaties die opgebouwd zijn met maatschappelijk kapitaal en die maatschappelijke doelstellingen moeten realiseren. Hun verzuilde oorsprong was lange tijd een vanzelfsprekende legitimatie voor hun bestaan. Zelfs in die mate dat er in de naoorlogse periode van uitbouw van de verzorgingsstaat een bijna natuurlijk proces van verstatelijking op volgde, zeker in financiële zin. De kracht van de markt moest dat vanaf de jaren tachtig corrigeren, maar nu in het begin van de 21e eeuw de wolken van het bedrijfsmatig en marktgericht werken langzaam maar zeker optrekken, wordt steeds duidelijker dat de markt geen eigenstandige legitimatie (of zelfs maar drijfveer) biedt voor deze kennelijk in zichzelf publieke activiteiten.

Maar waar is dan wel de legitimatie van deze instellingen gelegen? Bij wie wordt die legitimatie gevonden en aan wie en hoe wordt verantwoording afgelegd? Met deze vragen worstelen tal van instellingen in het publieke domein en er lijkt een massale zoektocht op gang te komen naar nieuwe vormen van legitimatie en verantwoording.

Vertrouwen geven aan professionals

Het derde domein dat we hebben onderscheiden is het professionele domein. Merkwaardigerwijs vormen professionals in de meeste beschouwingen over de publieke sector het ongeschreven hoofdstuk. Dat is wel eens anders geweest. In de inmiddels wat verbleekte jaren zestig en zeventig waren zij voorwerp van een heftige politiseringsstrijd. Zij moesten partij kiezen en zouden gezicht moeten geven aan de emancipatie van al die groepen die maatschappelijk in de min zaten. In de jaren tachtig kregen zij echter de kous op hun kop, en werd het stil in en rondom hun gelederen. Lijdzaam ondergingen zij de ene na de andere reorganisatie van hun werkomstandigheden, hun status verloor zichtbaar aan aantrekkelijkheid en steeds minder mensen kozen voor een carrière in de publieke sector. In de discussie werden professionals steeds minder gehoord. Toch vormen zij het gezicht van de publieke sector: burgers hebben met hen te maken als het gaat om de publieke dienstverlening.

Het gaat hier met name over mensen die het handwerk van de verzorgingsstaat verrichten of daar praktisch organiserende verantwoordelijkheid voor dragen: onderwijzers, schoolhoofden, verpleegsters, wijkagenten, artsen, welzijnswerkers, bijstandsambtenaren, schuldhulpverleners, maatschappelijk werkers, keuringsartsen, noem maar op. Hun status is de afgelopen decennia sluipenderwijs gedevalueerd.[6]

Ten eerste zijn hun gelederen verzwakt. De cijfers laten dat ook onmiskenbaar zien.[7] Tussen 1985 en 1999 verdubbelde in Nederland het aantal managers en hogere leidinggevenden ruimschoots van 165.000 naar 400.000. Tegelijkertijd is de groei van het uitvoerend personeel gestagneerd. Omwille van het hogere politieke doel 'efficiëntere dienstverlening' moest er meer werk met ruwweg hetzelfde aantal mensen worden verzet, wat over de hele linie in de publieke sector tot een forse verhoging van de werkdruk heeft geleid. Dat heeft zeker niet bijgedragen aan een aantrekkelijk werkklimaat.

Daar komt bij dat de organisatie van het professionele werk ingrijpend is veranderd. Het meest indringend is daarover geschreven door de Raad voor Maatschappelijke Ontwikkeling (RMO) in zijn advies *Aansprekend burgerschap*.[8] Daarin constateert de Raad dat de inrichting van de publieke sector steeds meer geschoeid is op de ouderwetse leest van de planmatige industriële productiewijze. Het werk is in toenemende getayloriseerd, handelingen zijn strak geprotocolleerd, alles moet worden genoteerd, verantwoordelijkheden zijn verknipt en voor professionele intuïtie is steeds minder ruimte. Van deze rationalisering van de dienstverlening kennen we inmiddels vele voorbeelden: de thuiszorg, de gezondheidszorg, het onderwijs, het welzijnswerk – ze zijn inmiddels allemaal in de greep gekomen van grootschalige, volgens de RMO 'dehumaniserende' organisatiemodellen.

Burgers worden voortdurend aangesproken op hun mondigheid, hun zelfverantwoordelijkheid, de noodzaak tot zelfreflectie, terwijl tegelijkertijd op die eigenschappen in nogal wat beroepen binnen de publieke sector steeds minder een appel wordt gedaan. Volgens de RMO kan de publieke sector hier in de toekomst alleen aan ontsnappen als er weer 'andersom' gedacht gaat worden. Er moet in de organisatie een herwaardering komen van het begrip 'kleinschaligheid', waardoor professionals weer greep krijgen op hun eigen werk. Dat betekent dat sturing minder bureaucratisch outputgericht moet zijn en meer ruimte moet bieden voor 'vertrouwen'.

Burgers en de doe-het-zelf-ideologie

Het vierde domein is dat van moderne burgers. Hier is het beleidsdenken het afgelopen decennium sterk verkleurd door modern-liberale voorstellingen van burgers als zijnde een soort hyperindividuen, een soort rationele beslismachines die in vrijheid, niet gehinderd door anderen, hun weg vinden in het leven en dus in alle omstandigheden graag zelf willen kiezen wat voor hen het beste is. Het beeld van een succesvolle onderneming wordt een ideaal voor elke individuele burger: iedereen is zelf verantwoordelijk (en in staat) voor de exploitatie van zijn eigen talenten.

Misschien is dit een overtuiging waarin succesvolle elites zichzelf kunnen laven, maar of dit beeld recht doet aan moderne burgers is zeer de vraag. Vaststaat dat dit reclamebeeld andere aspecten van het menselijk bestaan uit het publieke vertoog wegdrukt. Mensen zijn immers ook sociale wezens die voortdurend met elkaar associaties aangaan en daardoor onderling verweven zijn in een permanent net van afhankelijkheden. De meeste mensen gedragen zich daar ook naar. Dat drukt zich bijvoorbeeld uit in standvastige cijfers over participatie in vrijwilligerswerk[9], dan wel in de grote bereidheid om voor directe naasten informele zorgtaken te verrichten.[10] Dit wezenlijk andere beeld over burgers klinkt echter steeds minder door in de beelden die in het beleid over burgers worden gereproduceerd.

De consequenties daarvan zijn veel groter dan men wellicht op het eerste gezicht denkt. Want in een samenleving waar de officiële waardering voor zelfbeschikking en individuele autonomie toeneemt, neemt de informele waardering voor zaken die daarvoor een sta-in-de-weg lijken als vanzelf af. Waarden als mededogen, opofferingsbereidheid, naastenliefde en initiatieven die daaruit voortvloeien zijn niet langer zaken waarop mensen zich laten voorstaan. Het zijn bezigheden die steeds meer onzichtbaar blijven en daardoor eigenlijk steeds minder lijken te passen in de levensstijl van de moderne burgers. Het heeft de connotatie van 'traditioneel' gekregen, iets wat – onbedoeld – een gevolg is van het succes van de emancipatie in Nederland. Waren deze waarden vroeger gekoppeld aan seksespecifieke rollen, nu zijn ze daarvan losgeraakt. En aangezien mannen er niet toe zijn overgegaan ze in hun ambities te integreren, worden ze door niemand meer gedragen en lijken ze – ten onrechte – vooral te verwijzen naar een tijdperk dat achter ons ligt.

Het gevolg daarvan is onder meer dat steeds minder mensen bereid zijn te kiezen voor een beroep in de gezondheidszorg, waarin diezelfde waarden in een geprofessionaliseerde vorm een bestaansrecht krijgen. Sowieso ondermijnt het hyperindividualisme de waardering voor het werken in de publieke sector, waar de werkzaamheden zich bijna per definitie voltrekken in een sociaal veld van afhankelijkheden.

De realiteit daarvan wordt feitelijk genegeerd door burgers in hun verhouding tot deze instellingen ook steeds meer te definiëren als zelfbeschikkende partij, als consument. Het idee erachter is simpel. Vroeger leverde de verzorgingsstaat de burgers een (klantonvriendelijk, uniform, bureaucratisch) aanbod, maar tegenwoordig kunnen mondige burgers heel goed zelf uitmaken wat goed voor hen is. Geef ze het geld en ze zullen dienstverlening op maat afdwingen. Deze 'doe-het-zelfideologie' is de basisfilosofie van persoonsgebonden budgetten, vouchers en rugzakjes.[11]

Nu is het zeker zo dat dit sturingsinstrument goed zal uitpakken voor groepen, die mondig zijn en in hoge mate afhankelijk zijn van publieke dienstverlening (bijvoorbeeld gehandicapten). Maar velen, vooral ouderen, zitten er niet op te wachten. Een beroep op zorg is voor hen ook niet het moment om hun onafhankelijkheid te bevestigen, maar eerder het tegendeel: de ultieme erkenning van kwetsbaarheid en afhankelijkheid. Ze willen niet kiezen, maar erop kunnen vertrouwen dat zij menswaardig verzorgd worden.

Het idee dat de burger centraal staat, dringt, zoals Kalma elders in de bundel laat zien, de betekenis van de publieke sector als collectieve voorziening naar de achtergrond.[12] Het nut wordt steeds minder in maatschappelijke termen geduid (toegankelijkheid voor iedereen, gelijke kansen, hoger opleidingsniveau van de bevolking, betere gezondheidsverwachtingen enzovoort) en steeds meer in termen van het individuele rendement. Uiteindelijk ondermijnt dat het draagvlak van de publieke sector, die immers wel voornamelijk door collectieve afdrachten gefinancierd wordt.

De performance- en participatieparadox

Voor een politiek toekomstperspectief op de kwaliteit van de dienstverlening in de publieke sector is het van belang nog wat nauwkeuriger op een aantal recente ontwikkelingen in te zoomen. Bijvoorbeeld de trend waarin prestaties van instellingen steeds meer zichtbaar gemaakt worden. Het 'monitoren' is de laatste jaren een gevleugeld begrip geworden. Met behulp van output-cijfers zou het stadium van de goede bedoelingen eindelijk overwonnen kunnen worden en zouden we de fase binnentreden waarin 'meten is weten' klaarheid zou moeten brengen.

Maar ondanks al dat jarenlange gecijfer is de bestuurlijke greep op de kwaliteit van de dienstverlening nauwelijks toegenomen. Volgens Leeuw komt dit doordat de cijferhonger een aantal onbedoelde effecten oproept.[13] De cijfers gaan hun eigen leven leiden en dwingen professionals zich te richten op makkelijk meetbare output, of leiden tot wat ook wel output-verkruimeling wordt genoemd: er wordt zo veel gemeten dat niemand er nog een touw aan vast kan knopen.

Dat komt, aldus Leeuw, omdat de meten = weten-filosofie uitgaat van de onterechte veronderstelling dat er onder professionals sprake *moet* zijn van opportunisme (lijntrekkerij) en een weigering uit zichzelf verantwoording af te leggen.[14] Dat wantrouwen nodigt medewerkers uit tot een reactie, die precies contraproductief is met wat eigenlijk wordt beoogd: in plaats van minder gaan medewerkers juist meer tijd besteden aan slim (dat wil zeggen: moeilijk te achterhalen) opportunistisch gedrag. Daardoor ziet de leiding zich genoodzaakt tot nog fijnere outputmeting te komen, wat professionals weer uitnodigt tot, enzovoort, enzovoort. Zo leidt van buiten opgejaagde vernieuwing in de praktijk precies tot het bureaucratische gedrag dat men eigenlijk wilde bestrijden. Leeuw omschrijft dit als de 'performanceparadox' Precies die ontwikkeling lijkt in veel regionen van de publieke sector de laatste jaren te zijn opgetreden.

De professionals worden daarbij niet alleen door hun managers (en aan de achterhand politieke bestuurders) op de huid gezeten, maar ook nog eens door burgers, die de instituties binnen worden gelokt om als vragende partij een woordje mee te spreken. In het basisonderwijs is die ontwikkeling zichtbaar en sommige politieke partijen spreken in dit verband ook met graagte over 'de school van de ouders'. Ouders worden gestimuleerd binnen het schoolgebouw allerhande klussen te verrichten, ouderraden buigen zich over het pedagogische profiel van scholen en hebben medezeggenschap over alle institutionele beslissingen.

Daardoor wordt steeds onduidelijker hoe de rol van de ouders zich verhoudt tot de individuele professionele verantwoordelijkheid van de leerkracht. Ouders stellen zich steeds veeleisender op voor wat betreft de behandeling van hun kroost. Het gevolg is dat onderwijzers zich in het individuele contact met ouders steeds formeler gaan gedragen. Ze drukken zich diplomatiek en ontwijkend uit in de terloopse contacten met de ouders, in de vrees dat ze zich anders tot in de details moeten verantwoorden voor hun omgang met het betrokken kind.

Zo ontstaat naast de performanceparadox ook nog eens een participatieparadox: meer participatie van burgers leidt tot terughoudendheid en voorzichtigheid van professionals. Beide paradoxen vinden hun oorzaak in omstandigheden waarin bestuurlijke instrumenten geen rekening houden met de zelfstandigheid van het professionele domein en daardoor door professionals in de dagelijkse praktijk worden waargenomen als een ongewisse inmenging in hun professionele competentie. Afstandelijkheid en afzijdigheid is in zo'n situatie een voor de hand liggende overlevingsstrategie.

Op zoek naar nieuwe omgangsvormen

De vraag waar politieke partijen een antwoord op moeten vinden is hoe zij een strategie ontwikkelen die in staat is tot een zorgvuldige taakverdeling te komen tussen het bestuurlijke overheidshandelen, de soevereiniteit van professionele instituties in de publieke sector, de eigen verantwoordelijkheid van professionals en betrokken burgers. Dat is niet een kwestie van meer geld (hoe belangrijk dat op zichzelf ook is), maar vooral van het tot leven brengen van andere ideologische voorstellingen, die meer recht doen aan de eigenstandigheid van de vier domeinen en die er op gericht zijn het samenspel daartussen te ontdoen van wantrouwen en onzuivere tegenstellingen.

Dat kan alleen als ideologische concepties over marktwerking en vraagsturing niet langer als Grote Heilzame Concepten op deze sector worden losgelaten. Ideeën met betrekking tot vraagsturing, samengevat in de leus 'de burger centraal', klinken weliswaar heel modieus in verkiezingsprogramma's, maar in de micro-contacten van de publieke sector zaaien ze vooral wantrouwen.

Die nieuwe omgangsvormen moeten gestimuleerd worden door de politiek. De overheid moet als het gaat om wat zij wil de richting aangeven en als keurmeester optreden, maar vooral ook ruimte bieden aan de dynamiek in de andere domeinen; de instituties leggen daarbij actief publieke rekenschap af; de professionals krijgen de ruimte om op een maatschappelijke wijze hun professionaliteit tot ontwikkeling te brengen en burgers zijn daarin niet langer consumenten, maar eerder betrokken juryleden van de maatschappelijke resultaten.

Niet geheel toevallig klinkt daarin al iets van het snel furore makende 4R-model (richting, ruimte, resultaat en rekenschap) dat SCP-directeur Schnabel in de zomer van 2001 lanceerde.[15] Dat model biedt inderdaad een bestuurlijk kader om tot nieuwe omgangsvormen tussen overheid, publieke sector en betrokken burgers te komen, zij het dat er nog geen goede R in de formule staat om ook echt recht te doen aan het professionele domein en dat ook de R van responsiviteit een welkome aanvulling zou zijn. Het is zaak de komende jaren aan dit algemene model concreet inhoud te geven. In het slotdeel van deze beschouwing willen we daartoe gericht tot de vier hiervoor onderscheiden domeinen een aanzet maken.

Het voorbeeld van het Verenigd Koninkrijk

Voor wat betreft de overheid is het leerzaam een uitstapje te maken naar het Verenigd Koninkrijk, waar de regering Thatcher eind jaren tachtig besloot de strijd met de overheidsbureaucratie en daaraan verbonden publieke dienstverleningsinstellingen aan te gaan. Het motief was onversneden neoliberaal: de burger had in de ogen van de Engelse conservatieven als consument geen idee welke waar hij als belastingbetaler voor zijn geld kreeg. Dat leidde tot een omvangrijk nationaal programma dat bekend is geraakt als *New public management*.

Alle overheidsdiensten en publieke instellingen op het terrein van gezondheidszorg en volkshuisvesting werden verplicht om *citizen's charters* op te stellen; een handvest waarin zij zo concreet mogelijk aan de burger kenbaar maken welke prestaties deze van hen kan verwachten. Instellingen die meenden goed te presteren konden zich aanmelden voor een *charter mark*: een nationaal keurmerk waarvoor de instelling aan een grondig onderzoek werd onderworpen.

Ondanks de stevige bezuinigingen die het programma vergezelden, was *New public management* een groot succes. Zelfs in die mate dat de regering-Blair het halverwege de jaren negentig voortvarend continueerde. In ideologisch opzicht veranderde de campagne echter fundamenteel van toon: de invalshoek van 'consumerism' werd vervangen werd door een beleidstaal die gericht is op 'citizenship'. Het gaat in de publieke sfeer niet alleen om consumentengoederen, maar ook om de kwaliteit van publieke zaken en goederen, waarin – zo redeneerde Blairs *New Labour* – de mening van burgers moet tellen.

Blair hervormde het programma tot een operatie *Modernisation government*, waarin volop gebruik wordt gemaakt van de mogelijkheden van internet. Contactpersonen, *best practices*, *citizen's charters*, kwaliteitsverbanden, richtlijnen voor kwaliteitsprogramma's, benchmarking-projecten, trotse bezitters van *charter marks* – ze zijn allemaal op het net te vinden (www.cabinet-office.gov.uk), waarbij het cabinet office als portal fungeert. Tegelijkertijd daagde Blair de instellingen uit om hun charters tweejaarlijks te verversen en daarin uitdrukkelijk ruimte te maken voor innovatie. Regelmatig wordt het regeringsprogramma aangepast en verbeterd met behulp van zogenoemde *green* en *white papers*, regelmatig begeleid door een brief van de *prime minister* aan alle *public servants* in het Verenigd Koninkrijk.

Natuurlijk is er zoveel specifiek Engels aan dit programma dat het niet onmiddellijk valt te kopiëren. Maar wie het Verenigd Koninkrijk met ons land vergelijkt, kan toch moeilijk om de conclusie heen dat Nederland qua inspanningen en beleidsfilosofie armetierig afsteekt bij de eilandbewoners. Het is een interessante politieke uitdaging daar de komende kabinetsperiode verandering in aan te brengen en een Nederlandse versie van de Engelse operatie *Modernisation Government* op gang te brengen.[16]

Op weg naar transparantie en verantwoording

Uiteraard kunnen en moeten de instellingen in de publieke sector hier ook zelf een bijdrage aan leveren. Nederland bezit – over de hele linie van de publieke sector – een tamelijk armoedige publieke cultuur van verantwoording. Alles staat in ons land nog in de kinderschoenen. Visitatiecommissies, benchmarking, de ontwikkeling van keurmerken – het zijn vooral nog onderwerpen voor congressen. Daar moet de komende jaren met volle kracht aan gewerkt worden. Vooral in de richting van de burger moet actief naar verantwoordingsvormen worden gezocht. Het formuleren van een burgerhandvest is daarbij een belangrijke eerste stap; GroenLinks is overigens de enige politieke partij die de noodzaak om met deze citizen's charters te gaan werken in haar programma heeft opgenomen.

Maar er is in de richting van burgers veel meer mogelijk. Ook in dat opzicht gaan de ontwikkelingen in Nederland schoorvoetend. Zo links en rechts wordt er in de publieke sector geëxperimenteerd met stakeholdersoverleggen en wisselende gebruikerspanels. Heel voorzichtig klinken geluiden om in de publieke sector met burgerjury's te werken. Zoals de oude Grieken hun burgers door middel van het lot tot hun maatschappelijke plicht riepen en Amerikanen door datzelfde lot tot de juryrechtspraak worden geroepen, zouden in de Nederlandse publieke sector publieke visitatiecommissies op deze manier kunnen worden samengesteld. Het lijkt nog ver weg en voor menig directeur is het een angstvisioen, maar stappen in die richting zijn onvermijdelijk.

Internet zou, net als in het Verenigd Koninkrijk, in zo'n verantwoordingsprogramma een hoofdrol moeten spelen. Hier moet de modernisering van de publieke sector voor de samenleving zichtbaar worden gemaakt. Het internet moet de etalage vormen waarin op een ordentelijke wijze best practices staan uitgestald, keurmerkhouders te vinden zijn, prestatievergelijkingen opzoekbaar zijn, visitatierapporten nagelezen kunnen worden en verder alles wat met de transparantie van publieke instellingen te maken heeft. Nu er eindelijk een medium is dat de potentie heeft om transparantie en verantwoording mogelijk te maken, moeten we dat ook actief gaan gebruiken.

Ruimte voor professionele zeggenschap

Belangrijk is dat professionals in deze operatie 'modernisering publieke sector' een duidelijke stem krijgen. Het kan niet langer zo zijn dat ze als loopjongens worden behandeld van managementdoelstellingen, dan wel geacht worden louter naar de pijpen van burgers te dansen. De kwaliteit van de dienstverlening is niet langer gebaat bij werkomstandigheden die de voedingsbodem vormen voor wat we als performance- en participatieparadox hebben aangeduid.

Ruimte bieden aan professionals kan op veel manieren. Eerder wezen we, in navolging van de Raad voor Maatschappelijke Ontwikkeling, er al op dat goede professionaliteit een overzichtelijke organisatorische schaal nodig heeft. Niet alleen burgers verzuipen in grote anonieme structuren, professionals doen dat evenzeer. Hun ambacht – dat op een of andere manier altijd neerkomt op het met mensen omgaan – komt beter uit de verf naarmate ze betekenisvolle contacten kunnen leggen met hun klanten en met elkaar een teamgeest kunnen creëren.

Daarnaast is het bijvoorbeeld cruciaal om registratiesystemen zo in te richten dat het niet alleen een externe verplichting heeft, maar ook functioneel is in het gesprek over professionaliteit, over het werk en de vraag of het werk ook goed wordt gedaan. Dat lijkt evident, maar in de ervaring van nogal wat professionals is dat niet zo.

Zo zijn er veel meer aspecten te vinden die professionals coproducent kunnen maken van institutionele processen, in plaats van strikte uitvoerder van van buitenaf opgelegde doelen. Langzaam maar zeker zal het idee moeten worden afgezworen dat professionals (en hun gescherm met professionele autonomie) een belemmering vormen voor institutionele verandering. Impliciet was dat de veronderstelling van grote efficiency-operaties en organisatorische transformaties die door deze sectoren heen zijn getrokken. De managers grepen de macht, en de autonome professional had zich maar te schikken naar de nieuwe omstandigheden.

Professionals moeten in staat worden gesteld hun professionaliteit zo te ontwikkelen dat ze de ruimte durven nemen om zich ook in individuele contacten te verantwoorden, zonder dat ze zich hoeven te verschuilen achter institutionele regels ('zo doen wij dat hier nu eenmaal'). In veel gevallen is dat een kwestie van communicatieve vaardigheden, maar ook is het zaak dat instituties aan hun professionals voldoende rugdekking bieden. Ook op dit punt kunnen burgerhandvesten een verhelderende rol spelen. Explicitering van omgangsvormen kan bijvoorbeeld helderheid scheppen in de omgang tussen ouders en leerkrachten.

De burger als maatschappelijke factor

Als we dit alles overzien is de leus 'de burger centraal' op zijn minst een bedrieglijke voorstelling van zaken. Deze – door de meeste politieke partijen omarmde – leuze vormt in onze ogen de opmaat voor het slotdeel van het Grote Neoliberale Beleidsboek, waar nu al twee decennia aan wordt geschreven. Het boek begon met de kritiek op de bureaucratische overheid (deel 1, jaren tachtig), bewierookte vervolgens de werking van de markt (deel 2, jaren negentig) en de politiek lijkt zich nu op te maken voor het slotakkoord, waarin de burger als Koning Consument op de stoel van de beslisser moet worden gezet.

Wat ons betreft komt het boek echter nooit af. Wie enigszins op de hoogte is van het institutionele reilen en zeilen van de publieke sector weet dat de retoriek van het neoliberale programma zich steeds verder heeft losgemaakt van de werkelijkheid. De rol die de burger speelt als hij door de Bijenkorf kuiert of wanneer hij met een winkelkarretje door Albert Heijn raast of desnoods als hij een huis koopt, wil dezelfde burger in doorsnee helemaal niet spelen als hij zijn kinderen aan het onderwijs toevertrouwt of zichzelf aan de gezondheidszorg. Daar wil hij begrip ontmoeten en het idee krijgen dat hij zich met gerust hart zich op anderen kan verlaten. Waar het neoliberalisme de waarde van onafhankelijkheid en keuzevrijheid bewierookt, gaat het in de dagelijkse praktijk van de publieke sector juist om waarden als afhankelijkheid en vertrouwen. Er zou heel wat gewonnen zijn als die waarden ook weer hun weg vinden in de ideologische concepten die in het denken over de publieke sector een rol spelen.

Dat kan, maar dan zou voor het ontwikkelen van beelden en gedachten over moderne burgers in een andere ideologische vijver gevist moeten worden dan nu veelal het geval is. Want naast het reclamebeeld van Nederlanders als zelfbeschikkende consumenten, als kleine zelfondernemers, is er ook een beeld van Nederlanders als een volk waarin postmateriële waarden als duurzaamheid, kwaliteit, oorspronkelijkheid en natuurlijkheid weliger tieren dan elders in Europa, waar betrokkenheid op anderen nog steeds door velen van het grootst mogelijk belang wordt geacht, waar de aanhang van milieu- en natuurorganisaties relatief gesproken groter is dan waar ook ter wereld. Die Nederlandse mentaliteit bestaat ook, en het zou voor sociaal-betrokken politieke partijen een uitdaging moeten zijn die breed gedragen gevoelens, waarden en overtuigingen op een moderne wijze te vertalen in aansprekende vormen van beleid en te koppelen aan sturingsinstrumenten die daar recht aan doen.

Daarbij spreekt het voor zich dat de rol van de burger niet meer is weg te denken in de publieke sector. Maar die rol moet niet in de eerste plaats gedefinieerd worden in individueel-economische profijttermen, maar in sociaal-culturele termen. Het criterium moet niet zijn of de burger zelf voldoende aan zijn trekken komt, maar of de sector naar het oordeel van burgers in maatschappelijke zin ook bijdraagt aan kwaliteit en rechtvaardigheid, en of zij op een zorgvuldige en respectvolle wijze kan omgaan met waarden als afhankelijkheid, vertrouwen en kwetsbaarheid.

Al met al is dat een ideologische opgave, die – we wijzen daar nog maar eens ten overvloede op – heel wat verder reikt dan het inlopen van achterstanden of het wegwerken van wachtlijsten. Een inspirerend programma 'modernisering publieke sector' zou een mooi motto zijn voor een komend kabinet, en als de politiek daaraan inhoud zou geven door er een moderne en aansprekende vorm van burgerschapsethiek een duidelijke plaats in te geven, zou dat een interessant perspectief kunnen bieden om aan het liberale gedachtegoed van paars te ontsnappen.

Aan zo'n trendbreuk is op de werkvloer van de samenleving dringend behoefte.

Noten

1. Jos van der Lans en Jan Willem Duyvendak, 'Tussen hyperindividualisme en dwingelandij. Naar een politiek van publieke betrokkenheid', *GroenLinks Magazine* 2001/1: p. 10-14.
2. GroenLinks, *Ontwerp-verkiezingsprogramma 2002-2006*, GroenLinks, Utrecht 2001.

3. Zie ook: Paul Dekker, 'Nederland gemeten en vergeleken: conclusies en perspectieven', in: Ary Burger en Paul Dekker (red.), *Noch markt, noch staat. De Nederlandse non-profitsector in vergelijkend perspectief*, Sociaal en Cultureel Planbureau, Den Haag 2001.

4. Jos van der Lans, *Robin Hood en Koning Klant. De maatschappelijke verankering van corporaties*, Aedes Forum voor Inspiratie en Zingeving, Hilversum 2000.

5. J.A.A. van Doorn en C.J.M. Schuyt (red.), *De stagnerende verorgingsstaat*, Boom, Meppel 1978.

6. Jos van der Lans, *De onzichtbare samenleving. Beschouwingen over publieke moraal*, Nederlands Instituut voor Zorg en Welzijn, Utrecht 1995.

7. Paul de Beer, *Over werken in de postindustriële samenleving*, Sociaal en Cultureel Planbureau, Den Haag 2001.

8. Raad voor Maatschappelijke Ontwikkeling, *Aansprekend burgerschap. De relatie tussen de organisatie van het publieke domein en de verantwoordelijkheid van burgers*, Sdu, Den Haag 2000.

9. Paul Dekker (red.), *Vrijwilligerswerk vergeleken. Civil Society en vrijwilligerswerk III*, Sociaal en Cultureel Planbureau, Den Haag 1999.

10. Gabriël van den Brink en Mia Duijnstee, 'Een kwestie van kunnen. Moderne burgers en de staat van de zorg', in: *Voor elkaar – zorgen in een moderne samenleving* (PON Jaarboek 2001), PON, Tilburg 2001.

11. Stavros Zouridis, 'Burgers: consumenten of democraten?', inleiding voor het symposium 'Een kwestie van democratie' georganiseerd door de Eerste-Kamerfractie van GroenLinks in samenwerking met het Wetenschappelijk Bureau van GroenLinks op 9 november 2001 in Den Haag.

12. Zie ook Paul Kalma, 'De burger de baas? Paars, de PvdA en de publieke sector', in: *Socialisme & Democratie* 58 (2001)/5: p. 196-206.

13. Frans L. Leeuw, 'Onbedoelde neveneffecten van outputsturing, controle en toezicht', in: Raad voor Maatschappelijke Ontwikkeling, *Aansprekend burgerschap. De relatie tussen de organisatie van het publieke domein en de verantwoordelijkheid voor burgers*, Sdu, Den Haag 2000, p. 149-171.

14. Zie ook Evelien Tonkens en Jan Willem Duyvendak (2001), 'Accountability in de sociale sector', *Tijdschrift voor de Sociale Sector* 55/12: p. 14-19.

15. Paul Schnabel, 'Bedreven en gedreven. Een heroriëntatie op de rol van de rijksoverheid in de samenleving', in: *Verkenningen: bouwstenen voor toekomstig beleid*, Sdu, Den Haag 2001, p. 9-28.

16. Voor meer informatie over het Verenigd Koninkrijk en Nederlandse initiatieven zie: www.rekenschap.nl.

10 De organisatie van de vrijheid
Over de toekomst van maatschappelijk initiatief

Roel Kuiper

Het is opvallend dat de twee typen die vanouds de Nederlandse cultuur representeren beide afkomstig zijn uit de sfeer van het particulier initiatief: de koopman en de dominee. De een komt uit de sfeer van de 'profit', de andere uit de sfeer van de 'non-profit'. De twee prototypen van beide sectoren lijken garant te staan voor een spanningsvolle relatie. Dominee en koopman – vaker in conflict dan in harmonie – zijn tot elkaar veroordeeld en zullen op een of andere manier in overleg moeten treden om de eigen vrijheid en handelingsruimte te waarborgen. En waar is vadertje Staat in dit historisch tafereel? Die is er even niet. Traditioneel is de rol van de overheid in de Nederlandse samenleving zwak en terughoudend. Dat was al zo in de tijd van de regenten en liberale heren voor wie een nachtwakersstaat voldoende was. Het was ook zo in de tijd van de verzuiling, waarin de samenleving zichzelf organiseerde en zaken zelf bedisselde. De periode waarin de overheid zich sterker opstelde valt samen met de bloeitijd van de verzorgingsstaat, zo ongeveer in de jaren zestig en zeventig van de vorige eeuw. Maar dat experiment is achteraf bezien niet in alle opzichten bevredigend te noemen. En nu spreken we weer van een 'nieuwe overheid', die sommige dingen moet doen (vooral voor de veiligheid van de burger zorgen), maar die ook veel moet laten om ruimte te scheppen voor nieuw initiatief vanuit de samenleving.

In dit heen-en-weerdenken over de rol van de overheid hebben vooral de sociaaldemocratische en liberale ideologie de boventoon gevoerd. De verzorgingsstaat met al zijn collectieve arrangementen was vooral een project van de socialisten. Dat tal van verantwoordelijkheden uit de samenleving weggezogen werden en op bijna onherstelbare manier vernietigd zijn paste bij de ideologie van een verzorgende en herverdelende overheid. De maakbaarheid van de samenleving stuitte echter op 'natuurlijke' grenzen die men aanvankelijk niet wilde erkennen. De verzorgingsstaat werd een bureaucratische en onrechtvaardige moloch. De verzorgingsstaat was onbestuurbaar, onfinancierbaar en – dat was het fundamentele probleem – bleek een burger in het leven te roepen die zijn eigen belangen met behulp van de collectieve arrangementen sterker dan ooit ging najagen. Waar was de publieke geest gebleven, uit naam waarvan al deze dingen waren geschied?

Na de ontmanteling van de verzorgingsstaat in de jaren tachtig kwam het neoliberale initiatief in de jaren negentig. Maar deden de liberalen nu zoveel anders dan de socialisten? Was de neoliberale overheidsfilosofie niet een voortzetting van de oorlog van het eigenbelang tegen het publieke belang, maar nu met andere middelen? Heeft iemand er al eens over nagedacht waarom de socialisten het in de jaren negentig (in diverse Europese landen) zo goed konden vinden met de liberalen? Was het niet omdat de calculerende burger, die eerst onder de hoede van de socialisten was ontstaan, nu verder werd opgevoed door de liberalen? Men viel nu collectief in de armen van de koopman. De arrangementen van de verzorgingsstaat leken houdbaar als de markt zich erover ontfermde. De markt zou niet alleen zorgen voor beter beheer en grotere doelmatigheid, maar ook een nieuwe ordening van publieke voorzieningen tot stand kunnen brengen. De overheid zou zich kunnen terugtrekken en hoefde slechts toe te zien op naleving van regels van toegankelijkheid en gelijkheid. Dat de dynamiek van de markt die regels van toegankelijkheid en gelijkheid nu juist verpulvert (zoals in de gezondheidszorg, het onderwijs en de sociale zekerheid wel het sterkst blijkt), werd pas later ontdekt. Hoe luidden ook alweer de grote beloften van kwaliteitsverbetering, uit naam waarvan dit allemaal werd begonnen?

En nu de dominee. Die is er ook nog. Toen de goegemeente uit de armen van vadertje Staat vluchtte in de armen van de koopman, stond de dominee er beteuterd bij. Heel veel werd er gesproken over nieuwe maatschappelijke verantwoordelijkheden, sociale vernieuwing, waardering van particulier initiatief, maar als puntje bij paaltje kwam, bleek het denkpatroon achter deze woorden die van de tot koopman omgebouwde staatsman te zijn (of, om het even, de tot staatsman omgebouwde koopman). Sociale verbanden waren er voor om kosten en achterblijvende investeringen op af te wentelen. Tekorten in de intramurale zorg (bejaarden, gehandicapten, psychiatrische patiënten) werden opgevangen door de samenleving. De wereld van de non-profitorganisaties werd beoordeeld aan de hand van profitmaatstaven en kreeg dus te maken met bezuinigingen en reorganisatie op reorganisatie, alsof het om bedrijfsonderdelen ging. Het woud aan regels om doelmatigheid en transparantie in het onderwijs af te dwingen heeft onderwijsgevenden het plezier in hun werk ontnomen en vervolgens bij bosjes weggejaagd. De zorg kampt met tekorten die niet eerder zijn vertoond. De non-profitsector, eens een sterk vlak van de Nederlandse samenleving, staat er beteuterd bij. Als klap op de vuurpijl wordt er gediscussieerd over de wankele toekomst van die sector, alsof ze daar zelf schuld aan heeft. Het wordt tijd voor een grondige herwaardering. Het wordt tijd dat de dominee de tot koopman omgebouwde staatsman een flinke zet geeft.

Non-profit: miskend maatschappelijk initiatief

Voor wie de Nederlandse maatschappelijke verhoudingen kent, is het geen wonder dat Nederland een relatief grote non-profitsector heeft. Zo'n 13% van de (niet-agrarische) beroepsbevolking is erin werkzaam, tegenover 5% en 4% in respectievelijk Frankrijk en Duitsland.[1] De geschiedenis van de verzuiling meldt zich in zo'n cijfer. Om het nog fraaier te formuleren (en de pejoratieve verzuilingsterm te vermijden): de honorering van het maatschappelijk initiatief komt hierin tot uitdrukking. Het is de bevochten en verworven vrijheid van groepen in de samenleving, die een institutionele uitdrukking heeft gekregen en nog altijd kenmerkend is voor de Nederlandse samenleving. Nederland is een tamelijk egalitaire burgerlijke samenleving met een beperkte staatssfeer. De kwaliteit van de samenleving hangt samen met de eigen werkzaamheid en inbreng van de bevolking via tal van niet-statelijke verbanden.

Zelfbestuur en eigen verantwoordelijkheid lagen historisch in elkaars verlengde. Vrijheidsbeleving scoorde en scoort hoog bij de Nederlander. De toedeling van verantwoordelijkheden aan de samenleving zorgde voor sociale cohesie en betrokkenheid van burgers bij sociale, maatschappelijke, educatieve en culturele activiteiten.

Dat wat 'verzuiling' is gaan heten is zelf een uitdrukking van een cultuurleven waarin die maatschappelijke vrijheid vanzelfsprekend was. Nederland is altijd een verscheiden samenleving geweest en was eerder decentraal in zijn beleving van verantwoordelijkheden dan centralistisch. Toch is er sinds de inburgering van die verzuilingsterminologie iets grondig mis gegaan met de perceptie van maatschappelijke vrijheid. Het waren de aanhangers van een moderne staatsidee die de verzuiling aangrepen om een burgerlijk nationalisme te propageren dat aan al die maatschappelijke zelforganisatie aanstoot nam. Het woord 'verzuiling' kreeg in de tweede helft van de twintigste eeuw een vijandige klank. Het werd vereenzelvigd met segregatie ('hokjesgeest'), de behoefte tot afzondering, sociale controle en bescherming van het eigenbelang.[2] Dat maatschappelijke zelforganisatie iets te maken heeft met het dienen van het algemeen belang vanuit eigen verantwoordelijkheid en eigen identiteit, wil er na dergelijk verbaal geweld niet goed meer in. Inmiddels is het zo dat de bril van de koopman en de tot koopman omgebouwde staatsman inderdaad niets anders kan zien dan de organisatie van het eigenbelang. Zo is alles uit de non-profitwereld koopwaar geworden.

Het ergste wat kon gebeuren – en het is gebeurd – is dat erfgenamen van deze traditie hun eigen maatschappelijke vrijheid gingen verstaan in die negatieve verzuilingstermen. Daarmee deden ze het karakter van hun eigen maatschappelijk initiatief tekort. Uit maatschappelijk initiatief voortgekomen non-profitorganisaties zijn primair hoeders van de vrijheid, en niet de hoeders van een groepsbelang. De omkering van doelen en middelen, waar Max Weber ooit op wees, heeft zich in de levenscyclus van menige organisatie voorgedaan. Aanvankelijk was de organisatie een middel om een bepaald maatschappelijk doel te bereiken (verbetering van de volksgezondheid, emancipatie en ontwikkeling van de samenleving), na verloop van tijd werd de organisatie verstaan als een doel in zichzelf en ging het om het voortbestaan van eenmaal opgerichte instituties. Zo werden ze politiek schaakmat gezet op het speelveld van koopman en staatsman. Een tweede manier om de maatschappelijk geïnspireerde organisaties politiek schaakmat te zetten is door te spreken van een 'maatschappelijk middenveld'. Een middenveld ontleent zijn betekenis aan de twee uitersten waar het aan grenst. Het is een midden tussen staat en burger en is daarmee als zodanig al verpolitiekt. Daarmee wordt de eigen betekenis van maatschappelijk initiatief gerelativeerd. Het maatschappelijk initiatief dankt zijn bestaan niet aan de overheid of de belangen van de burger, maar heeft een eigen karakter. Mensen vormen gemeenschappen en vanuit die gemeenschappen ontstaan maatschappelijke initiatieven, die ook zonder de presentie van de overheid of een publieke samenleving tot ontwikkeling zouden kunnen komen. Het is eerder omgekeerd: een publieke rechtsorde en een overheid zijn veeleer een functie van een zich organiserende samenleving, dan zelfstandige scheppers van een samenleving.

De onophoudelijke aanval op die wereld van het maatschappelijk initiatief, de voortdurende terminologische miskenning en de politieke inkapseling ervan heeft de relatief sterke non-profitsector broos gemaakt. Wat er zou moeten gebeuren is eerherstel voor de eigen verantwoordelijkheid van burgers in de samenleving, en dan niet als lippendienst of als onderdeel van een systeem van kostenafwenteling, maar werkelijk en inhoudelijk. Dat betekent: niet met de ene hand wegnemen wat met de andere hand was gegeven. Dat betekent ook: honorering van een materieel verantwoordelijkheidsbesef en een relativering van de 'managerial approach', die niet alleen te veel managers oplevert, maar ook alle maatschappelijk initiatief doodt dat vanuit een inhoudelijke visie wordt geboren. Een overheid die altijd maar wil registreren onderhoudt blijvend het besef van eigenbelang en afhankelijkheid in de samenleving. Een 'nieuwe overheid', tegenwoordig bepleit door verscheidene adviesraden, moet in het ruimte scheppen voor de samenleving ook vertrouwen hebben in de actoren die dragers zijn van het maatschappelijk initiatief. Daaraan ontbreekt het, getuige de onafzienbare stroom van regels, stelselherzieningen, reorganisaties die de non-profitwereld voortdurend op hun kop zetten, maar niet in hun eigen waarde honoreren.

Waardering van de vrijheid

De Amerikaanse politiek filosoof Michael Walzer heeft in zijn prachtige boek *Spheres of justice* een analyse gegeven van het belang van niet-statelijke sectoren in een samenleving.[3] De verscheidenheid aan sociale structuren is van belang voor een harmonieuze ontwikkeling van de samenleving als geheel. Hij noemt die sociale structuren 'distributieve sferen'. Deze distributieve sferen zijn volgens hem ontstaan rondom *social goods*. Daarbij moet aan zowel materiële als immateriële dingen worden gedacht. Staatsburgerschap is een sociaal goed en welzijnsvoorzieningen zijn dat ook. Een liefdevolle opvoeding in een gezin is evenzeer een sociaal goed als de gezondheidszorg. Welnu, sociale goederen hebben een eigen omgeving waarin ze betekenis krijgen en verdeeld worden. Dat zijn de distributieve sferen. "Geldmacht is niet geëigend in de sfeer van de kerkelijke ambten...en vroomheid geeft geen voordeel op de markt." Iedere sfeer heeft zijn eigen criteria en arrangementen voor de waardering en verdeling van sociale goederen. Daarin hebben eigen aard en identiteit van de kringen een eigen functie. In het bedrijfsleven is het economisch perspectief dominant en worden topmannen beloond met astronomische salarissen. Een vakbond zal het sociale perspectief centraal stellen en de eigen topmensen niet belonen met astronomische salarissen. Ook eer en onderscheiding hebben hun eigen verdelingsprincipe. Wat een verdienste is wordt door een trainer van een voetbalelftal anders beoordeeld dan door de Commissaris van de Koningin die mensen voor een lintje voordraagt. Zo bestaat de samenleving uit een grote hoeveelheid distributieve sferen met eigen interne verhoudingen, waarin mensen worden beloond, verzorgd, bestuurd, gekoesterd enzovoort.

Volgens Walzer is een samenleving het beste af wanneer de verschillende sferen in vrijheid en op eigen wijze kunnen functioneren. Er moet sprake zijn van een 'autonome distributie' van sociale goederen. Als effect van dit complexe systeem van waardering en verdeling van sociale goederen worden extreme verschillen tussen mensen als het ware 'uitgemiddeld' en ontstaat er een *complex equality*. Horizontale verantwoordelijkheidsrelaties leiden tot een zekere sociale gelijkheid. Er zijn maatschappelijke voorwaarden om die 'autonome distributie' goed te laten verlopen. Een vrije en verantwoordelijke samenleving met respect voor ieders eigen sferen vereist een duidelijke rechtstatelijke waarborg. In een totalitaire (of totaal verpolitiekte) samenleving wordt de autonome distributie van sociale goederen doorgaans niet toegestaan. Daar blijft slechts een verticaal ingericht distributief systeem over. Dat wil zeggen dat de sociale goederen hier onder de macht van de staat zijn gebracht. Maar ook in een democratische samenleving kan er sprake zijn van een miskenning van het belang van deze sferen. Walzer opponeert tegen J. Rawls die in zijn herwaardering van het contractdenken de distributie van sociale goederen als een rationeel proces beschouwt onder beheersing van de wet. Volgens Walzer worden op deze wijze de identiteiten, verbanden en culturele verscheidenheden in de samenleving over het hoofd gezien. Hij beschouwt Rawls' *theory of justice* daarom als inadequaat. Walzers eigen beschouwing over de *spheres of justice* legt het accent bij de samenleving en niet bij de staat.

Het is niet moeilijk deze beschouwingen van Walzer toe te passen op de Nederlandse samenleving. Het geeft een verwoording van de sociale filosofie die in Nederland traditioneel wordt aangeduid met de term 'soevereiniteit in eigen kring' (die hij ook kent en kennelijk heeft verwerkt). Het voordeel van Walzers verwoording is dat zij ons in staat stelt over de merites van deze sociale filosofie na te denken, zonder onmiddellijk te hoeven vervallen in de politieke vocabulaire van 'eigenbelang', 'hokjesgeest' en 'sociale controle'. Het gaat erom dat de identiteit van groepen en de eigen aard van sociale verantwoordelijkheden er toe doen als het gaat om de definitie en de distributie van *social goods*. Christelijk onderwijs vergt dan evenzeer een eigen sfeer als een islamitische ouderenorganisatie. Die eigen sfeer komt niet in mindering op het algemeen belang. Het welbevinden en het welzijn van mensen in de samenleving is een algemeen belang, dat alleen maar gediend wordt met maatschappelijke initiatief en zelforganisatie. Daarin drukt zich de vrijheid en de cohesie van de samenleving uit. Beleving van eigen identiteit en maatschappelijke verantwoordelijkheid liggen in elkaars verlengde, als er tegelijkertijd (via de rechtswaarborgen van de rechtsstaat) erkenning is van de vrijheid die een voorwaarde is voor dit maatschappelijk initiatief.[4]

De toekomst

Maatschappelijke zelforganisatie, bijvoorbeeld op het vlak van onderwijs, gezondheidszorg of maatschappelijk werk was sinds de negentiende eeuw een uitdrukking van het emancipatieproces van groepen Nederlanders. Het heeft geleid tot een actualisering en institutionalisering van de Nederlandse vrijheidstraditie. De emancipatie van autochtone Nederlanders is inmiddels vrijwel voltooid, terwijl de emancipatie van Nederlanders van allochtone afkomst op gang begint te komen. De multiculturele samenleving is op dit moment een katalysator van het debat over de maatschappelijke inrichting van Nederland. De vraagstukken van integratie en inburgering bewegen zich precies op het grensvlak tussen staat en samenleving. Het debat gaat dan weer de ene en dan weer de andere kant op. Er is een meer 'statelijke' aanpak en een meer 'maatschappelijke'. Volgens de eerste opvatting dient integratie en inburgering te betekenen dat er een duidelijke verbinding met een algemeen Nederlands staatsburgerschap wordt gelegd. Voor de vorming van dit staatsburgerschap is de beleving en beoefening van culturele verscheidenheid een hinderfactor. Mensen zouden zich meer met hun eigen bijzondere identiteit bezighouden dan met hun identiteit als Nederlands staatsburger. In dit verband wordt zelfs de afschaffing van het bijzonder onderwijs bepleit. Volgens de tweede opvatting is de beleving en beoefening van culturele verscheidenheid juist de weg om tot maatschappelijke integratie en inburgering te geraken. Zij bepleiten een gebruik van de Nederlandse vrijheids- en verzuilingstraditie voor allochtone groepen om langs die weg hun emancipatie te verwezenlijken.

De weg die voor de Nederlandse samenleving de meeste kansen op integratie en sociale cohesie biedt is die van 'eenheid in verscheidenheid'. Dat is geen middenweg tussen staatseenheid en culturele verscheidenheid, maar een keuze voor verscheidenheid die op cruciale punten wordt samengebonden door enkele fundamentele gemeenschappelijke normen en waarden. Dit is de weg die nadruk legt op de vrijheid van particuliere sferen, op het zelforganiserend en zelfsturend vermogen van de samenleving, op maatschappelijke dialoog. Die weg past bij de Nederlandse cultuur en bij het soort samenleving dat die cultuur telkens heeft opgeleverd. Dat is een cultuur die tamelijk open is, ruimte biedt aan verschillende tradities en wars is van ideologisering van het politieke en nationale leven. Het is een cultuur die vooral de kunst wil verstaan een gemeenschap te zijn.

Zij die eenzijdig voorstander zijn van een dominant staatsburgerschap waarin zich een gemeenschappelijke identiteit zou moeten uitdrukken (tegenstanders derhalve van culturele diversiteit) maken twee historische fouten. In de eerste plaats is het staatsterrein in Nederland nooit groot of dominant geweest. Ook nu biedt het centralistische idee (veeleer Frans dan Nederlands) dat burgers primair staatsburgers zijn weinig perspectief. Wat zou er meer gedeeld moeten worden dan een taal en een gemeenschappelijk recht? Alle verdere beschavingsoffensieven in naam van de staat zouden in Nederland op onoverkomelijk verzet stuiten. In de tweede plaats negeren zij het historisch inzicht dat verscheidenheid in de geschiedenis van Nederland altijd goed is samengegaan met een besef van eenheid op cruciale punten. Het zwaartepunt ligt in Nederland bij de samenleving en niet bij de staat. De enige reden om van deze benadering af te wijken is het feit dat allochtone Nederlanders niet de gemeenschappelijke culturele horizon hebben van een gedeelde geschiedenis, een gedeelde moedertaal en gemeenschappelijke rechtsnormen. Maar wat niet is, kan komen. Het zijn juist de landen met een traditioneel staatsoverwicht

(Frankrijk, Duitsland) die er zo'n dominant gemeenschappelijk cultuurbeeld op nahouden, dat deelname aan die cultuur door allochtonen wordt geproblematiseerd. In Nederland moet het geen vraag zijn of allochtonen goede Nederlanders kunnen zijn. Dat kunnen ze, als eenheid en verscheidenheid beide worden gerespecteerd.

Eenheid in verscheidenheid dus, met een eigen rol voor maatschappelijke zelforganisatie. In de verscheidenheid komt het maatschappelijk welbevinden van diverse maatschappelijke groepen en stromingen tot uitdrukking. In de eenheid komen die punten tot uitdrukking die we delen om van onze samenleving een echte gemeenschap te maken (taal, recht, culturele waarden als religieuze tolerantie, vrijheid en verdraagzaamheid). De grote aandacht die hier traditioneel voor bestond moet ook nu en in de toekomst blijven bestaan. Daarom moet een sterke non-profitsector tussen staat en markt een eigen rol blijven spelen. Ze is drager en expressie van de culturele idealen van de samenleving, die als social goods moeten worden gehonoreerd. De koopman en de staatsman zullen de ruimte die ze voor zich zien niet met eigen belangen en activiteiten moeten vullen. De dominee is misschien de zwakke figuur geworden van dit historische drietal, maar hij moet de ruimte krijgen. We moeten constateren dat onze samenleving hem toch niet helemaal kan missen. Hij is de representant van culturele verscheidenheid en activiteit, van bevlogen doenerigheid, van maatschappelijke visie, hij is de soms onhandige icoon van de compassie met de hulpbehoevenden, van vrijwilligers zonder persoonlijk belang. Als zodanig is hij (of zij) ten slotte onmisbaar om de Nederlandse samenleving diepgang, kwaliteit en kleur te geven.

Noten

1. Zie hoofdstuk 1.
2. Vgl. J. Kennedy, *Nieuw Babylon in aanbouw. Nederland in de jaren zestig*, Amsterdam/Meppel 1995, p. 36.
3. M. Walzer, *Spheres of Justice. Defence of Pluralism and Equality*, Washington 1983.
4. Vgl. R. Kuiper, *Dienstbare Samenleving. Basiswaarde van de christelijke politiek*, Amersfoort 2001, p. 51-73.

11 Ondernemend met een missie
Non-profits tussen nostalgie en winstdenken

Ab Klink

Inleiding

De comeback van het middenveld...

Het middenveld is ín. *There seems to be more between market and state than we know.* Dat hing al een poosje in de lucht, met name in de (politieke en sociale) filosofie, maar gaandeweg tekent zich rond de waardering van het middenveld een herschikking van politieke posities af.

Zo woedt in Duitsland anno 2002 een ware strijd om *die neue Mitte.* De verkiezings-strijd tussen Stoiber en Schröder zal in niet onbelangrijke mate worden beslist door de vraag wie díé slag wint. Uiteraard gaat het in die strijd om de middengroepen, de middenklasse en om de kleine ondernemers, maar *Mitte* staat bepaald voor meer: het gaat vooral om de maatschappelijke ruimte tussen staat en markt: om het gezins- en familiebeleid, om de kwaliteit van het onderwijs en de speelruimte die er is voor scholen, om sociale cohesie in de buurten, om de gezondheidszorg die te maken heeft met een ouder wordende bevolking en een grote werkdruk.

In het Engelse taalgebied zien we vergelijkbare patronen: Blair en de zijnen zin-spelen op een *third way to a good society*: niet de staat, noch de markt maar de creativi-teit en de sociale aspiraties van burgers wil men volop de ruimte geven. Helemaal lukken wil het kennelijk niet: reden waarom Amitai Etzioni in 2000 is gevraagd nog eens duidelijk te maken, waarom het nu allemaal te doen was. Etzioni spreekt vervol-gens vrij duidelijke taal: het zijn *communities*, het is het particulier initiatief waarop de samenleving moet gaan terugvallen om sociale missies tot een goed einde te brengen. Waarom? "Because they can fulfil them at lower public costs and with gre-ater humanity than either the state or the market. They may well be the most impor-tant new source of social services in the foreseeable future."[1] Dit inzicht vloekt niet met de idee van de verzorgingsstaat, stelt Etzioni. Integendeel, door de verzorgings-staat te ontlasten en aan te vullen, dragen gemeenschappen en private *not for profit*-instellingen er juist veel aan bij de verzorgingsstaat in stand te houden.[2] De denk-tank van Blair (Demos) zal het met dank hebben opgetekend: de sociaal-democratie moderniseert zich. Maar nu de uitwerking nog.

De directeur van de Demos, de heer Bentley, constateert juist op dat punt een groot hiaat. Op de vraag wat de derde weg is, is het antwoord te vaak: "dat wat we vandaag vinden".[3] Het mag daarom ironisch heten dat juist de neo-conservatieve republikein en tegenvoeter van Blair cum suis, George W. Bush, van meet af aan wel vrij consequent daden bij het woord heeft gevoegd. Door *communities* meer bij *social welfare* te betrekken via vouchers en vraagsturing. Het middenveld is inderdaad ín.

In ons eigen land is die ontwikkeling ook te bespeuren. Het moderne gezins- en familiebeleid staat in het brandpunt van de aandacht, vraagsturing in de zorgsector en persoonsgebonden budgetten moeten ruimte gaan vrij maken voor creativiteit en sociale betrokkenheid, over scholen wordt gesproken in termen van maatschappelijke ondernemingen, woningbouwverenigingen buigen zich over hun sociale missie. 'Ondernemend zijn zonder winstoogmerk' is daarbij het devies. Op sociaal-economisch terrein zien we iets soortgelijks: een revitalisering van de rol van de sociale partners. Dwars tegen de aanvankelijke wensen van VVD en PvdA heeft de SER een spilfunctie binnen het publieke domein gekregen. Daar is aan de ene kant een zeer zakelijke reden voor: VVD en PvdA hebben elkaar acht jaar lang in de houdgreep gehouden rond de noodzakelijke vernieuwing van bijvoorbeeld de zorg en van de WAO. Men kwam er niet uit. De SER fungeerde dan als de reddingsboei. Als kapitaal en arbeid elkaar buiten de politiek om vinden, kan dat doorbraak in de wetgeving gaan opleveren. Toch is ook hier meer aan de hand dan een gebrek aan daadkracht van het kabinet.

... wordt begroet vanuit concurrerende perspectieven ...
Het inzicht dringt door dat deze samenleving niet zonder het maatschappelijk weefsel van private instellingen kan. Of het nu gaat om sociaal-economische vraagstukken, om de integratie van minderheden, om preventie in de justitiële sfeer of om de constatering dat zorgverlening naast goede technische ingrepen vooral aandacht veronderstelt: het besef dringt door dat onze samenleving behoefte heeft aan méér dan alleen de markt als allocatiemechanisme en de staat als kaderstellende instantie. Ook vitaal particulier initiatief is nodig. De opmerking lijkt bijna een open deur te worden. Toch is het in het debat over het middenveld erg belangrijk alert te blijven op de invalshoeken waarmee naar het speelveld rond staat en markt wordt gekeken. Is dat
  – defensief, vanuit een soort afweer tegen globalisering en modernisering: de identiteitsgebonden en sociale instellingen als min of meer romantische gemeenschappen die als herbergzame schuilplaatsen kunnen dienen in een harder wordende samenleving of juist
  – min of meer functioneel: de non-profitinstellingen moeten zakelijker worden; ondernemender om zo hun primaire functies uit te oefenen of
  – meer offensief in die zin dat de sociale missie wordt gerevitaliseerd terwijl tegelijkertijd de manier van werken wordt gemoderniseerd.

'Because they fulfil their social missions with greater humanity than either the state or the market'. 'With greater humanity': het is deze opmerking die de opmaat vormt om via de volgende onderwerpen een antwoord te krijgen op de vorengestelde vraag:
  – het sociaal-ethische debat over (publieke) moraal en de betekenis van gemeenschappen;
  – enkele historische achtergronden van de gespannen verhoudingen tussen publiek en privaat en de publiekrechtelijke vraagstukken die daarbij aan de orde zijn; en
  – de gevolgen voor het actuele beleid.

...met een belangrijke rol voor de zoektocht naar moraal en zijn motieven

Etzioni is het in zijn *The third way to a good society* te doen om een *humanisering* van de samenleving. Hij raakt daarmee een gevoelige snaar. Zo startte *Vrij Nederland* met zijn januarinummer in 2002 een artikelenserie over de verslonzing van Nederland, met keurig op de cover een uitdagend opgeheven middelvinger. "Zelfbewuste mensen zijn we, die onze eigen keuzen maken en ons niets laten opleggen. Sommigen gaan daarin zover dat de grens tussen assertiviteit en agressie gevaarlijk vervaagt. Die minderheid wordt de zwijgende meerderheid zo langzamerhand te groot", zo schrijft Van Hintum in één van de artikelen uit dit dossier. In de sociale cohesie die buurten, gezinnen, vrijwilligerswerk en particulier initiatief kunnen opleveren, is al vaak een oplossing gezocht. Sociale vernieuwing heette dat begin jaren negentig (Lubbers III). Zoals gezegd zijn het met name de communitaristen en gemeenschapsdenkers die deze weg aanprijzen. De analyse lijkt vanzelfsprekend: meer bindingen, meer cohesie en minder verslonzing. Anderen zien in een dergelijk pleidooi de opmaat naar een herwaardering van een soort moderne verzuiling: een te romantische reactie op de modernisering.

... gevoed door een staccatomaatschappij...

Het debat reikt inderdaad dieper dan het in toom houden van degenen die de weelde van de vrijheid niet kunnen opbrengen. Bij de onvrede over verslonzing en bij de humanisering van het leven is er meer aan de hand dan het opwerpen van wegversperringen voor morele joyriders. Er speelt meer dan het stoppen van maatschappelijk ongerief. Iemand die daar de vinger bij legt, is de socioloog Richard Sennet. In zijn schets *De flexibele mens. Een psychogram van de moderne samenleving* voert hij een kennis van hem op: Rico, werkzaam geweest in Silicon Valley.[4] Rico: al *jobhoppend* mist hij samenhang en houvast in zijn leven. Aan de ene kant is er de afschuw van vastgeroeste bindingen, van een baan voor het leven. Onzekerheid en risico's worden ervaren als uitdagingen. De bedrevenheid om projectgericht te werken, om in korte termijndoelstellingen op te gaan en in ad hoc gevormde teams te werken, geeft het genoegen van variatie, spanning en dynamiek. Daar staan direct tegenover de latente onzekerheid dat kennis en vaardigheden snel verouderen. Je moet in beweging blijven, ook letterlijk trouwens als het op verhuizen aankomt. De onderneming kan ten ondergaan in het geweld van de globalisering: de bedrijfspoot kan worden afgestoten als het rendement tegenvalt of verkoop aanlokkelijk is. Je gekoesterde 'kerncompetenties' kunnen ineens niet meer aansluiten bij wat de baas van je vraagt. Wisselingen in de top zetten je netwerken op zijn kop. Trouw aan een bedrijf is dan ineens een valstrik. Wie zich te veel committeert aan een vaste baan loopt het risico in de fuik te lopen. Wat meer reserve en een meer oppervlakkige bereidheid tot samenwerken bieden een betere bescherming dan al te veel loyaliteit en trouw. Als 'de eenzame fietser' ga je door het leven. Taylor zou zeggen dat mensen zo voor hun morele bronnen op zichzelf worden teruggeworpen.[5] De sociale inbedding lijkt te ontbreken. In die onzekere setting krijgen vastberadenheid, wilskracht, zelfdiscipline, het vermogen om te onthechten, doorzettingsvermogen en flexibiliteit betekenis: allemaal persoonsgebonden kenmerken. Kenmerken die vooral aangeven hoe je in het leven moet staan, maar per saldo weinig inhoudelijk en nogal individualistisch zijn. Waarom wilskracht: met welk doel? En als het doel fragmenteert, waaraan moet je dan vastberadenheid ontlenen? Hoe kun je in een kortetermijnsamenleving langetermijndoelstellingen overeind houden? "Hoe kan een menselijk wezen zijn levensgeschiedenis als een doorgaand verhaal leren zien in een samenleving die vooral episoden en fragmenten kent?" (p. 20) Wie kan die wilskracht permanent opbrengen, ook zonder een sociale setting waarin zij loont? Geen eenvoudige vragen. En al wordt de soep van de flexibilisering niet door iedereen zo heet gegeten als zij wordt opgediend, toch raken we er een moderne cultuurtrek mee. Er is een verlangen naar gemeenschap, als keerzijde van de onzekere kanten van flexibiliteit en van het schrikbeeld er niet in te slagen om iets van jezelf te maken in dit leven. De zoektocht naar zingeving en samenhang is de keerzijde van de flexibele maatschappij.

... met als resultante een zoektocht naar zingeving en samenhang...
Dat besef weerspiegelt zich *sociaal ethisch* in:
  - de opkomst van het communitarisme ofwel het gemeenschapsdenken met zijn nadruk op kleinschaligheid, maatschappelijk initiatief, op een waardebetrokken samenleving;
  - de herwaardering van de bronnen van de moraal.[6] De *steriele* morele theorieën van bijvoorbeeld Habermas of Rawls zijn op hun retour. De eerste wil morele regels verankeren in *abstracties* zoals de structuur van de taal (voor communicatie is respect en openheid voor de ander een voorwaarde).[7] Rawls valt voor zijn theorie van rechtvaardigheid terug op de rationele inschatting van het eigenbelang in een gefingeerde situatie.[8] Stel je immers voor dat je niet weet waar je geboren zult worden, hoe intelligent je zult zijn, wat je sociaal-economische positie zal zijn enzovoort. Wie met die blinddoek om regels voor het mensenleven moet opstellen, zal er wel voor zorgen dat iedereen een minimum aan levenskansen krijgt. Stel je immers voor dat je niet tot de categorie geluksvogels hoort.
Maar steeds meer wordt beseft dat je er in de concrete werkelijkheid niet komt met dat soort van spitsvondigheden. Het kan wel de nodige gedragsregels opleveren (je moet eerlijk en open communiceren bijvoorbeeld), maar die steriele regels *motiveren* natuurlijk niemand om moreel te leven. Zij reiken ook geen positieve bindingen aan. Bovendien: niemand wordt met een blinddoek om geboren, laat staan dat hij er volwassen mee wordt. Tegen die tijd zijn de meeste mensen uitermate goed op de hoogte van hun belangen: er is dan echt iets anders nodig om vrij onbaatzuchtig aan de ander te denken en respect voor de ander te hebben, namelijk een moraal van vlees en bloed. Een levend besef dat de ander ertoe doet. Die notie moet in het leven voorgeleefd en verinnerlijkt

worden. Dat vergt tijd, aandacht én maatschappelijke instellingen die de vorming voor hun rekening nemen. Voor die instellingen moet er wel ruimte zijn. Reden waarom een samenleving niet verkaveld moet worden in enerzijds de staat en anderzijds de markt. Een gemotiveerde moraal vraagt om instituties die de bronnen van de beschaving levend houden.

Politiek vertaalt dit zich allengs in:
- de waardering die is gegroeid voor sociale bindingen van mensen. Het preventiebeleid van de justitiële autoriteiten bijvoorbeeld is gericht op het verstevigen van die bindingen. Wie met criminaliteit zijn relaties op het spel zet, denkt immers wel drie keer na voor hij een misdaad begaat. Daarom zijn een goed functionerend gezin, vrijwilligerswerk, vriendenkringen enzovoort belangrijk;
- de warme woorden die aan vrijwilligerswerk worden besteed. Noch de wijkagent, noch de welzijnswerker kan het alleen af. Er moet een sociale ondergrond zijn, willen goede raad en steun helpen;
- de aandacht voor het domein van het maatschappelijk middenveld: het sociale ondernemerschap als een eigen sfeer, naast staat en markt gericht op waardeoverdracht (school, media) en op het praktisch idealisme (zorg en vrijwilligerswerk).

Het is tegen deze achtergrond dat de vraag naar de verhouding tussen staat, markt en maatschappelijk initiatief zich opnieuw aandient. Daarmee tekent zich een verstrekkend, maar ook klassiek debat af rond de inrichting van onze samenleving.

Een terugblik: de publiekrechtelijke plek van het maatschappelijke initiatief

Particulier initiatief en de druk van de staat...

Het particulier initiatief heeft vaak in een gespannen verhouding met de overheden gestaan. Zonder meer kan worden gesteld dat historisch gezien het primaat voor charitatief werk bij kerken en particuliere liefdadigheidsinstellingen heeft gelegen: in de vorm van onderwijs, van verzorging in hofjes en gasthuizen, in de vorm van diaconaal werk ten behoeve van de armen. Via onderlinge fondsvorming probeerden werklieden de risico's van inkomensderving, zo goed en zo kwaad als het ging, te ondervangen (de gilden, de bossen).

Veel sociaal theoretici hebben erop gewezen dat het centralisme, dat met de Franse Revolutie in zekere zin zijn voltooiing vond, de intermediaire structuren zwaar onder druk zette. In het oeuvre van A. de Tocqueville is dat een centraal thema. Simone Weil wijdde er vele passages aan in haar boek L' enracinement (Parijs, 1949) en Bendix[9] citeert een kenmerkende passage uit de redevoering die in 1791 in de Franse Constituante werd uitgesproken:

"The bodies in question have the avowed object of procuring relief for workers in the same occupation who fall sick of become unemployed. It is for the nation and for the public officials on its behalf to supply work to those who need it for their livelihood and to succour the sick... There must be no more guilds in the state, but only the individual interest of each citizen and the general interest. No one shall be allowed to arouse in any citizen any kind of intermediate interest and to separate him from the public weal through the medium of corporate interest"

Le vide social[10] is sindsdien een centraal thema in de sociologische literatuur: een thema dat overigens ook een rode draad vormt in het werk van de bekendste socioloog die Frankrijk kende: Emile Durkheim.

In ons land werd de revolutionaire soep uiteraard veel minder heet gegeten, maar de spanningen tussen overheden en particuliere instellingen zijn een constante in de geschiedenis van de negentiende en twintigste eeuw. De economische teruggang die tot ver in de negentiende eeuw duurde en de industrialisering die zich gaandeweg voltrok, leidden tot armoede. De sociale kwestie diende zich aan. Oplossingen werden gezocht in volksopvoeding, in de scholing van kinderen, in het bevorderen van huiselijk leven, in het bouwen en beheren van fatsoenlijke huizen. Uiteraard was er de armenzorg als vangnet. Het particulier initiatief bloeide op, met als bekendste verenigingen Liefdadigheid naar vermogen, opgericht in 1871 te Amsterdam en de Maatschappij tot Nut van het algemeen, al opgericht in 1784. Onderwijs werd gegeven door particuliere instellingen, vaak met een religieuze achtergrond. De armen werden primair onderhouden door de kerken en subsidiair door de lokale overheden. Of het nu ging over volkshuisvesting, onderwijs, armenzorg, sociale wetgeving of om volksgezondheid: over de hele linie moest een *modus vivendi* gevonden worden tussen enerzijds dit maatschappelijk initiatief en anderzijds de overheden die werden aangespoord bij te dragen aan het oplossen van de sociale kwestie.

... en de opkomst van de sociale kwestie ...

Er moest een balans worden gevonden, vooral omdat het particulier initiatief weliswaar loffelijk was, maar ook inherente gebreken vertoonde. *Ten eerste* was er een gebrekkige rechtszekerheid. De zieken, gehandicapten, werklozen, armen enzovoort konden geen juridisch gewaarborgde aanspraken maken op duurzame en structurele steun, hulpverlening of onderwijs. Kerkgenootschap, charitatieve instellingen enzovoort hielden er heel verschillende criteria op na. Zogenaamde bussen raakten aan het einde van hun mogelijkheden als de leden hun ingezette middelen, in perioden van hoogconjunctuur, onttrokken aan de fondsen. In de *tweede plaats* ontkwam het particulier initiatief niet altijd aan bevoogding. Vooral in liberaal-burgerlijke kringen maakte men zich zorgen over de vrijblijvende hulpverlening van kerken en charitatieve instellingen: die zou luiheid en apathie in de hand werken. Abraham Kuyper stelde de grilligheid van de hulpverlening tijdens het Christelijk Sociaal Congres in 1891 aan de kaak: "Enerzijds bij de bourgeoisie ervaring en inzicht, talent en aaneensluiting, beschikbaar geld en beschikbare invloed: en daartegenover de boerenbevolking en de arbeidersklasse van kennis ontbloot, van alle hulpmiddelen beroofd en door elken morgen weerkerende behoefte, om den mond open te houden, genood-

zaakt zich naar elke, zelfs de onbillijkste conditie te voegen." (A. Kuyper, openings-
rede, Proces verbaal van het eerste sociaal congres gehouden te Amsterdam in
november 1891, p. 51.) In de *derde plaats* werden verzorgings- en onderwijsarrange-
menten niet voldoende in hun samenhang gezien met macro-economische en politieke ontwikkelingen, bijvoorbeeld met de structuur van de economie, van het onder-
wijsstelsel enzovoort. De implicaties waren niet gering: de oorzaak van armoede
werd daardoor eenzijdig bij de behoeftigen zelf gelegd, bij hun apathie, onbeheerst-
heid enzovoort. Reden voor socialisten om te pleiten voor het socialiseren van de
productie en voor figuren als Kuyper voor een architectonische maatschappijkritiek.

... en van de verzorgingsstaat ...

Het particulier initiatief bleek om bovengenoemde redenen niet adequaat te zijn.
Sociale wetgeving werd noodzakelijk: in de sfeer van het onderwijs, de gezondheidszorg, de sociale zekerheid en de woningbouw. Er ontstonden wettelijk gereguleerde
aanspraken op deze diensten en arrangementen. Statelijke interventies bleken nodig
om burgers te verzekeren van elementaire goederen en diensten. Naarmate de cata-
logus van zorgplichten zich uitbreidde, werd de vraag urgent hoe de overheid de
financiële, geografische en kwalitatieve toegankelijkheid van deze diensten kon
garanderen. Moet het primaat liggen bij de overheid of bij zelfwerkzaamheid?
Interventionisten pleitten al in de negentiende eeuw voor het onder overheidsbeheer
brengen of houden van vitale diensten (nutsvoorzieningen zoals straatverlichting en
energie, maar ook het onderwijs in de vorm van openbare scholen en zorgvoorzie-
ningen). Anderen pleitten voor een inrichting van de maatschappij die voldoet aan
het credo van Beveridge: *private action for a political purpose*. Het waren vooral de erfla-
ters van de christen-democratie die wezen op het blijvende belang van het maatschappelijke initiatief, met name ook ten aanzien van onderwijs, zorg, sociale zekerheid en welzijn: juist ook ter wille van de kwaliteit van deze activiteiten. Inderdaad,
vanwege hun bijdrage aan de humaniteit van de samenleving. Aansluiting was er
(deels) met dìe sociaal-democraten die veel betekenis toekenden aan de coöperatieve
gedachte en aan de rol van de vakbonden in de samenleving.

... en de pleidooien voor een verzorgingsmaatschappij

De tweestrijd is de politieke agenda blijven beheersen. Nog steeds kristalliseren zich
rond dit vraagstuk (staatsinterventie of maatschappelijk initiatief, verzorgingsstaat
of verzorgingsmaatschappij) standpunten van politieke partijen en sociale theoretici
uit. Feit is dat met de groei van de verzorgingsstaat het particulier initiatief meer en
meer onder druk van de staatsinterventies is komen te staan. Het is met die ontwikkeling dat het communitarisme de strijd aangaat.

In ons land was het vooral de socioloog Zijderveld die op de consequenties wees:
een samenleving waarin de solidariteit tussen mensen functioneel en ambtelijk
wordt en waarin centrifugale krachten worden gestimuleerd.[11] De onderlinge
betrokkenheid krijgt abstracte trekken, waardoor individualisering een impuls krijgt.
In termen van Schuyt: er ontstaat een samenleving waarin wel voor je wordt gezorgd,

maar waarin weinigen om je geven. Ook vanuit het CDA is daarop vaak gewezen (onder meer door Balkenende[12]).

Juridische vertaling van het conflict

Vrijheid kan niet zonder instituties: een pleidooi voor sociale vrijheidsrechten...
Die functionalisering van onderlinge betrokkenheid is versterkt door de manier waarop de zorgplichten van de overheid in ons land vaak als grondrechten worden geïnterpreteerd. Daarbij is dikwijls sprake van een tweeledige voorstelling van zaken. Aan de ene kant is er het individu als drager van vrijheidsrechten: de overheid moet zich onthouden van inmenging in de privé-sfeer van burgers. Aan de andere kant is er de zorgplicht van de overheid terzake van gezondheidszorg, huisvesting enzovoort. Deze dualistische grondrechtsopvatting laat echter een gebrekkig sociologisch inzicht zien in de feitelijke werkingssfeer van grondrechten. Zeker in een moderne samenleving is vrijheid namelijk vaak *institutioneel* bepaald. Zonder vrije omroepen, zonder vrije scholen en zorginstellingen, zonder maatschappelijk initiatief in de sfeer van de volkshuisvesting of welzijnsactiviteiten is vrijheid een abstractie. Zonder ruimte voor dit particuliere initiatief functionaliseert en verschraalt solidariteit. Dat is de reden waarom ik in het verleden aandacht heb gevraagd voor *sociale vrijheidsrechten[13], om daarmee aan te geven dat achter vrijheidsrechten in de regel sociale functies en instituties schuil gaan.* Het gaat daarbij om instituties die de overheid enerzijds moet ondersteunen omdat zij activiteiten ontplooien op *sociaal grondrechtelijk* terrein (zorg, onderwijs, welzijnswerk). Valt die ondersteuning van overheidswege weg dan ligt immers commercialisering op de loer: het aanbod van de diensten wordt een zaak van de kapitaalkrachtigste ondernemingen. Anderzijds moet de overheid de instituties een optimum aan ruimte geven omdat zij activiteiten ontplooien die de overheid niet zomaar kan overnemen: scholen met hun eigen pedagogische opvattingen, zorginstellingen met hun specifieke zorgvisie, vakbonden met hun specifieke opvattingen over solidariteit enzovoort.

Anders dan de Nederlandse Grondwet hebben internationale verdragen de eigen betekenis van sociale functies en van instituties voor zowel a) *de verwerkelijking van vrijheid[14]* als b) *de maatschappelijke betrokkenheid[15] beter onderkend. Reden waarom zij met zoveel woorden referen aan scholen, vakbonden en gezinnen. Zij scheppen daarmee expliciet een juridische ruimte voor verschillende spheres of justice.[16]* Hun gekozen terminologie geeft daarmee minder dan de Nederlandse Grondwet (behalve dan bij het onderwijsartikel) aanleiding om te denken in termen van individuele vrijheid enerzijds en politieke ordening anderzijds.[17] Zij sluiten daarmee nauwer aan bij de noodzakelijke sociologische inbedding van grondrechten. Dat dit niet zonder betekenis is, blijkt bijvoorbeeld uit het feit dat de hoogste rechterlijke instantie in de BRD, het *Bundesverfassungsgericht*, wil dat de Duitse sociale zekerheid veel meer rekening houdt met de specifieke draagkracht van gezinnen. Dit op grond van de grondrechtelijk gewaarborgde *Familienschutz*.

... waarop het bestuurs- en organisatierecht zich oriënteert ...

Dit inzicht levert ook richtlijnen op de voor de sturingsconcepten die de overheid hanteert ten opzichte van het maatschappelijke organisaties. Om de speelruimte voor het maatschappelijke initiatief zo groot mogelijk te houden (vrijheidsrechten) en onderlinge zorg vooral aan burgers en hun instellingen over te laten (in casu de *feitelijk* horizontale werking van sociale grondrechten) doet zij er goed aan terughoudend en proportioneel te zijn met regels en voorschriften. Zij doet er goed en verstandig aan om aan te sluiten bij de doelstellingen van het particulier initiatief en bij de sociale en ideële aspiraties van instellingen. Zo moeten scholen hun pedagogische missie volop serieus kunnen nemen. In zorginstellingen moet er ruimte zijn voor aandacht en belangstellende zorg voor mensen. Zorg is immers meer dan een serie ingrepen. Hetzelfde geldt voor vakbonden en werkgeversorganisaties, jeugdhulpverleningsinstellingen enzovoort. Het bestuursrecht moet aansluiten bij de missie van deze instellingen en de uitoefening daarvan niet in de weg staan.

In zijn slotbijdrage aan het boek van het SCP *Noch staat, noch markt* stelt Paul Dekker dan ook terecht dat non-profitinstellingen die a) een gemarginaliseerde status van uitvoerders van overheidsbeleid willen vermijden maar tegelijkertijd een b) algehele commercialisering van hun dienstverlening willen tegengaan een plek nodig hebben "die ruimte biedt om zich als onderneming te ontwikkelen, maar een barrière opwerpt voor de verleidingen van de commercialisering".[18]

Een sociale onderneming

Over nostalgie, ondernemen en praktisch idealisme...

Het antwoord op de vraag *hoe* dat vorm moet worden gegeven, wordt – zo komt het mij voor – sterk bepaald door de visie op de samenleving in bredere zin. Zijn de gemeenschappen vluchtheuvels in een 24-uurseconomie? Zijn het modern werkende dienstverlenende instanties? Zijn het instellingen met een ideële inslag en missie? Hier manifesteren zich de drie posities zoals in de inleiding geschetst.

Dekker kiest in feite voor de tweede optie:

"Het uitgangspunt is dat het hier om een onderneming gaat en niet om levensbeschouwelijke verbanden, identiteitsorganisaties of recreatieve verenigingen die toevallig erg in de dienstverlening verzeild zijn geraakt, maar eigenlijk nog steeds een soort burgerinitiatieven zijn."

Het kenmerkende van de non-profitinstellingen in een moderne samenleving zit hem in het ondernemerschap. Markt- en ondernemingswaarden komen op, omdat snellere aanpassingen gewenst zijn, monopolies technisch worden ondergraven, ingespeeld moet worden op veranderingen van consumentenvoorkeuren enzovoort. Dienstverleners in de zorg, scholing en sociale zekerheid gaan zichzelf steeds meer als gewone ondernemers zien. Initiatiefnemers in de zorg, de bestrijding van arbeidsongeschiktheid, het onderwijs enzovoort zijn "ondernemend in de manier waarop zij de publieke aandacht op zich richten en zich proberen in te vechten in de wereld van mogelijke subsidiegevers." "*Everyone a business-person, some in nonprofits*".[19] Reden waarom de laatste jaren gesproken wordt van 'maatschappelijk ondernemerschap'. Niet ten onrechte wijst Dekker erop dat we hier dicht aan zitten tegen het maatschappelijk verantwoord ondernemen: een concept dat zijn wervingskracht met name ontleent aan het verzet tegen een casinokapitalisme, dat zich fixeert op snelle winsten en de beursnoteringen leidend maakt bij bedrijfsbeslissingen. Michel Albert zou er zijn tweeërlei kapitalisme in herkennen.

Dekker is consistent als hij dit zakelijke ondernemerschap op sociaal grondrechtelijk gebied wil losmaken van de idee van de *civil society*. Ten onrechte worden beide volgens hem als synoniemen gebruikt. Onderscheidend voor de *civil society* is het element van de vrijwillige betrokkenheid, van informele bindingen. Het is niet goed om die betrokkenheid, de noties van burgerschap en van solidariteit "en wat men verder nog voor '*civil-society*-idealen' heeft te verbinden met de non-profitinstellingen." In zo'n passage lijkt het erop dat idealen nog een plek vinden in de informele sfeer, maar bij non-profits en echte ondernemingen niet echt een rol meer (moeten) spelen.[20]

...en de keuze voor de ideële invalshoek door christen-democraten...

Dekker ziet voor de invalshoek die hij kiest interessante aanknopingspunten in het moderne christen-democratische denken. De Hoop Scheffer en Balkenende[21] worden ten tonele gevoerd als pleitbezorgers van de maatschappelijke onderneming. Zij nemen in zekere zin afstand van het oude maatschappelijke middenveld met hun pleidooien voor meer individuele vrijheid van de gebruikers (klanten, patiënten, bewoners, ouders en scholieren) van non-profitinstellingen. Zij kiezen voor meer invloed van deze organisaties in de beleidsontwikkeling ten koste van de posities van oude koepelorganisaties en nieuwe managers.

Toch is het interessant dat deze christen-democraten het ondernemerschap van non-profitinstellingen wél expliciet binden aan een *sociaal* doel en aan *sociale* functies. Dat onderscheidt hen van commerciële instellingen. *Civil-society*-elementen zijn daarbij wel degelijk aan de orde: idealen van betrokkenheid, een oriëntatie op het algemene welzijn; de wens om, zonder daar winst mee te behalen, kinderen te vormen en kennis bij te brengen; de wens om aandacht aan zorgbehoevende mensen te besteden enzovoort. De sociale doelen blijven kenmerkend en leidend voor deze instellingen, in afwijking van op winst gerichte instellingen. Daarmee is niet gezegd dat de grenzen met verantwoord opererende en ondernemende profitinstellingen niet vloeiender zouden worden. In zekere zin is dat zeker waar, maar dan nog is het zo dat bedrijven hun oriëntatie eerder verschuiven in de richting van hun maatschappelijke verantwoordelijkheid dan dat de non-profitinstellingen gericht zijn op het maken van winst. Daarom heten zij *maatschappelijke* ondernemingen. De sociale missie prevaleert niet alleen boven het rendementsdenken, zij is ook leidend voor de ondernemingszin.

Dekker heeft anderzijds gelijk als hij aangeeft dat de instellingen in hun oriëntaties en werkwijze veel ondernemender zijn dan de klassieke non-profitinstellingen.

Hij doelt dan op de instellingen uit de tijd van de verzuiling en later van de verzorgingsstaat. Zij worden in de nieuwe verhoudingen niet meer beschermd door planningsmethodieken en bekostigingsvoorwaarden die alleen scholen, omroepen, woningbouwverenigingen of zorginstellingen van een bepaalde levensbeschouwelijke signatuur (de verzuiling) of die alleen algemene regionale monopolies bestaansrecht geven. Zij worden niet meer tot in alle uithoeken van hun bestaan gewikkeld in overheidsregels en administratieve bepalingen, maar integendeel uitgedaagd om zich ondernemend en initiatiefrijk op te stellen. Zo nodig in open competitie met commerciële instellingen: omroepen, thuiszorg, kinderopvang. Dit laatste betekent wel dat zij ook de ruimte hebben en krijgen om zelfstandig initiatieven te ontplooien, zonder bureaucratische belemmeringen. In die zin zijn de moderne non-profitinstellingen wel degelijk ondernemend en wervend, met het oog op hun sociale doelen. Zij bieden hun werknemers de mogelijkheid om een beroepstrots te ontwikkelen die samenhangt met de missie van de instelling: aandacht en zorg besteden aan zieke mensen, jongeren met leerproblemen opvangen, hoogbegaafden laten excelleren enzovoort. Zou de non-profitinstelling haar eigen karakter alleen of overwegend vinden in haar ondernemingszin dan zou dit laatste een veel minder grote rol spelen: het onderscheid met de profitinstelling zou binnen de kortste keren vervagen. In die zin heeft met andere woorden Etzioni een punt: de herontdekking van belangeloos maatschappelijk initiatief draagt bij aan de *humanisering* van de samenleving. Ontbureaucratiseren is daarbij een conditio sine qua non.

... zonder te vervallen in romantiek (het gelijk van Dekker) ...
Ik keer terug naar Rico: de figuur met wie Sennet ons kennis laat maken. Hij zag in het gezin een instituut voor zelfbescherming in een vijandige flexibele economische orde? Zo zien veel communitaristische en neo-conservatieve auteurs ook non-profitinstellingen. Het zijn de herbergzame instanties voor zorg en waardeoverdracht. Het zijn de bakens in een samenleving die kil is geworden. Met die klankkleur waarschuwen vele politici en publicisten – van neo-conservatieve maar ook sociaal-democrátische snit, zoals Habermas – tegen de kolonisering van deze sectoren en van non-profitinstellingen door de commercie en de markt.

Deze waarschuwing is mijns inziens op zichzelf terecht. Maar ik teken erbij aan dat zij ons erg gemakkelijk op een (veel te) defensief been zetten. Is het gezin een veilige haven, een plek van beschutting die afgeschermd moet worden van de economische wereld? Geldt dat ook voor de school, de omroepvereniging, de zorginstelling?

In een flexibele economie zoeken mensen extra houvast in hun thuissituatie. Tegelijkertijd zet die flexibele economie datzélfde gezin, dit emotionele steunpunt, onder druk. De behoeften van het gezin zijn immers maar moeizaam te programmeren naar de eisen van het werk. Wie zijn diploma's, papieren en beroepsvaardigheden op peil wil houden, staat voor een veeleisende opgave en moet flexibel zijn. Gezin en loopbaan kunnen elkaar dan behoorlijk in de weg zitten. Dat verklaart weer het gevoel dat het gezin een bedreigde instelling is en voedt een defensieve politiek.

De informele betrokkenheid van mensen staat op het spel; in de meest intieme sfeer van het sociale leven.

Het risico van een defensief en min of meer nostalgisch beleid is dat de wig en daarmee het wantrouwen alleen nog maar groeit. Het gezin krijgt dan ofwel romantische trekken[22] of het wordt om die reden juist als verouderd weggezet cq. genegeerd. Het spiegelbeeld geldt dan voor de economie: ofwel een amoreel krachtenveld ofwel juist het toonbeeld van de moderne wereld met haar dynamiek en haar uitdagende creatieve destructie.

Dit antagonistische denken leidt uiteindelijk natuurlijk tot niets. Het kan op de keper beschouwd het gezinsbeleid zwaar op achterstand zetten, terwijl het er natuurlijk juist op aan komt de gerechtvaardigde belangen van gezin en arbeidsmarkt goed op elkaar af te stemmen. Geen communitaristische nostalgie, maar de functies van het gezin een eigentijdse plek geven in de nieuwe economie: dat is waar het om gaat. Een nieuwe economie omdat zij meer ruimte geeft aan een modern familie- en gezinsleven.

... en de noodzaak van concrete beleidsuitwerkingen voor non-profits...

De christen-democraten die de weg tussen romantiseren en verzakelijking kiezen, hebben op dit punt de meest uitgewerkte ideeën ontwikkeld. Centraal daarin staat de levensloopverzekering. Er komt tijd voor opvoeden en zorg vrij, zonder dat dit ten koste gaat van loopbaanperspectieven. Sterker nog: het levensloopbeleid stelt mensen in staat om in de dynamische arbeidsmarkt geen bedreiging te zien. Het geeft hen de mogelijkheid om tijd en geld te sparen, daarop het meeste rendement te genereren en de baten over de levensloop te spreiden. Stellen het gezin, of de verzorging van ouders, of de herscholing (wederkerend onderwijs) eisen aan mensen dan kunnen zij de gereserveerde tijd en financiële middelen inzetten om later tijd vrij te maken, zonder al te veel inkomensachteruitgang. Dat vraagt van bedrijven en sociale partners de bereidheid om over de levensloopverzekering en over verlofmogelijkheden collectieve afspraken te maken. Een modern gezinsbeleid en een modern arbeidsmarktbeleid versterken elkaar. Het vraagt van de overheid de bereidheid de afspraken fiscaal te ondersteunen en via ouderkortingen een basis voor een spaarbedrag te leggen. Geen nostalgisch gemeenschapsdenken dus, maar een toekomstgerichte politiek die beseft dat belangrijke waarden in nieuwe omstandigheden anders gearrangeerd moeten worden.

Dat geldt ook voor de non-profitinstellingen. Ook het onderwijsbeleid, de zorgpolitiek enzovoort kopen niets voor een beleid dat nostalgisch probeert een verouderde zuilenstructuur nieuw leven in te blazen. Zij koopt niets voor een beleid dat met man en macht probeert ondernemingszin buiten te sluiten en voor een beleid dat zich defensief opstelt tegenover cliënten, ouders, patiënten enzovoort. De instellingen kopen niets voor schijngaranties van de overheid, met dichtgetimmerde arbeidsvoorwaarden; zij kopen niets voor bescherming via planningsvoorschriften en publieke erkenningsregels. Zij winnen er niets mee als zij om een Scylla van de commercie te vermijden de Charybdis van de overheidsbescherming kiezen. Dat is te defensief en te nostalgisch. Inderdaad, het komt erop aan particulier initiatief in de vorm van een maatschappelijke onderneming serieus te nemen. Steven de Waal heeft de meerwaarde van een *maatschappelijke onderneming* helder in een schema weten te vatten:

Meerwaarde van maatschappelijke onderneming

Ten opzichte van overheidsbureaucratie	Ten opzichte van commerciële onderneming
• Marktgevoel en anticipatie • Technologische kennis • Creatieve professionaliteit • Heldere core business • Efficiency • Missiegedrevenheid • Zicht op burgers • Bedrijfsmatige slagvaardigheid	• Democratisch gehalte en verantwoording • Politieke gevoeligheid en allianties • Solidariteit en vasthoudendheid • Sociale allianties en gemeenschapsgevoel • Appèl op filantropie • Bredere doelstelling • Selectie op behoefte in plaats van koopkracht of prijs

Bron: S.P.M.de Waal, *Christen Democratische Verkenningen* 2000, nummer 6/7/8 p. 65

Deze maatschappelijke onderneming is geen hybride organisatie tussen de domeinen van de markt en de staat. Zij opereert op de markt. Het is ook geen vrijwilligersorganisatie, maar een professionele instelling met eigen beroepscodes en een eigen beroepstrots. Zij biedt willens en wetens geen alternatief voor marktwerking en privatisering, maar wel voor commercialisering.[23] Geen romantiek: wel een sociale missie die al ondernemend handen en voeten krijgt. Een sociale missie die ook betekent dat non-profits niet gezien, opgevat en nog minder behandeld moeten worden als aan overheidsconcessies gebonden instellingen: zij zijn geen uitvoerders van overheidsbeleid, ook al bewegen zij zich op sociaal grondrechtelijk gebied (zie de eerdere uiteenzetting over sociale vrijheidsrechten). Dat geldt onafhankelijk van de vraag of zij door de overheid bekostigd worden of niet. Daarin ligt in aanleg een belangrijk verschil met opvattingen van de sociaal-democratie. Ook de derde weg is daarover niet helder (evenmin als De Waal, die overigens een helder onderscheid maakt tussen ondernemend opererende zelfstandige bestuursorganen enerzijds en maatschappelijke ondernemingen anderzijds).

... vergt de keuze voor ondernemende instellingen...
Het is die invulling van de non-profitsector die ons voor de nodige opgaven stelt. Terecht stelt Paul Dekker in de slotbeschouwing van het boek *Noch markt noch staat*, welwillend maar kritisch, vragen: hoe werk je een en ander uit? Mag de overheid non-profitinstellingen bevoordelen, bijvoorbeeld door ze vrij te stellen van winstbelasting? Hoe zijn problemen van kapitaalverschaffing op te heffen? Hoe verstrekkend zal het vrije marktbeleid van de Europese Unie zijn? Dat gaat immers uit van twee soorten organisaties: uitvoerders van overheidsbeleid enerzijds en commerciële ondernemingen anderzijds. Volgt op privatisering, marktwerking en vraagsturing geen commercialisering?

Ook met de oplossingsrichting die Dekker wijst, zit hij er niet ver naast:

"De richting waarin een oplossing wordt gezocht – non-profits die zo gelijk mogelijk zijn aan for-profits, en een overheid die vooral stuurt via de vraag (ondersteuning van minder draagkrachtigen die hun geld ook bij een commerciële instelling mogen uitgeven) lijkt wel het meest geschikte middel om zowel aan de marktdwang van buiten als aan de ondernemingslust van binnen de non-profitdoelstelling tegemoet te komen."

Ik deel voor een groot deel die opvatting, ook al is het zaak niet te dogmatisch met vraagsturing en -financiering om te gaan: zie de bekostiging van het onderwijs die leerlinggebonden en daarmee de facto sterk vraaggestuurd is.

Zijn conclusie dat daarbij kan worden opgemerkt dat het 'moderniseringsdeficit' van de Nederlandse non-profitsector in vergelijking met andere landen beperkt is, is anderzijds te geruststellend. Om idealen, arbeidssatisfactie en ondernemingszin in de non-profitsector terug te krijgen zijn immers nodig: een flinke ontbureaucratisering en deregulering, minder centraal vastgestelde arbeidsvoorwaarden, meer oriëntatie op de doelgroepen in plaats van op de overheid, schaalverkleining en het doorbreken van monopolies en vooral meer vraagsturing. In de sfeer van de gezondheidszorg hebben de vakbonden, de werkgevers, de SER en christen-democraten voor die lijn gekozen (met behoud van inkomenssolidariteit).

Het lijkt me zinvol die lijn – na de zorgdiscussie – ook te verkennen voor in elk geval de publieke omroepen, de ontwikkelingssamenwerkingsorganisaties en zelfs de politieke partijen. Zij worden nu (deels) bekostigd door de overheid. Die bekostiging vindt plaats omdat private financiering ertoe zou leiden dat de instellingen en de Nederlanders met de meest riante beurs de toon zullen zetten bij deze belangrijke organisaties. (Voor zover er al geld binnen zou komen.) Niet voor niets gaat het hier om zogenaamde *merit goods* (private financiering is wel mogelijk, maar burgers besteden hun geld in de regel aan iets anders. Dus neemt de overheid die betaling voor haar rekening). Maar waarom zou een *merit good* per se moeten leiden tot het verdelen van de middelen door de overheid? Waarom zou de overheid niet met even veel recht burgers een nader vast te stellen deel van hun belastbare inkomen zelf laten besteden aan non-profitinstellingen naar keuze? De meerwaarde van de maatschappelijke onderneming ten opzichte van de overheidsbureaucratie, zoals aangestipt door De Waal (zie het gepresenteerde schema)[24] zal zich dan zeker ook hier gaan aftekenen.[25]

Slot

Het middenveld is in. *There seems to be more between market and state than we know.* Het Sociaal en Cultureel Planbureau voorzag ons van een fraaie studie naar de Nederlandse non-profitsector in een vergelijkend perspectief. De kracht van de studie schuilt in haar open einden: het zijn even zovele punten voor een toekomstgerichte agenda. Mijn persoonlijke waardering gaat vooral uit naar de slotbeschouwing van P. Dekker, juist omdat die zich wil ontworstelen aan een nostalgische inkleuring van de non-profitactiviteiten. Tegelijk ligt daar één van de kritiekpunten: zonder praktisch idealisme zal 'het middenveld' snel verschralen. Een offensieve conceptie van het middenveld is nodig: sociaal bewogen en zakelijk in de aanpak. Het middenveld zal snel aan betekenis en belang inboeten als het min of meer nostalgisch gezien wordt als de veilige nis in een dynamische omgeving. Ook een verzakelijking biedt geen perspectief. Alleen door de waardeoriëntaties te verbinden met *praktisch idealisme* is er voor non-profitinstellingen een toekomst weggelegd.... en daarmee inderdaad voor de *humaniteit van onze samenleving.*

Noten

1. A. Etzioni, *The third way to a good society*, London 2000, p. 18
2. Dat dit niet zo vanzelfsprekend is als Etzioni het doet voorkomen, heb ik uiteengezet in: A. Klink, 'Een rehabiliatie van het gemeenschapsdenken', in Sociale Wetenschappen 2001/3, p. 87-88.
3. In Etzioni 2000, p. 8.
4. R. Sennet, *De flexibele mens. Psychogram van de moderne samenleving*, Amsterdam 2000, hst. 1.
5. Ch. Taylor, *Sources of the self, The making of modern identity*, Cambridge 1989, hoofdstuk 25.
6. Zie ook C.J. Klop, *De cultuurpolitieke paradox*, Kampen 1993.
7. Gerefereerd wordt uiteraard aan Habermas' bekendste publicatie *Theorie des kommunikativen Handelns*, Frankfurt am Main 1983.
8. J. Rawls, *A theory of justice*, Oxford 1983.
9. Geciteerd door A. Zijderveld, *Steden zonder stedelijkheid. Een cultuursociologische studie van een beleidsprobleem*, Deventer 1983, p. 96.
10. Vgl. het boek van J. Donzelot, *L'invention du social, Essai sur le declin des passions politiques*, Parijs 1984
11. A.C. Zijderveld, o.m. in *De staccato-cultuur. Flexibele maatschappij en verzorgende staat*, Utrecht 1991.
12. J.P. Balkenende, *Overheidsregelgeving en maatschappelijke organisaties*, Alphen aan den Rijn 1992.
13. A. Klink, *Christen-democratie en overheid. De christen-democratische politieke filosofie en enige staats- en bestuursrechtelijke implicaties*, Delft 1991, p. 169 e.v.
14. In de protestants-christelijke sociale filosofie ligt de basis voor de aanspraken op die vrijheid in de soevereiniteit die niet-statelijke kringen toekomt, omdat zij activiteiten ontplooien die de overheid naar haar aard niet voor haar rekening kan nemen (opvoeden, ondernemen enzovoort).
15. In feite ligt daar de kern van het subsidiariteitsbeginsel: de bijdrage aan het algemeen welzijn moet bij voorkeur een zaak blijven van burgers zelf: ter wille van het sociale gehalte van de samenleving en de persoonlijke ontwikkeling van mensen (waarvoor het dragen van verantwoordelijkheid een voorwaarde is). In het verlengde daarvan ligt het pleidooi voor een feitelijke horizontalisering van sociale grondrechten.
16. De term is van M. Walzer. Zie zijn *Spheres of justice: a defence of pluralism and equality*, New York 1983.
17. Vergelijk E.M.H. Hirsch Ballin, *Rechtsstaat en beleid*, Zwolle 1991, p. 145 e.v.
18. P. Dekker, 'De Nederlandse non-profitsector gemeten en vergeleken: conclusies en perspectieven', in: *Noch staat noch markt. De Nederlandse non-profitsector in vergelijkend perspectief*, SCP, Den Haag 2001, p. 298.

19. Van Til geciteerd bij Dekker 2001, p. 298-299.
20. Andere passages lijken weer in een andere richting te wijzen: dan wil hij die civil society-noties van ideële betrokkenheid weer niet reserveren voor de non-profitinstellingen. "Zij zijn kennelijk niet van toepassing op publieke en commerciële instellingen. Dat is een achterhaald idee".
21. J. de Hoop Scheffer en N. Dankers, 'Maatschappelijk middenveld met nieuwe spelers', Christen Democratische Verkenningen 1999/6, p. 19-27 en J.P. Balkenende en G. Dolsma, 'De maatschappelijke onderneming in de gezondheidszorg', Christen Democratische Verkenningen 2000/7-9, p. 67-73
22. Iets daarvan treffen we aan bij (de door mij overigens zeer gewaardeerde) Christopher Lasch, Haven in a heartless world. The family besieged, New York 1977.
23. Balkenende en Dolsma 2000, p. 72.
24. En overigens: S.P.M. de Waal, Nieuwe Strategieën voor het publieke domein, Alphen aan den Rijn 2000.
25. Bovendien kan dat een mouw passen aan de hindernissen van het vrije marktbeleid van de EU: de middelen zouden desnoods – in het geval de EU en het Europese Hof een beperking tot non-profitinstellingen niet zouden toestaan – ook besteed worden aan commerciële instellingen. Dat vergt alleen nog meer wervingskracht van de maatschappelijke ondernemingen: hun sociale missie geeft hen daarbij overigens mijns inziens wel degelijk een voorsprong.

12 Quasi-ondernemers
Marktwerking in de non-profitsector

Paul Kalma

Inleiding: van profit naar non-profit

'Marktwerking' is in ons land al jarenlang een belangrijke, tot voor kort nauwelijks omstreden beleidsdoelstelling. In een politiek klimaat waarin markt en ondernemerschap steeds hoog stonden aangeschreven, en mede onder druk van Europese regelgeving, hebben achtereenvolgende kabinetten zich ingespannen om bestaande markten beter te laten functioneren (door vereenvoudiging van regelgeving, verbetering van het markttoezicht enz.), en om nieuwe markten te creëren – in het bijzonder op terreinen die tot dusverre tot het domein van de overheid behoorden. In dat kader werd onder meer een deel van de Nederlandse nutsbedrijven geprivatiseerd.

Het gaat hierbij om wat we kunnen omschrijven als 'harde' marktwerking: om de omvorming van overheidsbedrijven tot commerciële, zij het doorgaans sterk gereguleerde ondernemingen. De publieke sector wordt, als gevolg van deze overheveling van 'publiek' naar 'privaat', kleiner; de marktsector groeit. Maar er bestaan ook 'zachte' vormen van marktwerking, waarbij het publieke karakter van de desbetreffende voorzieningen behouden blijft. In het onderwijs en de gezondheidszorg wordt met een dergelijke zachte, of eigenlijk: nagebootste marktwerking al hier en daar geëxperimenteerd. Het gaat om 'quasi-markten'[1], waarop instellingen met een grote mate van beleidsvrijheid, als waren het echte ondernemingen, opereren. Ze doen dat alleen geheel of overwegend op niet-commerciële basis, collectief gefinancierd en met inachtneming van de verantwoordelijkheid van de overheid.

Om deze marktwerking in de publieke sector een kans te geven, zo luidt de redenering, moet enerzijds de zware regeldruk waaraan de instellingen van overheidswege blootstaan aanzienlijk worden verlicht. Anderzijds moet de traditionele 'aanbodsturing' (vanuit het ministerie, de belangengroepen, de instellingen zelf) plaatsmaken voor 'vraagsturing' door de consument. Als aan onderwijs- en zorgconsumenten koopkracht wordt toegekend (in de vorm van vouchers, 'rugzakjes' of persoonsgebonden budgetten) neemt hun bestedingsvrijheid toe en komt er, zo wordt verwacht, een heilzame concurrentie tussen de instellingen onderling op gang. Ook langs andere weg zou de concurrentie aan de aanbodzijde moeten worden bevorderd, bijvoorbeeld door prestatievergelijkingen en door beter toezicht op gezonde concurrentieverhoudingen in de publieke sector.

Het opvallende is nu dat de rechttoe-rechtaan privatisering van overheidsbedrijven in ons land inmiddels maatschappelijke en politieke weerstand begint op te roepen, terwijl het streven naar quasi-marktwerking, getuige bijvoorbeeld de verkiezingsprogramma's van de grote politieke partijen (zie verderop), juist een steeds enthousiaster onthaal begint te krijgen. Bij harde marktwerking worden – terecht – tal van vraagtekens gezet[2], maar 'maatschappelijk ondernemen' in de publieke sector, zoals voorstanders het noemen, wordt allerwegen toegejuicht. Het ene hangt vermoedelijk ook samen met het andere. Teleurstellende ervaringen met harde marktwerking wakkeren allicht de belangstelling aan voor 'zachtere' vormen van ondernemerschap, waarbij het algemeen belang op het eerste gezicht niet aan het eigenbelang (beurskoersen, optiebeloningen) ondergeschikt gemaakt wordt.

Er zijn echter nog meer redenen te bedenken waarom de zachte marktwerking in de publieke sector zo populair is. Nieuwe overheidsinvesteringen zorgen er, na jaren van bezuinigingen, voor dat er ook werkelijk wat te ondernemen valt – nog afgezien van de private middelen die, bij een mogelijke versoepeling van de regel dat collectieve voorzieningen uitsluitend collectief gefinancierd mogen worden, beschikbaar zouden komen. En, last but not least, de publieke sector blijkt met forse organisatorische problemen te kampen, die voor een belangrijk deel aan overmatige regelgeving en aan overspannen overheidsambities worden toegeschreven (zie bijvoorbeeld de discussie over de basisvorming in het voortgezet onderwijs). Ook in dat opzicht lijkt de maatschappelijke onderneming, met haar connotatie van vrijheid, doelmatigheid en innovatie, uitkomst te bieden.

Maar de populariteit van ondernemen-zonder-winstoogmerk in de publieke sector is, zo zal ik in deze bijdrage betogen, niet verdiend. Het werkt een stille commercialisering in de hand, die ten koste zal gaan van de desbetreffende voorzieningen (en hun gebruikers) en die, anders dan bij harde vormen van privatisering, het onderscheid tussen 'publiek' en 'privaat' steeds meer doet vervagen. Bovendien is het een technisch-instrumentele benadering, met geringe relevantie voor de belangrijkste problemen in de publieke sector van dit moment, en met een blinde vlek voor de inhoudelijke ontwikkeling van onderwijs en gezondheidszorg, maar ook voor degenen die in deze sectoren het eigenlijke werk doen (leraren, dokters, verpleegkundigen).

Daar tegenover, zo luidt mijn stelling, dienen professionele vaardigheden en professionele autonomie in de publieke sector veel meer nadruk te krijgen. Niet omdat de genoemde beroepsgroepen de wijsheid in pacht hebben of belangenloos zouden zijn, maar omdat vanuit een dergelijk professionaliseringsperspectief veel beter zicht te krijgen is op de belangrijkste problemen in de respectieve sectoren, op dringende vragen over functie en inhoud van de desbetreffende voorzieningen en op een veel evenwichtigere verantwoordelijkheidsverdeling tussen overheid, burgers en instellingen dan de voorstanders van zachte (of harde) marktwerking te bieden hebben.

Ik zal daarbij het basisonderwijs en het voortgezet onderwijs als voorbeeld gebruiken, in het besef dat het ene deel van de publieke sector het andere niet is en dat ook over het onderwijs zelf in al zijn schakeringen niet gegeneraliseerd mag worden, maar dat de hier behandelde casus ook niet helemaal op zichzelf staat. Daarvoor is het marktdenken in de publieke sector als geheel te ver opgerukt.

Een 'zo groot mogelijke beleidsvrijheid'

'Zachte' marktwerking in de publieke sector veronderstelt een grote mate van beleidsvrijheid voor de betrokken instellingen. Alleen door zelf verantwoordelijkheid te dragen voor de inrichting van de dienstverlening, zo luidt de redenering, kunnen ze de kwaliteit en het maatwerk leveren waarom burgers tegenwoordig vragen. Overheidsbemoeienis blijft, gegeven het publieke karakter van de voorzieningen, geboden, maar die bemoeienis zal terughoudend en 'op afstand' moeten zijn, wil er ruimte geschapen worden voor echt ondernemerschap. De financiële, organisatorische en inhoudelijke autonomie van de instellingen dient voorop te staan.

Nu bestond een dergelijke autonomie in ons land al lang vóór het begrip marktwerking werd uitgevonden. De Nederlandse verzorgingsstaat werd van het begin af aan gekenmerkt door mengvormen van overheidsoptreden en particulier initiatief. De verzuiling heeft die ontwikkeling nog eens verder versterkt. In sectoren als de sociale zekerheid, het onderwijs, de gezondheidszorg en de volkshuisvesting speelden private instellingen, al dan niet bekleed met formele publieke verantwoordelijkheid, een belangrijke rol. Hun zelfstandigheid was groot; de mate van die zelfstandigheid vormde de inzet van menig politiek debat. De huidige roep om een grotere institutionele autonomie kan dan ook niet louter als een symptoom van oprukkend marktdenken worden beschouwd. Maar die marktwerking geeft aan dat zelfstandigheidsstreven wel een extra impuls, zoals aan de hand van het onderwijsbeleid geïllustreerd kan worden.

Dat wordt al zichtbaar in de loop van de jaren tachtig, wanneer het streven naar decentralisatie en deregulering ook in het onderwijs begint door te klinken. De overheid moet meer overlaten aan de scholen, zo is de gedachte. Alle grote partijen publiceren rapporten waarin op een grotere verantwoordelijkheid voor de scholen en op vermindering en vereenvoudiging van regelgeving wordt aangedrongen. Het ministerie van Onderwijs en vertegenwoordigers van onderwijsorganisaties komen overeen dat 'een zo groot mogelijke vrijheid van handelen' voor de scholen uitgangspunt van het beleid moet zijn. Dat beleid valt overigens (volgens critici: niet toevallig) samen met grootscheepse bezuinigingen op het onderwijs. Bovendien blijkt zo'n decentralisatie (bijvoorbeeld op het gebied van de arbeidsvoorwaarden) zeer wel samen te kunnen gaan met vergaande, centraal gestuurde hervormingen, zoals de introductie van de basisvorming in het voortgezet onderwijs (en later het studiehuis) duidelijk maken.

De moeizame uitvoering c.q. mislukking van deze top-down hervormingsprojecten heeft de autonomie van de school als beleidsdoelstelling extra wind in de zeilen gegeven, ook in de politiek. Het CDA stelt in zijn begin 2002 vastgestelde verkiezingsprogramma dat "de scholen weer zelf verantwoordelijk moeten zijn". In een recent rapport over onderwijs heet het dat het zoeken naar "de kwadratuur van de cirkel 'autonomie én regulering' moet worden gestaakt."[3] De VVD meent dat het onderwijs "moet worden teruggegeven aan ouders en scholen" en pleit voor "zoveel mogelijk financiële en pedagogische autonomie." Ook de PvdA is, getuige haar (ontwerp-)programma, van mening dat "de tijd van grote, van bovenaf opgelegde structuurhervormingen (...) voorbij is". "Variatie tussen scholen wordt gewaardeerd en scholen worden zelfstandiger en professioneler. Ze geven zelf, in samenspraak met (de direct betrokkenen) invulling aan goed onderwijs."[4]

De PvdA en, in mindere mate, de vvd menen overigens dat scholen, afgezien van kwaliteitscontrole door de onderwijsinspectie, moeten worden 'afgerekend' op de resultaten die ze boeken. "Als scholen meetbaar en controleerbaar goed presteren krijgen ze extra geld, bijvoorbeeld om succesvolle experimenten voort te zetten en uit te werken." Op deze adder onder het gras van de 'autonome', 'zelfstandige', 'verantwoordelijke' school kom ik verderop in deze bijdrage nog terug.

Hoe moet deze verschuiving in de richting van een veel grotere beleidsvrijheid voor instellingen in het basis- en voortgezet onderwijs worden gewaardeerd? Sterke, zelfstandige scholen, die afstand weten te bewaren tot hun directe omgeving (het gezinsleven, de economie, de politieke machtsverhoudingen) vormen het hart van een democratisch onderwijssysteem.[5] Ook is het begrijpelijk dat, als reactie op de vaak ondoordachte macrohervormingen van de afgelopen jaren (waarvoor de PvdA een zware verantwoordelijkheid draagt[6]), het belang van het microniveau in het onderwijs nog eens wordt onderstreept. Maar die ontwikkeling dreigt nu naar het andere uiterste door te slaan. Autonomie lijkt wel een doelstelling in zichzelf te zijn geworden – los van inhoudelijke overwegingen, en met voorbijgaan aan de schaduwzijden van vergaande decentralisatie en aan de voordelen van een samenhangend, en dus ook enigermate gecentraliseerd onderwijsbestel.

Er zijn drie bezwaren tegen de autonomierage in het onderwijs aan te voeren. De eerste is de overdrijving waaraan veel voorstanders van een veel grotere vrijheid voor de scholen zich schuldig maken. Het onderwijsbestel zou, met al z'n regels en planningsstructuren, tot de 'Sovjet-zone' van het Nederlandse openbaar bestuur behoren. In werkelijkheid is de zelfstandigheid van onderwijsinstellingen in ons land, in vergelijking met veel andere landen, altijd relatief groot geweest, en is zij, ondanks alle betreurde ingrepen van rijkswege, nog allerminst verdwenen. Ook in kwalitatief opzicht scoort het Nederlandse onderwijs in internationaal vergelijkend onderzoek tamelijk goed.[7] Dramatisering van de onderwijssituatie in ons land, zo is mijn indruk, komt de traditionele voorstanders van een zo groot mogelijke beleidsvrijheid voor de instellingen uitstekend van pas – zoals ze ook de bijdrage van een actieve onderwijspolitiek aan de vermindering van de sociale ongelijkheid in ons land pogen te kleineren.

In de tweede plaats bestaat er in het huidige beleidsklimaat veel te weinig oog voor de schaduwzijden van de autonome school. Scholen laten zich, net als mensen, mede door hun eigenbelang leiden. In landen waar met een verregaand gedecentraliseerd, markt-georiënteerd onderwijsbestel is geëxperimenteerd, bleken goede scholen zich voor nieuwkomers af te schermen en de door hen opgebouwde kennis, uit concurrentieoverwegingen, niet met andere scholen te willen delen.[8] Ook in Nederland, waar zelfstandigheid van de instellingen altijd redelijk hoog aangeschreven heeft gestaan, zijn experimenten met zelfregulering lang niet altijd positief uitgepakt. Voorbeelden vormen de 'pretpakketten' in het voortgezet onderwijs, die later met behulp van (centraal vastgestelde) 'profielen' moesten worden gecorrigeerd, en de grote mate van zelfregulering die de pedagogische academies indertijd werd toegekend bij het bepalen van de eindtermen van de opleiding.

Onderwijssocioloog Han Leune wijst er terecht op dat een krachtig, voorwaardenscheppend en regulerend onderwijsbeleid op nationaal niveau ook in het belang van ouders, leerlingen en onderwijsgevenden is – van harde, wettelijk vastgelegde kwaliteitseisen tot garanties voor de toegankelijkheid van het onderwijs; van kostenbeheersing en een goede afstemming op andere domeinen tot zorg voor een samenhangend onderwijsbestel, dat doorstroming en herkansing in het onderwijs mogelijk maakt.[9] Zo'n krachtig beleid vindt ook een basis in de taken die de Grondwet op onderwijsgebied aan de overheid toekent. Op z'n minst is het kortzichtig om de interpretatiestrijd die er in Nederland altijd over de desbetreffende Grondwetsteksten is gevoerd nu eenzijdig ten gunste van de 'vrijheid van inrichting' te beslechten en om, in één moeite door, het principiële verschil tussen de medeverantwoordelijkheid van de overheid voor het onderwijs in het algemeen, en haar directe verantwoordelijkheid voor het openbaar onderwijs te negeren.[10]

Een derde, hiermee samenhangend bezwaar betreft het gemak waarmee voorstanders over 'de' autonomie van de school praten. Autonomie op welk terrein? Op inhoudelijk en pedagogisch gebied? Op het gebied van de arbeidsvoorwaarden? En: aan wie komt die autonomie vooral ten goede? Aan de ouders, aan degenen die in het 'primaire proces' actief zijn of aan de schoolbesturen? In een publicatie over de effecten van het decentralisatie- en dereguleringsbeleid van de Nederlandse overheid constateert de journalist Pieter Hilhorst dat "de grotere autonomie van de school het niet zo zeer de schooldirecteuren, maar de schoolbesturen makkelijker heeft gemaakt". De schaalvergroting in het onderwijs versterkt deze tendens nog eens. Hilhorst spreekt van een "wet van het behoud van bureaucraten". "De Zoetermeerse bedilzuchtigen zijn vervangen door de stafmedewerkers bij de besturen."[11]

Met dat alles is het onderwijs(beleid) bezig om van het ene eenzijdige, sterk bestuurskundig gerichte model op het andere over te stappen. Overspannen verwachtingen omtrent het sturend vermogen van het ministerie van Onderwijs maken plaats voor een even eenzijdig geloof in het zelfbestuur van de afzonderlijke instellingen. En net zoals bij de variant van de sturende overheid gaat het niet of nauwelijks over de belangrijkste maatschappelijke problemen in en rond het onderwijs, niet over de inhoud van het onderwijs en de pedagogische inzichten waarop het gebaseerd zou moeten zijn, niet over de *civil society* van belangen- en ideële organisaties die altijd een belangrijke schakel tussen scholen en overheid hebben gevormd, en al helemaal niet over degenen die het onderwijs geven.

Om bij het laatste voorbeeld te blijven: dat de organisatie en de toerusting van de individuele school het nodige te maken hebben met de crisissfeer die rond het leraarsberoep is komen te hangen, spreekt vanzelf. Maar dat die crisis opgelost wordt door de autonomie van de school aanzienlijk te versterken, is een misverstand. Zo'n benadering gaat niet alleen, bestuurlijk gericht als ze is, aan een groot deel van het vraagstuk voorbij, ze werpt ook nieuwe hindernissen op – bijvoorbeeld voor een goed, sectorbreed arbeidsvoorwaardenbeleid, voor een loopbaanbeleid dat het niveau van de individuele school overstijgt, en voor een op samenwerking en kennisoverdracht gerichte professionele cultuur.

Consumentensoevereiniteit

Geen zachte marktwerking zonder een zo groot mogelijke beleidsvrijheid voor de instellingen. Maar minstens zo belangrijk, zo niet gezichtsbepalend voor het marktdenken in de publieke sector is de beoogde verschuiving van 'aanbod-' naar 'vraagsturing'. Die vraagsturing kan de vorm aannemen van formele medezeggenschap van gebruikers over het beleid van 'hun' instelling, variërend van vertegenwoordiging in het bestuur tot bepaalde informatie- of instemmingsrechten. Maar veel belangrijker in het huidige beleidsdenken is de introductie van financiële vraagsturing – in de vorm van vouchers, rugzakjes, strippenkaarten of persoonsgebonden budgetten.

Onder ambtenaren en beleidsadviseurs bestaat voor deze benadering inmiddels veel steun. Dat geldt ook voor de grote politieke partijen. Het CDA bepleit in haar al aangehaalde programma "een radicale omkering van de zeggenschap" in de publieke sector. De instellingen moeten zich gaan richten op "de zorgvrager, klant, scholier of ouder, omdat zij dan niet langer afhankelijk zijn van de keuze van de overheid, maar van de keuze van de mensen zelf." Dat "betekent een keuze voor vraagfinanciering". De VVD kiest "voor oplossingen die de aanbodsturende benadering van overheidstaken ombuigen naar meer vraagsturing en vergroting van marktwerking". De PvdA is wat minder gretig, maar spreekt ook van "een dienstbare overheid die de burger centraal stelt". Een 'heel belangrijk instrument' is het persoonsgebonden budget. "Mensen krijgen meer keuzevrijheid en invloed. Instellingen kunnen minder van zichzelf uitgaan en zullen zich meer op de wensen van de burgers moeten richten."

Dit sterk gegroeide enthousiasme voor een consumentgerichte publieke sector doet wat onwezenlijk aan. Het is moeilijk te rijmen met de concrete ervaringen die tot nu toe op kleine schaal (onder andere in de niet-medische zorg en in het speciaal onderwijs) met persoonsgebonden budgetten zijn opgedaan. Ze blijken de keuzevrijheid van patiënten respectievelijk van ouders en leerlingen inderdaad te kunnen versterken – zij doen dit echter vooral in bepaalde gevallen (permanente zorg, bijvoorbeeld als gevolg van invaliditeit), onder bepaalde omstandigheden (verhoogde budgetten, vereenvoudigde regels) en op voorwaarde dat het gebruik van een eigen budget geen verplichting (!) is. Verder zorgen schaalvergroting en het recht van instellingen om 'klanten' te weigeren (al dan niet vanwege een tekort aan middelen of aan personeel) voor aanzienlijke complicaties. Wat heeft een consument aan vouchers als schaarste het aanbod kenmerkt of als dat aanbod aan vergaande concentratie (fusies en dergelijke) onderhevig is, zoals op veel quasi-markten het geval is?[12]

Voor een opwaardering van de desbetreffende middelen tot een algemene besturingsfilosofie voor de publieke sector is voorlopig dan ook geen reden. Daar komt bij dat de relevantie van het voucher-denken voor de oplossing van de meest dringende problemen in het onderwijs en de gezondheidszorg in twijfel moet worden getrokken. Wat hebben vouchers de *drop-outs* te bieden die het vmbo (waar meer dan de helft van alle leerlingen in het voortgezet onderwijs verblijft) in onrustbarende hoeveelheden kent? En wat draagt vraagsturing precies bij aan de verzorging en verpleging van ouderen in de toekomst, en van andere urgente en gecompliceerde problemen waarmee de gezondheidszorg worstelt? R.L.M. Scheerder, voorzitter van het Centraal Orgaan Tarieven Gezondheidszorg, heeft zijn eigen CDA hard aangevallen op haar plotselinge voorliefde voor die vraagsturing. Dit sturingsmodel, zo meent hij, "getuigt van een verbluffende naïviteit ten aanzien van de positie van de patiënt in de zorg". Tegelijkertijd is het "beangstigend met hoe weinig inzicht in het krachtenveld van de gezondheidszorg deze stellingen worden geponeerd".[13]

Het zijn vragen die, gezien de prominente plaats die vraagsturing in hun programma's heeft gekregen, ook aan VVD en PvdA gesteld zouden moeten worden.

Tot zo ver de meer praktische nadelen van de invoering van vouchers en dergelijke als hervormingsstrategie voor de publieke sector. Maar als beleidsmatige vertaling van een sterk op de consument gerichte opvatting over de publieke sector ('de klant is koning') kleven er nog heel andere, zo men wil: theoretische bezwaren aan die overigens een heel praktische uitwerking kunnen hebben. Het (basis en voortgezet) onderwijs gebruik ik daarbij opnieuw als voorbeeld.

Om te beginnen gaat een vraaggerichte visie op het onderwijs voorbij aan de minder rationele kanten, niet alleen van de individuele onderwijsconsument, maar ook van de huidige onderwijsconsumptie in het algemeen. De socioloog Geert de Vries heeft jaren geleden, in zijn studie *Het pedagogisch regiem. Groei en grenzen van de geschoolde samenleving*, die mindere rationele kanten geanalyseerd. De sterke uitbreiding van de onderwijsparticipatie, zo meent hij, heeft een 'haasje-over' tussen economie en onderwijs op gang gebracht. In een dubbele spiraalbeweging zijn zowel de behaalde onderwijskwalificaties als de gestelde opleidingseisen steeds verder opgeschroefd. Het resultaat is een sterke diploma-inflatie, met een aantal schadelijke gevolgen. Allereerst is de economische rentabiliteit van de onderwijsinvesteringen beperkt; hogeropgeleiden gaan lageropgeleiden uit de voor hen bedoelde functies verdringen.

Daarnaast, aldus De Vries, dreigt het onderwijs, met de verlenging van de 'onderwijsweg' en het toegenomen belang van diploma's, zelf een bron van sociale ongelijkheid te worden. Kinderen uit hogere klassen kunnen de voordelen die zij van thuis meekrijgen, langduriger uitbuiten. En ten slotte wordt het onderwijs zelf het slachtoffer. De 'rat race' om diploma's vermindert het plezier om naar school te gaan. De leerstof wordt steeds meer een 'abstract betaalmiddel', dat uitsluitend dient om iets anders te bereiken – met alle gevolgen van dien. Een oplossing voor al deze problemen blijft uit omdat alle betrokkenen weliswaar gezamenlijk belang hebben bij een beteugeling van de jacht op steeds meer onderwijs, maar individueel alle reden hebben om te zeggen: na U.[14] De vraag is hier niet of de auteur in alle opzichten gelijk heeft (hoewel hij volgens mij een eind komt), maar of de problematiek die hij aansnijdt vanuit een vraaggestuurd onderwijsbeleid überhaupt nog waar te nemen is.

Datzelfde geldt voor een ander aspect van onderwijs en onderwijsbeleid: de spanning tussen individuele en collectieve belangen, die inherent is aan een publiek onderwijsbestel. Zo'n spanning bestaat er tussen gelijkheid en kwaliteit (bijvoorbeeld tussen 'goed onderwijs voor allen' en een stelsel waarin de getalenteerden zich maximaal kunnen ontplooien); tussen solidariteit en keuzevrijheid. Die verschillende belangen en doelstellingen zullen steeds weer tegen elkaar afgewogen moeten worden – met een uitkomst die voor de één altijd bevredigender zal zijn dan voor de ander. Louter bezien vanuit de individuele onderwijsconsument zijn dergelijke afwegingen echter nauwelijks te begrijpen. Waarom zou hij/zij niet gewoon het beste onderwijs krijgen dat er is? En waarom eigenlijk meebetalen aan het onderwijs van anderen? Dat gezamenlijke betaling ook een individueel belang kan dienen, blijft daarbij al helemaal buiten beschouwing.

De huidige nadruk op vraagsturing bouwt voort op de gedachte dat onderwijs eerst en vooral een individueel investeringsgoed is. Dat idee had z'n waarde in de tijd dat onderwijs bijna uitsluitend als een collectief goed werd beschouwd, maar is inmiddels het debat over onderwijs(beleid) geheel gaan beheersen. Het reduceert onderwijs tot zijn economische dimensies, met voorbijgaan aan de andere maatschappelijke functies die het vervult, maar het dreigt ook de steun voor het onderwijs als een publieke voorziening te ondergraven. In dat licht moet de 'voucherisering' van het onderwijs(beleid), die we thans meemaken, worden bezien. Dit draagt het gevaar in zich van een 'commercialisering-van-onderop',[15] die van burgers pure consumenten maakt en de deur openzet voor harde marktwerking, voor de opmars van het grote geld (sponsoring, hoge eigen bijdragen) in een domein dat dat slecht kan verdragen.

Over de inhoud van het onderwijs zelf hebben we het dan nog helemaal niet gehad. Kennis- en waardenoverdracht, het stimuleren van zelfstandigheid en ontplooiing: ze impliceren een ongelijke verhouding tussen leraar en leerling. Die ongelijkheid hoeft, zoals het huidige Nederlandse onderwijs laat zien, niet de vorm aan te nemen van een 'harde' gezagsverhouding, laat staan van dwingelandij. Ze blijft echter wel bestaan – hoe mondig ouders en leerlingen ook worden. Een consumentgerichte benadering gaat aan die ongelijkheid (c.q. afhankelijkheid) geheel voorbij. Leune merkt in dat verband over vraagsturing op: "(w)at onderwijsvragers verlangen kan niet automatisch en soms zelfs in het geheel niet het kompas zijn waarop beleidsvoerende instanties en personen varen. Zo zijn jeugdige onderwijsdeelnemers simpelweg niet in staat een afgewogen oordeel te hebben over de toekomstige maatschappelijke betekenis van kwalificaties die door hen dienen te worden verworven."[16]

Aan deze problematiek zit overigens, zoals zeker sociaal-democraten zouden moeten weten, ook een sociaal aspect. Uit onderzoek blijkt dat een sterke nadruk op leerling-gecentreerd onderwijs ten koste kan gaan van kinderen die met een achterstand het onderwijs binnenkomen. "De grotere nadruk op metacognitieve vaardigheden", aldus onderwijssocioloog Wim Meijnen, "kan onder bepaalde voorwaarden slecht uitpakken voor leerlingen uit achterstandsgroepen. () Eenzelfde waarschuwing geldt voor de verschuiving van leerkracht- naar leerlinggestuurd onderwijs."[17] En zijn collega Jaap Dronkers waarschuwde dat de invoering van het studiehuis in het hele voortgezet onderwijs de maatschappelijke ongelijkheid zal doen toenemen.[18] 'Vraagsturing' is ook in dat opzicht een riskante strategie. Ze lijkt vooral de belangen en voorkeuren van de welvarende middengroepen te weerspiegelen, te weinig die van achterstandsgroepen.

Aan het probleemoplossend vermogen van 'vraagsturing' in het onderwijs, zo concludeer ik, moet ernstig worden getwijfeld. In plaats van de veranderingen die zich in de vraag naar onderwijs ontegenzeggelijk voordoen (mondiger leerlingen en ouders, meer gedifferentieerde onderwijsbehoeften) in het beleid te verwerken, is men het vraagstuk gaan ideologiseren. De roep om vraagsturing heeft veel weg van een retorische vlucht voor de problemen, de dilemma's en de tegenstellingen waarmee het onderwijsbeleid tegenwoordig geconfronteerd wordt. Ze lijkt de verwarring in Den Haag te moeten maskeren over de richting die dat beleid, na het echec van de grote structuurhervormingen in het onderwijs, zou moeten inslaan. Want dat is de consequentie van al het gehamer op het primaat van de vraag, op de soevereiniteit van de consument en op de noodzaak om het de ouders, de scholen en de leraren vooral 'zelf' te laten doen: namelijk dat over de inhoud en de organisatie van het aanbod niet meer nagedacht hoeft te worden.

Die verwarring komt ook tot uitdrukking in voorstellen om, al dan niet in het verlengde van financiële vraagsturing, consumenten bestuurlijk bij 'hun' instelling te betrekken. Het CDA kiest voor een sterke vertegenwoordiging van ouders in het schoolbestuur en ziet, merkwaardigerwijs, voor belangenorganisaties en ideële organisaties op sectoraal/landelijk niveau (het maatschappelijk middenveld) geen enkele rol meer weggelegd. De PvdA gaat nog verder en bepleit een instemmingsrecht van de ouders (ouderraad) bij alle belangrijke beslissingen van de schoolleiding. Maar waarom ouders wel een vetorecht en leraren niet? En hoe zit het met de medezeggenschap in particuliere bedrijven, waar de sociaal-democratie met algemene instemmingsrechten, terecht, nooit scheutig is geweest – omdat ze de besluitvorming flink kunnen vertroebelen?

Daarmee is overigens niets ten nadele van ouderparticipatie gezegd. Betrokkenheid van ouders bij het lesprogramma van hun kinderen en bij de school in het algemeen is belangrijk – net als bijdragen van andere vrijwilligers. Uiteraard hebben ouders ook het recht de schoolleiding en docenten ter verantwoording te roepen. Maar dat is heel wat anders dan, vanuit een consumentenperspectief ('de burger de baas'), de zeggenschap over de school op te eisen.[19]

Concurrentiebevordering vormt, naast autonomie en vraagsturing, de derde pijler van de zachte marktwerking in de publieke sector. Als instellingen een soort ondernemingen zijn, die, binnen een door de overheid vastgelegd kader, vrijelijk om de koopkracht van de gebruikers van voorzieningen concurreren, dan moeten die gebruikers ook over voldoende informatie beschikken omtrent de kwaliteit van het aanbod en moet monopolie- en kartelvorming krachtig bestreden worden. Vandaar bijvoorbeeld de toegenomen aandacht voor prestatiemeting in het onderwijs. Vandaar ook de roep om een 'mededingingsbeleid' in deze sector (recentelijk nog van het CDA: "er wordt een mededingingsautoriteit opgericht die bewaakt in hoeverre de schoolkeuze van ouders en leerlingen in een regio reëel is, er sprake is van een gedifferentieerd onderwijsaanbod en aanbestedingsprocedures geen farce zijn".[20])

Om met dat laatste te beginnen: de vrijheid van leerlingen en ouders om uit meerdere scholen te kiezen (en er eventueel zelfs één op te richten) is een recht dat gekoesterd moet worden en dat in ons land, zoals zo-even al vermeld, nog altijd (zij het niet in alle delen van het onderwijs) redelijk gewaarborgd is. Maar wie die keuzevrijheid aan de vraagzijde gelijkstelt met concurrentie aan de aanbodzijde, en die concurrentie vervolgens tot het leidende beginsel in onderwijs en onderwijsbeleid verheft, komt in de problemen: omdat onderwijs geen gewoon consumptiegoed is, omdat, in de woorden van onderwijseconoom Hessel Oosterbeek, het 'onderwijsproductieproces' fundamenteel van dat andere productieprocessen verschilt. Marktwerking in het basis- en voortgezet onderwijs, zo houdt hij zijn collega-economen voor, "is gewoon een slecht idee".[21] En wie, zoals het CDA, iets tegen schaalvergroting in het onderwijs wil doen, hoeft daar niet een mededingingsautoriteit voor van stal te halen.

Bij de bespreking van het idee van de 'autonome' school hebben we al op enkele nadelen van vergaande concurrentie in het onderwijs gewezen (verbrokkeling van het onderwijsbestel, een rem op doorstroming en op de verspreiding van nieuwe inzichten, oplopende strijd om schaarse arbeidskrachten). Maar de vergelijking tussen het onderwijs en de vrije ondernemingsgewijze productie gaat in nog meer opzichten mank. Wie bijvoorbeeld meent dat scholen, als ze beneden een nader vast te stellen aantal leerlingen zakken, maar failliet moeten gaan en door andere scholen overgenomen moeten worden,[22] gaat eraan voorbij dat fusies en overnames voor 'goede' scholen vaak geen aantrekkelijke optie vormen – alleen al omdat schaalvergroting de onderwijskwaliteit in de weg kan gaan staan. En wat gebeurt er met de leerlingen van 'slechte' scholen die volgens de publieke sector-marketeers maar beter gesloten kunnen worden?

Vergelijkbare bezwaren gelden voor de pleidooien om van de onderwijsinstellingen een veel grotere 'transparantie' af te dwingen; om de consument, onder het motto 'meten is weten', eindelijk harde informatie te gaan verschaffen over wat er in die instellingen gepresteerd wordt. Dat scholen openheid betrachten over wat er binnen hun muren gebeurt en, bijvoorbeeld in de vorm van een jaarverslag, inzicht geven in de resultaten die ze boeken, is een goede (eigenlijk: vanzelfsprekende) zaak. Ook is er veel voor te zeggen om het meten van die resultaten te objectiveren, en aldus een vergelijking tussen de instellingen mogelijk te maken. In dat opzicht heeft de consumentenbeweging in en rond de school een heilzaam effect gehad. Maar de voorstanders van meer 'accountability' draven vaak door en gaan al gauw voorbij aan de betrekkelijkheid, de ambivalenties en de gevaren van prestatiemeting en -vergelijking in het onderwijs.

'Meten' is immers, zoals de betrokken wetenschappers allang bekend is, nog geen 'weten'.[23] Er zijn ten minste twee redenen om de waarde van kwantitatieve vergelijkingen tussen scholen (percentage 'geslaagde' leerlingen, scores bij Cito-toetsen) te relativeren. In de eerste plaats worden de resultaten die scholen boeken mede beïnvloed door omgevingsfactoren, zoals de vooropleiding van de leerlingen, de inkomenspositie en het ambitieniveau van de ouders, het leefklimaat in de buurt enzovoort. "Input-verschillen", zo blijkt uit onderzoek, "scheppen ongelijke kansen op output-prestaties."[24] In de tweede plaats zullen sommige scholen de resultaten waarvan hun 'marktpositie' afhangt een zo fraai mogelijk aanzien willen geven. Dat kan er toe leiden dat exameneisen in neerwaartse richting worden bijgesteld (waartoe de toegenomen beleidsvrijheid van scholen overigens ook meer mogelijkheden schept), of dat men zwakkere leerlingen die het eindresultaat zouden kunnen 'drukken' liever ziet gaan dan komen.

Het is echter niet alleen de zorg om hun concurrentiepositie op de leerlingenmarkt die scholen ertoe kan brengen om hun eigen prestaties bij te kleuren; ook het 'binnenhalen' van allerlei overheidssubsidies speelt een rol. Daarmee belanden we bij de grote paradox van het onderwijsbeleid van de afgelopen jaren, die ik al eerder even aanroerde: enerzijds werd aan de scholen een grotere autonomie toegekend, mede in het kader van de versterking van de rol van de onderwijsconsument; anderzijds kwam een beweging op gang om de subsidiëring van diezelfde scholen steeds meer prestatie-afhankelijk te maken. Onderwijsinstellingen, zo luidt de inmiddels gangbare beleidsfilosofie, moeten van overheidswege op hun prestaties worden 'afgerekend'. Wat de overheid als gevolg van de ingezette 'marktwerking' aan invloed verliest, probeert ze er, zo lijkt het wel, langs 'bedrijfsmatige' weg weer bij te krijgen.

scp-directeur Paul Schnabel heeft deze bedrijfskundige benadering onlangs kernachtig (en instemmend) samengevat. De overheid, zo schrijft hij, geeft Richting, laat instellingen vervolgens bij de uitvoering van het beleid de nodige Ruimte, om ze vervolgens Rekenschap te laten afleggen over de behaalde Resultaten (het zogenoemde '4-R-model'). Er vindt een verschuiving plaats van "een vooral input- en proceduregerichte overheid, die ook veel in eigen beheer uitvoerde, naar een overheid die meer georiënteerd is op proces en outcome, maar de uitvoering graag aan anderen overlaat." Schabel benadrukt dat dit geen bescheiden taakopvatting van de overheid is. "Afspraken over "resultaat" en "rekenschap" maken het mogelijk () maakbaarheid tot blijvend thema te maken. Wie rechten geeft, legt vast en kiest voor continuïteit, wie resultaat en rekenschap verlangt, kiest voor verandering en verbetering."[25]

Daarmee is ook precies het probleem van deze beleidsfilosofie aangeduid. Het is de filosofie van 'zij roeien, wij sturen', van een overheid die 'de uitvoering (!) graag aan anderen (lees: de instellingen in de publieke sector) overlaat'. Autonomie en decentralisatie zijn in deze visie vooral pragmatische beleidsinstrumenten, die eventuele inbreuken op die autonomie geenszins in de weg staan. Het huidige onderwijsbeleid draagt daar ook de sporen van. Met de prestatiegebonden (aanvullende) subsidiëring van instellingen wordt een aanbodsturing-nieuwe stijl geïntroduceerd waarbij prestatiemeting en -vergelijking heel goed van pas blijken te komen. Maar ook worden er, onder het motto dat een vrije onderwijsmarkt een scherper, onafhankelijk markttoezicht vereist, ruimere bevoegdheden aan de onderwijsinspectie toegekend (bijvoorbeeld met betrekking tot het pedagogisch klimaat in de school).

Het is interessant deze benadering te vergelijken met de meer traditionele opvatting over de rol van de overheid in het onderwijs, zoals die bijvoorbeeld de afgelopen jaren in de adviezen van de Onderwijsraad heeft doorgeklonken. In laatstgenoemde opvatting is weliswaar een grotere rol voor de overheid weggelegd en wordt de autonomie van de instellingen aan veel nauwere grenzen gebonden. Maar die grenzen zijn, anders dan in het activistische 'R-4-model' wel helder omschreven en – minstens zo belangrijk – wettelijk vastgelegd. Er dient sprake te zijn van 'heldere deugdelijkheids- en bekostigingsvoorwaarden', van 'een onomstreden juridisch en onderwijskundig kader'. De onderwijsinspectie (in deze visie niet voor niets een gedecentraliseerde rijksdienst, en geen zelfstandige en almachtige toezichthouder) mag de onderwijsinstellingen alleen toetsen op wat er wettelijk aan 'kerndoelen' en 'eindtermen' is vastgelegd.[26]

Vanuit dat perspectief bezien komt nog eens een dag dat de onderwijsinstellingen, die nu zo rijkelijk met 'autonomie', 'beleidsvrijheid' en 'decentralisatie' bedeeld worden, hevig naar een overheid met een dergelijke uitgebreide, maar nauw omschreven taak gaan terugverlangen.

Daarmee is overigens niet gezegd dat marktwerking in het onderwijs een 'papieren tijger' is: een afleidingsmanoeuvre van een bedrijfsmatig opererende overheid die de instellingen 'op afstand' maar daarom niet minder krachtig aanstuurt. Daarvoor is het 'R-4-model' te veel model en te weinig werkelijkheid[27] en zijn de tegenspraken binnen dat model – bijvoorbeeld tussen ruimte geven en op resultaat 'afrekenen' – ook te groot. Bovendien bestaat er, bij alle verschillen, ook een grote affiniteit tussen het marktdenken en het bedrijfsmatige denken. Ze delen onder andere het geloof in financiële prikkels en een voorliefde voor kwantitatieve maatstaven om schoolsucces te meten (ten koste van meer inhoudelijke criteria als waarden, betrokkenheid en organisatiecultuur).

De richting waarin het onderwijsbeleid zich beweegt, is wel degelijk die van marktwerking. De bedrijfsmatige overheid geeft dat beleid hooguit een op onderdelen niet erg consequent, en in enkele gevallen tegenstrijdig aanzien.

Van non-profit naar profit

In het voorgaande heb ik, met het basis- en voortgezet onderwijs als referentie-kader, een kritiek geformuleerd op het streven naar marktwerking in de publieke sector, dat in beleidsmakend Nederland zo populair is geworden.

Ik meen dat de 'autonomie' van de instellingen in deze benadering veel te zwaar wordt aangezet (zonder de waarde van die autonomie als zodanig te betwisten), dat de consumentensoevereiniteit veel te veel nadruk krijgt (zonder het gebruikersbelang in de publieke sector te veronachtzamen), en dat de concurrentie tussen de instellingen onderling te veel wordt opgehemeld (zonder de betekenis van differentiatie, flexibiliteit en een zekere wedijver te miskennen). Verder heb ik vraagtekens gezet bij de relevantie van het marktdenken voor de belangrijkste problemen in onderwijs en gezondheidszorg en heb ik de stelling betrokken dat een overmatig gebruik van de 'ondernemings'- en 'ondernemers'-metafoor voorbijgaat aan het onderscheid tussen particuliere en publieke goederen – en de weg vrijmaakt voor harde marktwerking in de desbetreffende sectoren.

Wat echter nog onbesproken is gebleven, is dat menig voorstander van marktwerking in de publieke sector die kant ook expliciet uit wil, dat hij de grens tussen 'privaat' en 'publiek', tussen profit en non-profit wil overschrijden dan wel verregaand wil relativeren. Pleidooien voor de invoering van vouchers en strippenkaarten (dat wil zeggen: voor een private besteding van publieke middelen) gaan vaak vergezeld van de aanbeveling om de desbetreffende voorzieningen ook met private middelen, waaronder vrijwillige eigen bijdragen van burgers, te financieren. De VVD is vóór en wil burgers in de gelegenheid stellen om voor uitgaven op het gebied van onderwijs en zorg voortaan ook 'zelf de portemonnee te trekken'. CDA en PvdA zijn op dit punt zeer terughoudend, maar worden door economen en bestuurskundigen – extern en intern – aangespoord om hun 'behoudende' standpunt in deze bij te stellen.

Bestuurskundige Roel in 't Veld bijvoorbeeld verwijt zijn eigen PvdA "een obses-sieve aandacht voor verdelende rechtvaardigheid". Die leidt ertoe dat al het geld dat burgers zelf aan onderwijs en andere voorzieningen zouden kunnen en willen besteden (hij spreekt van een private 'booming demand') niet mag worden uitge-geven. Dan zouden rijken namelijk "meer geld voor onderwijs kunnen uitgeven dan anderen". Toch is dat zijns inziens de enige manier om de stagnatie die in het beleid is opgetreden, op te heffen. We moeten toe naar een stelsel waarin een recht op basisvoorzieningen voor iedereen is gegarandeerd, en er "aan de bovenzijde van het economische spectrum" veel meer bestedingsvrijheid bestaat. Aldus ontstaat ruimte voor 'vraaggeoriënteerde benaderingen'. "Ook kunnen we het beschikbare publieke geld veel scherper toeleiden naar de bevolkingsgroepen die het echt nodig hebben. Ineens kunnen we variëteit en kwaliteit met elkaar verbinden."[28]

Ook een ander warm voorstander van meer marktwerking in de publieke sector, organisatieadviseur Steven de Waal, wil het monopolie van de overheid op de finan-ciering van onderwijs en zorg zo snel mogelijk opheffen. Er is sprake van "een stuw-meer aan private koopkracht dat zich in moderne westerse landen ophoopt en dat zich juist richt op de sectoren waar tot voor kort staatsgefinancierde en gereguleerde organisaties het monopolie hadden: () onderwijs, goed wonen en zorg." Als we de private koopkracht in de non-profitsector niet toelaten, dan zoekt deze z'n weg elders: in het buitenland of in commerciële alternatieven. De burger wil voor onderwijs en dergelijke graag 'zelf in de buidel tasten' en zal een verbod daarop niet lang meer accepteren. "De enorme herverdeling via de belastingen past niet meer bij een samenleving waar burgers steeds zelfsturender en kritischer worden."²⁹

Een dergelijke stellingname roept wel enkele vragen op, om te beginnen van empirische aard. Is het bijvoorbeeld wel waar dat er zich in landen als Nederland een 'stuwmeer aan private koopkracht' heeft gevormd, dat tot een vergaande vergroting van de particuliere bestedingsvrijheid op terreinen als onderwijs en zorg dwingt? Hoe groot is de kans dat, als we op de oude, publieke voet doorgaan, die koopkracht een weg naar de commercie en/of naar het buitenland zal vinden? En is de 'enorme herverdeling via de belastingen' in ons land (nog los van de vraag hoe enorm die eigenlijk is) inderdaad ten dode opgeschreven? Met betrekking tot het programma dat de auteurs vervolgens ontvouwen valt op met hoeveel gemak ze een vergaande hervorming van de verzorgingsstaat in het vooruitzicht stellen – met voorbijgaan aan de meest voor de hand liggende vragen en bezwaren.

Bijvoorbeeld: hoe moeten we ons een publieke sector voorstellen, waarin mensen met een hoger inkomen voor zichzelf betalen, en daarna ook nog eens voor de basisvoorzieningen waarop het minder welvarende deel van de samenleving recht heeft? Wat betekent dat voor de kwaliteit en het aanzien van die basisvoorzieningen? En zullen de beter betaalden staan te trappelen om aldus hun 'stuwmeer aan private koopkracht' te besteden? Of is het de snelste weg naar een tweedeling in de verzorgingsstaat, waarbij de rijken voor hun eigen voorzieningen betalen en de publieke sector er voortaan vooral voor de armen is? Wat zijn de voor- en nadelen van een dergelijke selectieve verzorgingsstaat, die In 't Veld kennelijk voor ogen staat (meer geld toeleiden 'naar de mensen die het werkelijk nodig hebben')? Over dat alles zou men, zeker vanuit sociaal-democratisch perspectief (beide auteurs zijn prominent lid van de Partij van de Arbeid) wel wat meer willen weten.

Het belangrijkste bezwaar is echter dat de auteurs dergelijke moeilijke vragen ontwijken door in hun voorstellen harde en zachte marktwerking, hervormingen binnen de bestaande publieke sector en radicale private alternatieven onbekommerd met elkaar te vermengen. In 't Veld wil "zo spoedig mogelijk overstappen op vraagfinanciering en (!) vouchers", (verplichte) particuliere bijdragen in het initieel onderwijs niet uitgezonderd. De Waal wil "hetzij invoering van eigen bijdragen, hetzij kunstmatige marktfinanciering (denk aan het persoonsgebonden budget of vouchers), hetzij gerichte inzet van het belastinginstrumentarium"!³⁰ Waar de publieke vraagsturing eindigt en de private vraagsturing (met alle consequenties van dien) begint, is niet meer uit te maken. Zo wordt de publieke sector – ongericht en onbedoeld – onttakeld en wint de achteloosheid het ruimschoots van de verbeeldingskracht.

Eenzelfde heilloze vermenging van publiek en privaat domein is aan te treffen in de pleidooien voor 'maatschappelijk ondernemerschap' in de publieke sector – van De Waal, maar ook van vooraanstaande CDA'ers als Peter-Jan Balkenende en Ab Klink.[31] Op het eerste gezicht wordt de scheiding tussen commerciële bedrijven in de marktsector en niet-commerciële bedrijven in de publieke sector door hen zwaar aangezet. Maatschappelijke ondernemingen vormen een 'derde sector' ('grass-roots-achtig') tussen markt en staat. Het gaat om een combinatie van ondernemerschap en sociale doelstellingen, om "missiegedrevenheid, zinvolheid en maatschappelijke betekenisgeving" – mede gewaarborgd doordat gemaakte winsten niet worden uitgekeerd, maar "op het niveau van de holding ten goede komen aan de hoofddoelstelling". Maatschappelijke ondernemers worden "in eerste instantie actief vanuit een besef van burgerplicht, zonder winstprikkel of subsidiebejag".[32]

Deze vereenzelviging van de maatschappelijke onderneming met de 'civil society' is door SCP-onderzoeker Paul Dekker terecht gekritiseerd. Dat organisaties "markt noch staat" zijn, "verschaft (hen) nog niet de positieve trekken van door vrijwilligheid of gemeenschapszin gedragen verbanden". Om de grootschalige non-profitsector "weer wat glans te verschaffen, worden de voetbalclub en de buurtorganisatie ten onrechte als pars pro toto gebruikt".[33] Maar niet alleen worden non-profitsector en 'civil society' onvoldoende uit elkaar gehouden, ook blijkt het onderscheid tussen het commerciële en het 'maatschappelijke', niet-commerciële ondernemen veel minder groot dan aanvankelijk werd gesuggereerd. 'Profit' en 'non-profit', zo stellen De Waal en Klink gezamenlijk vast, groeien naar elkaar toe. Commerciële bedrijven zijn zich steeds meer bewust van hun maatschappelijke verantwoordelijkheid, bijvoorbeeld op ecologisch gebied.

Omgekeerd verdienen steeds meer non-profitinstellingen privaat bij. Anders dan het CDA (Klink: "Het zal sterk van de sector afhangen waarover je spreekt") vindt De Waal dat ook zonder voorbehoud een goede ontwikkeling. Hij bepleit invoering van commerciële organisatievormen als de 'maatschap' in het onderwijs en afschaffing van het verbod dat in sommige sectoren nog bestaat op het verrichten van commerciële nevenactiviteiten. "Als er maar sprake is van een goede scheiding van beide geldstromen en het private geld gebruikt wordt voor de non-profitdoeleinden." Nonprofitondernemingen zouden ook de kans moeten krijgen om te bewijzen "dat nonprofit beter is dan profit. Als je daar een zekere fasering in aanbrengt is dat zeker mogelijk. Je houdt de markt een tijdje dicht totdat de non-profit de concurrentie aankan en daarna kan deze worden opengegooid."[34]

Nog los van de vraag wie er dan aan het langste eind zal trekken: hier is het onderscheid tussen publiek en privaat ondernemerschap vrijwel opgeheven. Wat begon als een pleidooi voor 'non-profit' in de publieke sector, bij wijze van niet-commercieel alternatief voor bureaucratische organisatievormen, blijkt uit te lopen op een verhandeling hoe 'non-profit' (of liever gezegd: 'semi-profit') de particuliere sector kan veroveren. Alles is bedrijfsleven geworden. De Waal stapt daarbij luchtig heen over essentiële verschillen tussen de particuliere en de publieke sector (hij spreekt bijvoorbeeld over concurrentie in het basisonderwijs om leerlingen en leraren, die "in niets afwijkt van die tussen commerciële partijen") en voert het verschil tussen 'commercieel' en 'niet-commercieel', bijvoorbeeld als het om de universiteiten gaat, terug op de vraag of winsten al dan niet uitgekeerd worden – kennelijk in de hoopvolle verwachting dat onafhankelijkheid en andere wetenschappelijke waarden vanzelf wel intact zullen blijven.[35]

De CDA'ers zijn, zoals gezegd, terughoudender in dit opzicht, maar willen school en ziekenhuis toch ook als een 'onderneming' bestempelen, onderworpen aan het mededingingsbeleid; ze zien profit en non-profit naar elkaar toegroeien, en beschouwen het 'voucher'-systeem als de financiële basis van de publieke sector van de toekomst. Wat ze ook met De Waal delen is een nauwelijks verholen afkeer van alles wat overheid is, waarin we de uitgangspunten van de Amerikaanse 'public choice'-economie herkennen.[36] De Waal spreekt van "een laag, typische staatsniveau" als hij verwaarloosde voorzieningen wil typeren; Klink van een overheid die "inspiratie en betrokkenheid wegsaneert".

De Waal meent dat "voor het innoveren en moderniseren van (de) publieke voorzieningen de overheid niet () geschikt is". En gevraagd of sociale doelstellingen en burgerzin in de huidige non-profitsector nu wel zo'n grote rol spelen, antwoordt hij: "De verstatelijking is in de genen van de topmanagers van allerlei grote non-profit instellingen gaan zitten."[37]

De auteur acht – op zichzelf consequent voor wie de 'maatschappelijke onderneming' moeiteloos van de publieke naar de particuliere sector (en weer terug) laat switchen – een duidelijke scheiding tussen 'publiek' en 'privaat' "niet mogelijk, niet noodzakelijk en ook niet gewenst". Daar tegenover wil ik de stelling verdedigen dat zo'n onderscheid essentieel is. Onder het motto dat overheid en markt alleen maar instrumenten zijn, en dat het er alleen om gaat de dienstverlening zo effectief mogelijk te organiseren, is het onderscheid tussen 'publiek' en 'privaat' (waaronder: de mate waarin het algemeen belang in het geding is, de aard en intensiteit van de verantwoordelijkheid van de overheid, de mate waarin de burger zijn/haar consumentenbelang kan laten prevaleren) vervaagd. Het is heel goed mogelijk dat de balans tussen publieke en private verantwoordelijkheid aan herziening toe is; het kan ook zijn dat de publieke sector anders ingericht zal moeten worden. Maar dat bereikt men niet door het onderscheid publiek/privaat weg te relativeren respectievelijk onder zuiver technisch-instrumentele argumenten te bedelven.

In dat opzicht heeft harde marktwerking, hoe discutabel ook, een streepje vóór op de zachte marktwerking, die als een broeierige deken over het debat over de hervorming van de publieke sector in ons land is komen te liggen.

Tot slot: de marktwerking voorbij

Hoe moet het anders? Tot slot van deze bijdrage formuleer ik, in het verlengde van de voorgaande kritiek op het marktdenken in de publieke sector, een drietal aanbevelingen. Ik zal daarbij opnieuw nadruk leggen op het basis- en voortgezet onderwijs, maar met andere publieke voorzieningen, in het bijzonder de gezondheidszorg, nadrukkelijk in gedachten.

A. De terugkeer van de professionals

De afgelopen jaren stond 'de school' als bestuurlijke eenheid in het (debat over) onderwijsbeleid centraal. De vraag was of en hoe die school moet worden aangestuurd: niet of nauwelijks ('de scholen zijn zelf verantwoordelijk'), door de consument (de marktwerkingsfilosofie) of door de 'afrekenende' overheid (de bedrijfsmatige benadering). Over de leraren werd nauwelijks gesproken. Hetzelfde deden overigens degenen die het decentralisatie- en dereguleringsbeleid vooral ten gunste van de schoolbestuurders zagen uitpakken en nieuwe countervailing powers in stelling wilden brengen: inspecties, gemeentebesturen, burgerinitiatieven. Ook bij hen van de onderwijsgevenden geen spoor, op een enkele passage over de centrale rol van de leraar na ("Dat is het sociale kapitaal waarmee gewerkt moet worden.").[38]

In de hiervoor behandelde marktwerkingsliteratuur duiken de professionals af en toe op. Bij In 't Veld bijvoorbeeld, die een interessante beschouwing wijdt aan professionalisering en professionele cultuur in het onderwijs ("In een organisatie van gelijken is een speciale rol weggelegd voor de schoolleiders en begeleiders. Zij zijn er om de frontlinie succesvol te doen zijn bij het echte werk: het inspireren van leerlingen om het maximale uit zichzelf te halen.")[39] En in het recente onderwijsrapport van het wetenschappelijk instituut van het CDA, dat het belang van 'beroepstrots' van leraren benadrukt en aandacht vraagt voor de pedagogische cultuur in het onderwijs.[40] Maar dergelijke passages worden vervolgens weer bedolven onder het technisch-instrumentele geweld van aansturing en autonomie, van vraagsturing en van de metafoor van de markt.

Het ontbreken van aandacht voor leraren en het leraarschap is des te verbazingwekkender omdat zich daar nu juist één van de meest urgente problemen in het onderwijs manifesteert: een 'lerarencrisis', met als belangrijkste kenmerken een groot tekort aan docenten, een slecht imago en ziekte en/of voortijdig vertrek door overbelasting of frustratie over werkomstandigheden en het overheidsbeleid. Daar zou – heel praktisch – het onderwijsdebat opnieuw kunnen beginnen. Hoe het leraarschap weer aantrekkelijk te maken; hoe scholen, vanuit het belang van een deskundig en betrokken docentenkorps, beter toe te rusten en de opleiding te verbeteren? En in het verlengde daarvan: wat verandert er in de omgeving van het onderwijs, welke verschuivingen doen zich aan de vraagzijde voor, en met welke onderwijskundige en pedagogische uitgangspunten worden die veranderingen tegemoet getreden?

Deze terugkeer van de professionals in het onderwijsbeleid wil allerminst zeggen dat aan hen een vrijbrief moet worden verstrekt. Controle en ondersteuning is noodzakelijk (van overheidswege, door de ouders, door een actieve *civil society*); een stimulerende onderwijspolitiek blijft geboden. Maar door de leraar (en daarmee: het educatieve proces) centraal te stellen wordt een halt toegeroepen aan simplistische opvattingen over wie het onderwijs moet 'runnen' (Zoetermeer; Koning Klant; de schoolbesturen) en waarbij de docenten meestal uitsluitend lijdend voorwerp zijn.

B.   Uit de bestuurskundige fuik

De belangrijkste opgave voor het onderwijsbeleid is om uit de bestuurskundige fuik te komen waarin het de afgelopen jaren beland is. In plaats van weer een nieuw besturingsinstrumentarium te ontwerpen zouden we de discussie moeten richten op de doelstellingen van het onderwijs; de aandacht verschuiven van procedures naar inhoud.

Door de professionals en het educatieve proces voorop te stellen, zo luidt mijn stelling, komt men 'vanzelf' in de buurt van onderwerpen die de afgelopen jaren zo onderbelicht bleven: de belangrijkste problemen waarmee het onderwijs geconfronteerd wordt (het lerarentekort, een schrikbarend hoog aantal *drop-outs*, mondiger en minder schoolgerichte leerlingen) – en hoe daar inhoudelijke oplossingen voor te vinden; veel meer aandacht voor de inhoud van het onderwijs. Wat houdt hedentendage 'goed onderwijs voor allen' in? Wat is de verhouding tot de arbeidsmarkt respectievelijk tot culturele vorming? Wat is het belang van waardeoverdracht en hoe verhoudt die zich tot de verzuiling van het onderwijs (de multiculturele samenleving!)?

Zo'n cultuur-pedagogisch debat, zo heeft Jaap Dronkers opgemerkt, is – ook voor wie zich om een meer gelijke verdeling van onderwijskansen bekommert – veel belangrijker dan de zoveelste aanpassing van het onderwijs aan de mogelijkheden en wensen van leerlingen of "een herhaling van zetten over het juiste tijdstip van de eerste selectie".[41]

C.   De verdediging van het publiek domein

De terugkeer van de leraar in het onderwijsbeleid en de ontsnapping uit de bestuurskundige fuik waarin dat beleid is beland, is niet mogelijk zonder zich tegen de gesignaleerde sluipende privatisering van het onderwijs te verzetten.

Zeker in de initiële fase vormt onderwijs een goed waarmee zo veel individuele en maatschappelijke belangen zijn gemoeid (economisch, sociaal-cultureel, democratisch) en dat zodanig van aard is (belangeloze kennis- en waardeoverdracht; opvoeding tot zelfstandigheid) dat het niet als een gewoon consumptiegoed behandeld mag worden; dat het buiten de commerciële sfeer gehouden moet worden. Inderdaad: 'marktwerking in het onderwijs is een slecht idee.' Het behoort naar zijn aard, zijn maatschappelijke functies en zijn externe effecten tot het publieke domein, niet tot het marktdomein – hoe goed de publieke belangen bij dat onderwijs in zo'n marktsetting ook 'geborgd' zouden kunnen worden.[42]

Het aanmerken van het onderwijs als een publieke voorziening impliceert:
– medeverantwoordelijkheid van de overheid voor het onderwijs in het algemeen; eindverantwoordelijkheid voor het openbaar onderwijs. Over de mate van (de)centralisatie en over de responsiviteit van het beleid is daarmee nog niets gezegd, wel over de 'autonome school'-hype die we thans beleven en over de economisch-liberale misvatting dat de overheid in het onderwijs geen uitvoerende taken zou kunnen vervullen;
– een grote terughoudendheid ten aanzien van private financiering (sponsoring,

eigen bijdragen) en van het gebruik van financiële prikkels. Het nastreven van efficiency en het anderszins zuinig omspringen met publieke middelen; zekere financiële 'incentives' als onderdeel van een breder (arbeidsvoorwaarden)beleid: het is heel wat anders dan de homo economicus in het onderwijs los te laten;

– relativering van de consumentensoevereiniteit in het onderwijs; herwaardering van de brede, veelzijdige en soms ook tegenstrijdige rol die burgers in het onderwijs kunnen spelen – als gebruiker, als buurtbewoner, als vrijwilliger, als lid van een politieke gemeenschap; herwaardering ook van de functie van inter-mediaire organisaties (lokaal/nationaal/Europees), niet alleen als 'countervailing powers', maar ook als dragers van vernieuwing en maatschappelijke betrokkenheid.

Maar het begint allemaal met een opdracht die elke betrokkene bij het onderwijs en het onderwijsbeleid, in welke rol dan ook, zichzelf kan stellen: namelijk om over dat onderwijs na te denken en te discussiëren zonder (al is het maar een uur) de woorden 'onderneming', 'vraagsturing' en 'afrekenen op resultaat' te gebruiken; door de zachte marktwerking even helemaal uit het hoofd te zetten. Gaat dat goed, dan doen we hetzelfde de volgende keer met de gezondheidszorg.

Noten

1. De term is ontleend aan J. Le Grand en W.Bartlett, *Quasi-markets and social policy*, Macmillan, Basingstroke 1993. Zie voor een toepassing op het Nederlande marktwer-kingsbeleid: W.Trommel, O. van Heffen en R. van der Veen, 'Marktwerking in de publieke sector', *Beleid en Maatschappij* 28 (2001)/3, p. 30-138.
2. Zie voor een recente kritiek E. van Thijn e.a., 'Privatisering en de hervorming van de publieke sector', *Socialisme & Democratie* 59 (2002)/1, p. 16-27.
3. A.Postma e.a., *Vertrouwen in talent. Ruimte voor onderwijs met een missie*, Wetenschappelijk Instituut voor het CDA, Den Haag 2001, p. 42.
4. De citaten zijn ontleend aan de (concept-)verkiezingsprogramma's van CDA (*Betrokken samenleving, betrouwbare overheid*), VVD (*Ruimte, respect en vooruitgang*) en PvdA (*Samen voor de toekomst*).
5. Zie hierover M.Walzer, *Spheres of justice. A defence of pluralism and equality*, Basic Books, New York 1983.
6. Zie voor een kritiek 'uit eigen huis': F.Becker e.a. (red.), *Om de kwaliteit van het onderwijs: het Negentiende jaarboek voor het democratisch socialisme*, Amsterdam, Wiardi Beckman Stichting / De Arbeiderspers, 1999. Al eerder kritiseerde Hans Wansink de planmatige onderwijspolitiek van de sociaal-democratie – overigens vanuit het marktwerkings- en consumentenperspectief dat in deze bijdrage op de korrel wordt genomen. H.Wansink, *Een school om te kiezen. Naar een actuele onderwijspolitiek*, Bert Bakker / Wiardi Beckman Stichting, Amsterdam 1992.
7. Vgl. bijvoorbeeld *Sociaal en cultureel rapport 2000*, Sociaal en Cultureel Planbureau, Den Haag 2000.
8. Vgl. S. Waslander, *Koopmanschap en burgerschap. Marktwerking in het onderwijs*, Universiteit van Groningen, Groningen 1999.

9. J.M.G. Leune, 'Onderwijskwaliteit en de autonomie van scholen', in: J.M.G.Leune, *Onderwijs in verandering. Reflecties op een dynamische sector*, Wolters-Noordhoff, Groningen 2001 (1994), p. 155-185.

10. In dat opzicht kan gesproken worden van een 'privatisering' van het openbaar onderwijs. Zie voor deze ontwikkeling het artikel van Erik Dees elders in deze bundel.

11. P. Hilhorst, *De wraak van de publieke zaak*, De Balie, Amsterdam 2001, p. 83.

12. Vgl. hierover: O. van Heffen, W. Trommel en R. van der Veen, 'Marktwerking in drie beleidsvelden vergeleken', *Beleid en Maatschappij* 28 (2001)/3, p. 181.

13. R.L.M. Scheerder, 'De sturing van het aanbod in de zorgsector', *Christen Democratische verkenningen* 6 – 1999, p. 16. Zie ook: R.L.M. Scheerder, 'De schemerzone van het maatschappelijk ondernemen', *Christen Democratische verkenningen* 7/8/9 – 2000, p. 74-79.

14. G. de Vries, *Het pedagogisch regiem. Groei en grenzen van de geschoolde samenleving*, Meulenhoff, Amsterdam 1993.

15. De uitdrukking is ontleend aan P. Dekker. Vgl. 'CDV in gesprek over revitalisering van de non-profitsector', in: *Christen Democratische Verkenningen* 6/7/8 – 2001, p. 121.

16. J.M.G. Leune, 'Vrijheid van onderwijs anno 2000', in: J.M.G. Leune, *Onderwijs in verandering*, 2001 (2000), p. 228.

17. W. Mejnen, 'Een pleidooi voor behoedzaamheid. De gevolgen van de modernisering van het curriculum voor leerlingen uit achterstandssituaties', in: F.Becker e.a. (red.), *Om de kwaliteit van het onderwijs. Het negentiende jaarboek voor het democratisch socialisme*, p. 106.

18. J. Dronkers, 'Nieuw studiehuis ondermijnt gelijkwaardigheid scholen', in: *NRC Handelsblad*, 18 januari 2000.

19. Vgl. P. Kalma, 'De burger de baas? Paars, de PvdA en de publieke sector', *Socialisme & Democratie* 58 (2001)/5, p. 196-206.

20. A. Postma e.a. *Vertrouwen in talent*, p. 50.

21. H. Oosterbeek, 'Marktwerking in onderwijs is slecht idee', *Het Financieele Dagblad* 20 april 2001.

22. Een dergelijke stelling betrekt A. van der Zwan in: 'Het klassieke drama van een nieuwe maatschappelijke onderklasse. Over allochtone (onderwijs)achterstanden', *Socialisme & Democratie*, 58 (2001)/4, p. 131-146.

23. 'Het besef dat meten nog geen weten is, wordt in toenemende mate onderkend.' R. Goudriaan, 'Ontwikkeling doelmatigheidsonderzoek in Nederland', in: *Doelmatigheid in de publieke sector in perspectief*, Den Haag, Sociaal en Cultureel Planbureau, 2001, p. 32.

24. Vgl. J.M.G. Leune, 'Onderwijskwaliteit en de autonomie van de scholen', p. 176.

25. P. Schnabel, 'Bedreven en gedreven. Een heroriëntatie op de rol van de rijksoverheid in de samenleving', in: *Verkenningen: bouwstenen voor een toekomstig beleid*, Den Haag, Sdu, 2001, p. 16, 21.

26. Zie hierover bijvoorbeeld J.M.G. Leune, 'Onderwijskwaliteit en onderwijsvrijheid', in: J.M.G. Leune, *Onderwijs in verandering*, 2001 (1999), p. 205-215.

27. De bedrijfsmatige aanpak vindt men o.a. verwoord in de nota 'Aan de slag met onderwijsachterstanden' van staatssecretaris Adelmund (ministerie van Onderwijs, Cultuur en Wetenschappen, Zoetermeer 2000). Zie voor een kritiek: A. van der Zwan, 'Het klassieke drama van de nieuwe maatschappelijke onderklasse'.

28. R. in 't Veld, 'Onderwijs: bevrijding uit de beleidsgevangenis', in: J. Bussemaker en R. van der Ploeg (red.), *Leven na paars?*, Prometheus, Amsterdam 2001, p. 87. Zie ook: 'CDV in gesprek over vouchers', *Christen Democratische Verkenningen* 4 – 2000, p. 3-7.

29. 'Diskwalificatie maatschappelijk ondernemen riskant', *Christen Democratische Verkenningen*, 7/8/9 – 2000, p. 57-66; 'CDV in gesprek over revitalisering van de non-profitsector', p. 114-125. Zie ook: S.P.M. de Waal, *Nieuwe strategieën voor het publiek domein. Maatschappelijk ondernemen in de praktijk*, Samson, Alphen aan den Rijn 2000.

30. 'CDV in gesprek over vouchers', p. 7; 'Onderwijs: bevrijding uit de beleidsgevangenis', p. 85-86; 'Diskwalificatie maatschappelijk ondernemen riskant', p. 64-65.
31. Vgl. 'CDV in gesprek over revitalisering van de non-profitsector', p. 114-125; J.P. Balkenende en G. Dolsma, 'De maatschappelijke onderneming in de gezondheidszorg', *Christen Democratische Verkenningen* 7/8/9 – 2000, p. 67-73.
32. 'CDA in gesprek over revitalisering van de non-profitsector', p. 120; 'Diskwalificatie maatschappelijk ondernemen riskant', p. 58, 63; S.P.M. de Waal, *Nieuwe strategieën voor het publieke domein*, p. 36.
33. 'CDV in gesprek over revitalisering van de non-profitsector', p. 116. Vgl. ook P. Dekker, 'De Nederlandse non-profitsector gemeten en vergeleken: conclusies en perspectieven', in: A. Burger en P. Dekker (red), *Noch markt, noch staat. De Nederlandse non-profitsector in vergelijkend perspectief*, Sociaal en Cultureel Planbureau, Den Haag, p.297. De Waal erkent overigens dat het 'morele gehalte' van (de leiding van) grote non-profitinstellingen vaak te wensen overlaat en bepleit in dat verband adequaat intern en extern toezicht ('corporate governance'). Zie: 'Diskwalificatie maatschappelijk ondernemen riskant', p. 64.
34. 'CDV in gesprek over revitalisering van de non-profitsector', p. 123.
35. Ik suggereer hiermee allerminst dat universiteiten geen contract-onderzoek en dergelijke zouden mogen doen. Maar de gevaren en bezwaren die bij het verrichten van dergelijke commerciële activiteiten rijzen, moeten op het niveau van het onderzoek zelf het hoofd worden geboden. Dat het verdiende geld 'op het niveau van de holding aan de hoofddoelstelling ten goede komt', garandeert helemaal niets.
36. Zie over de 'public choice'-benadering: W. Trommel, O. van Heffen en R. van der Veen, 'Marktwerking in de publieke sector', p. 132.
37. S.P.M. de Waal, *Strategieën voor het publieke domein*, p. 19, 26; 'CDV in gesprek over revitalisering van de non-profitsector', p. 119.
38. P. Hilhorst, *De wraak van de publieke zaak*, p. 86. Zie ook: J. van der Meer en M. Ham, *De verplaatsing van de democratie*, De Balie, Amsterdam 2001.
39. R.J. in 't Veld, 'Onderwijs: bevrijding uit de beleidsgevangenis', p. 90. Zie ook S.P.M. de Waal, *Nieuwe strategieën voor het publieke domein*, p. 201-202.
40. A. Postma e.a., *Vertrouwen in talent*, p. 17 e.v..
41. J. Dronkers, 'Onderwijsongelijkheid en onderwijsexpansie', *Socialisme & Democratie* 56 (1999)/5, p. 239-241. Zie ook: J.D. Imelman, 'Een cultuurpedagogisch pleidooi voor het onderwijs', *Socialisme & Democratie* 56 (1999)/3, p. 125-132.
42. In dat opzicht blijft het rapport van de WRR over privatisering, hoezeer ook een verademing temidden van de talrijke economisch-liberale verhandelingen over het onderwerp, in een te instrumentele benadering steken. Zie: *Het borgen van het publieke belang*, Wetenschappelijke Raad voor het Regeringsbeleid, Den Haag 2000.

13 Een sociaal-liberale visie op het Nederlandse onderwijsbestel

Erik Dees

Inleiding

De toekomst van de non-profitsector in Nederland kan in principe op twee manieren worden besproken: de overeenkomsten en verschillen tussen de non-profits op uiteenlopende terreinen van maatschappelijke activiteit en overheidszorg centraal stellen, of focussen op non-profits in relatie tot andere organisaties en instellingen in dezelfde sector. In dit hoofdstuk is voor het laatste gekozen: het gaat uitsluitend over het onderwijs. Dit onderwerp verdient alle aandacht, vanwege de aard van ons onderwijsbestel en vanwege de problemen die zich voordoen. De formele en de materiële aspecten van het onderwijs worden in hun onderlinge samenhang behandeld.

Het onderwijs in ons land is als een flinkgebouwde patiënt met een ernstige virusinfectie onder de leden die steeds meer klachten veroorzaakt. Ofschoon het, zo op het oog, met de inhoudelijke kwaliteit van het Nederlandse onderwijs nog steeds redelijk goed gesteld is, wijst een aantal negatieve ontwikkelingen op een sombere toekomst. Het beroep van leraar is steeds onaantrekkelijker geworden, ondanks enkele maatregelen die de laatste jaren zijn genomen. De vele jaren van bezuinigingen ervoor hebben hun sporen nagelaten. Het lerarentekort dreigt dramatische vormen aan te nemen.

Een andere negatieve ontwikkeling is de schaalvergroting, die van veel scholen ware leerfabrieken heeft gemaakt. Resultaat: een onpersoonlijke, kille omgeving waarin de leerling zich vaak verloren voelt, waarin de menselijke maat ontbreekt.

Schaalvergroting is met name toegepast in het voortgezet onderwijs, maar komt ook in toenemende mate voor in het basisonderwijs.

Er moet heel veel gebeuren, maar langs welke lijnen? Veel meer geld de scholen inpompen, privatiseren? Moet het onderwijsbestel worden gewijzigd of kan binnen het bestaande naar verbetering worden gestreefd? Zijn de rollen van overheid, ouders en leerkrachten aan verandering toe?

In het vervolg wordt geprobeerd een antwoord op die vragen te geven.[1] Uitgangspunt is de wijze waarop het onderwijs nu is georganiseerd en gefinancierd. Alvorens het huidige bestel te bespreken en ideeën voor de toekomst te bieden, is het echter goed het onderwijs eerst te positioneren in de samenleving.

De Nederlandse samenleving is te verdelen in drie domeinen: de overheid, het bedrijfsleven, en de non-profitsector. Deze indeling geeft echter de maatschappelijke realiteit niet zuiver weer. Het is een ideaaltypische voorstelling. In de werkelijke samenleving is het onmogelijk om de drie domeinen van elkaar te onderscheiden. Er ontstaan steeds meer mengvormen en organisaties of instellingen nemen eigenschappen over van die in een ander domein.

De onoverzichtelijkheid wordt nog vergroot doordat organisaties die tot één bepaalde maatschappelijke sector behoren soms verspreid zijn over verschillende domeinen. Neem de gezondheidszorg. De zorginstellingen waren vanouds al te vinden bij de overheid en in het non-profitdomein, maar in toenemende mate komt daar het domein van het bedrijfsleven bij. In de thuiszorg is winstgevendheid al een aantal jaren mogelijk, en wat de Raad voor Volksgezondheid en Zorg betreft heeft dat ook in breder verband de toekomst. In een recent rapport adviseert de raad zorginstellingen het recht te geven om naar winst te streven.[2]

Als duidelijke voorbeelden van non-profits in het onderwijs worden vaak de bijzondere scholen genoemd. Hun ontstaan is te danken aan particulier initiatief, ze kennen een eigen bestuur, streven niet naar winst en dienen een algemeen maatschappelijk belang. Met die laatste twee kenmerken stuiten we echter op belangrijke overeenkomsten met scholen die door de overheid bestuurd worden: de openbare. Nog een overeenkomst tussen bijzondere en openbare scholen is de omvangrijke wet- en regelgeving die op beide schooltypen in gelijke mate van toepassing is.

Naast openbare en bijzondere scholen bestaan in Nederland, op zeer beperkte schaal, privé-scholen. Deze vallen uiteen in twee categorieën: zij die wel, en zij die niet winstgevend willen zijn. De eerste zijn een voorbeeld van particulier commercieel initiatief, en horen zonder meer thuis in het derde domein van de samenleving, die van het bedrijfsleven. De tweede zijn een voorbeeld van particulier niet-commercieel initiatief. Daarmee passen ze uitstekend bij het profiel van de non-profits. Ze zijn opgericht door groepen burgers, hebben een eigen bestuur en geen winstoogmerk. Ze zorgen daarnaast zelf voor hun inkomsten, en zijn dus niet afhankelijk van de overheid. Hun maatschappelijke betekenis is echter beperkt. Ze worden met name bezocht door kinderen van tamelijk kapitaalkrachtige ouders.

Van alle leerlingen gaat de overgrote meerderheid naar een bijzondere of een openbare school. Het aantal leerlingen op privé-scholen is verwaarloosbaar klein. In andere landen gaan leerlingen vaker naar privé-scholen (al of niet commercieel), maar daar zijn bijzondere scholen weer een onbekend fenomeen.

De tweedeling openbaar-bijzonder onderwijs is kenmerkend voor het Nederlands onderwijsbestel. In het vervolg staan beide onderwijstypen dan ook centraal. Vanuit de tweedeling wordt de toekomst van het onderwijsbestel besproken. Privé-scholen komen in het vervolg overigens wel weer terug. Ondanks het feit dat privatisering, met name de commerciële variant ervan, de laatste jaren tot enkele teleurstellende ervaringen heeft geleid in verschillende sectoren van de samenleving, zijn velen toch geneigd er het nodige van te verwachten.

Het huidige Nederlandse onderwijsbestel

Het Nederlandse onderwijsbestel is niet alleen bijzonder, het is zelfs uniek. Het is de uitkomst van de schoolstrijd die eind negentiende, begin twintigste eeuw in alle hevigheid heeft gewoed. Gedurende de negentiende eeuw werd het belang van goed onderwijs steeds meer onderkend en stegen de overheidsuitgaven navenant. Deze inspanning betrof echter alleen de openbare scholen. Aangezien de particuliere scholen (met name protestants-christelijke en rooms-katholieke) zichzelf financieel moesten bedruipen, dreigden zij achterop te raken. Tegelijkertijd groeide echter de behoefte onder het christelijke volksdeel aan 'eigen' onderwijs. In de schoolstrijd die volgde eisten de particuliere scholen het recht op gelijke financiering met behoud van de zeggenschap over de inhoud van het onderwijs, oftewel de richting. Uiteindelijk werd de schoolstrijd beëindigd met de pacificatie van 1917, waarbij aan hun eisen tegemoet werd gekomen.

Het concrete resultaat was een aantal bepalingen in de Grondwet, tegenwoordig terug te vinden onder artikel 23. Hierin is onder andere bepaald dat het geven van onderwijs vrij is, behoudens het toezicht van de overheid (bijvoorbeeld de bevoegd-heidsregeling). Het staat groepen burgers dus vrij om een eigen, bijzondere school op te richten. Hiermee is de klassieke vrijheid van onderwijs omschreven.

Scholen voor bijzonder onderwijs worden naar dezelfde maatstaf als het openbaar onderwijs door de overheid bekostigd. De eisen van deugdelijkheid worden wettelijk vastgesteld. De keuze van leermiddelen staat vrij, evenals de aanstelling van onder-wijzers. Om de rol van de overheid te onderstrepen is tevens vermeld dat het onder-wijs 'een onderwerp van aanhoudende zorg der regering' is. Dit betekent in concreto dat de overheid de zorg heeft voor het gehele onderwijs, dat wil zeggen voor alle openbare en bijzondere scholen in zowel het basis- als het voortgezet onderwijs. Deze garantie van overheidszorg is een sociaal grondrecht, vergelijkbaar met de inspanningen die de overheid zich volgens de Grondwet dient te getroosten op de gebieden van werk en huisvesting. De overheidszorg is in omvangrijke wet- en regel-geving vastgelegd en strekt zich uit tot allerlei deelterreinen.

Bijzondere scholen hebben een eigen schoolbestuur. Wanneer burgers (veelal de ouders) een eigen, bijzondere school willen oprichten, hebben zij het recht, maar tegelijkertijd ook de verantwoordelijkheid toe te zien op een goed bestuur.

Bij openbare scholen vormt het gemeentebestuur het bevoegd gezag. Dit betekent dat het gemeentebestuur (gemeenteraad en College van Burgemeester en Wethouders) twee verschillende verantwoordelijkheden heeft: het algemene toezicht op al het onderwijs binnen de gemeentegrenzen en het meer praktijkgerichte bestuur over de scholen voor openbaar onderwijs. Een dubbele pet dus.

De schoolstrijd en de wettelijke neerslag ervan kwamen voort uit een maat-schappij die in sterke mate door het christelijke geloof beheerst werd. De kerk (zowel de rooms-katholieke als de verschillende protestants-christelijke kerken) had een sterke invloed op de leefwereld van de burgers, terwijl het openbare leven vol-gens liberale principes georganiseerd was. Ook gedurende het grootste gedeelte van de twintigste eeuw, toen de socialistische of sociaal-democratische stroming een nieuwe zuil had gevormd, bleef die invloed bestaan. In de verzuilde samenleving wist men binnen de confessionele zuilen volop gebruik te maken van de mogelijk-heid die artikel 23 van de Grondwet bood.

Als gevolg van sterk met elkaar samenhangende trends als individualisering en secularisatie is de samenleving sinds de jaren zestig in hoog tempo veranderd. Maar daar waar tegenwoordig een ruime meerderheid van de Nederlanders zich niet meer kerkelijk gebonden acht en ook anderszins de samenleving ontzuild is geraakt, gaat een eveneens ruime meerderheid van de leerlingen naar een confessioneel-bijzondere school.3

Behalve de twee genoemde religies kunnen ook andere godsdienstig-levensbeschouwelijke of onderwijskundige en pedagogische overtuigingen de basis vormen voor een, door een particulier bestuur geleide, onderwijsinstelling. Hierdoor heeft het Nederlandse onderwijsbestel een nog gevarieerder aanzien gekregen. Naast openbare en confessioneel-bijzondere scholen (behalve de katholieke en protestantse bijvoorbeeld ook islamitische) bestaan tevens algemeen-bijzondere scholen voor vernieuwingsonderwijs, zoals Montessori-, Dalton- en Vrije Scholen.

De praktijk van de laatste jaren laat zien dat ook tussen de verschillende onderwijstypen weer combinaties gemaakt worden. Zo wordt, met name om bestuurlijk-praktische redenen, soms een aantal schoollocaties met verschillende identiteiten onder één schoolbestuur gebracht. Een ander voorbeeld van die versmelting is de samenwerkingsschool, op zichzelf staande scholen waar een combinatie van verschillende vormen van bijzonder, of een combinatie van openbaar en bijzonder onderwijs wordt gegeven. Ofschoon die laatstgenoemde mix in de praktijk al enige tijd voorkomt, ontbreekt de wettelijke basis ervoor nog steeds.

Privé-scholen kunnen van elkaar verschillen wat het winstoogmerk betreft, maar hebben met elkaar gemeen dat ze uit particulier initiatief zijn ontstaan, een eigen bestuur hebben, en niet van overheidswege worden gefinancierd. Mede vanwege dat laatste zijn de kosten voor de ouders van leerlingen een stuk hoger dan op collectief gefinancierde scholen. Privé-scholen onderscheiden zich van andere door hun gerichtheid op bepaalde doelgroepen of hun specifieke onderwijsaanbod. Een bekend voorbeeld vormen de scholen waar leerlingen onder intensief toezicht in één jaar twee leerjaren kunnen voltooien.

Veranderingen in het bestel

Onderwijs is van enorme betekenis voor de maatschappij, zowel in economische als in sociaal-maatschappelijke zin. In de economische, of, anders uitgedrukt, de beroepsvoorbereidende betekenis van het onderwijs vallen de belangen van de maatschappij en de individuele jongere samen. De maatschappij, zeker één die zich ontwikkelt tot ware kenniseconomie, heeft groot belang bij goed opgeleide burgers. De individuele jongere is vrijwel zeker van een goede plaats in die maatschappij als een schoolopleiding met succes wordt afgerond. Ten aanzien van dit belang doen zich geen grote verschillen voor tussen openbare en bijzondere scholen. Beide verzorgen onderwijs op alle denkbare leerniveaus, en stomen leerlingen klaar voor een vervolgopleiding.

Het sociaal-maatschappelijke belang, oftewel de socialiserende betekenis van het onderwijs, is minder eenduidig. Vanuit de maatschappij en de politiek kan deze worden uitgelegd als de mogelijkheid om integratie, vermindering van achterstanden, emancipatie enzovoort tot stand te brengen. Vanuit de individuele leerling en met name diens ouders geredeneerd duidt dit belang op de overdracht van waarden en bijbehorende normen die aansluiten bij die van henzelf. Ouders onderstrepen lang niet altijd dezelfde waarden. Omdat we in Nederland scholen in verschillende soorten en maten kennen hebben ouders de mogelijkheid de schoolkeuze mede af te stemmen op hun eigen inzichten.

Bij de beoordeling van het huidige onderwijsbestel gaan we ervan uit dat de economische en de sociaal-maatschappelijke betekenis van onderwijs optimaal gecombineerd moeten worden. Dat is niet eenvoudig, omdat sommige belangen strijdig kunnen zijn. Het algemene belang van integratie van achterstandsgroepen kan bijvoorbeeld botsen met het particuliere belang van een leerling en diens ouders om zo snel mogelijk en met zo goed mogelijke resultaten de schoolopleiding af te ronden.

Hierna worden, vanuit een sociaal-liberale visie, vier grootheden besproken die het onderwijsbestel in belangrijke mate bepalen c.q. dat zouden moeten doen. De eerste is de klassieke vrijheid van onderwijs. De tweede is de vrijheid van ouders om een school te kiezen voor hun kinderen. In het verlengde daarvan ligt de derde grootheid: de ouderparticipatie. De vierde is de betrokkenheid en verantwoordelijkheid van de overheid. De klassieke onderwijsvrijheid en de rol van de overheid komen rechtstreeks voort uit artikel 23 van de Grondwet. Keuzevrijheid en in het verlengde daarvan de ouderparticipatie hebben een basis in artikel 26 van de Universele Verklaring van de Rechten van de Mens (zie hierna). We zullen per onderwerp nagaan of verandering wenselijk, of zelfs noodzakelijk is.

De klassieke vrijheid van onderwijs

De klassieke vrijheid van onderwijs, uitgelegd als voorbeeld van ouders om op te komen voor het eigen belang (in feite dat van hun kinderen, indirect van hen) en tevens invloed uit te oefenen op de eigen leefomgeving, past uitstekend in de sociaal-liberale visie. Deze gaat ervan uit dat individuele burgers niet alleen verantwoordelijkheid dragen voor hun eigen leven, maar ook voor dat van anderen in hun omgeving.

De door de overheid te stellen eisen van deugdelijkheid bieden een tegenwicht aan de particuliere bestuursvorm en de vrijheid van richting. Openbare en bijzondere scholen moeten aan dezelfde kwaliteitseisen voldoen.

Eén van de zwakke aspecten van de onderwijsvrijheid is dat deze kan worden uitgelegd als een vrijbrief om niet-welgevallige leerlingen te weigeren. Iedere keer dat een leerling de toegang tot een school wordt geweigerd vanwege religieuze, etnische of maatschappelijke achtergrond is er sprake van een principieel misbruik van de bepalingen in artikel 23 van de Grondwet. Nergens is te lezen dat scholen het recht hebben leerlingen categorisch te weigeren. Het is een interpretatie die sommigen aan het artikel geven.

Vanuit sociaal-liberale gezichtshoek zou de gelijkwaardigheid van alle mensen ook in het onderwijs maatgevend moeten zijn. Artikel 23 van de Grondwet zou dan ook meer in de geest van artikel 1 van de Grondwet moeten worden uitgelegd. Dit artikel waarborgt gelijke behandeling in gelijke gevallen en verbiedt discriminatie. Voor volledig uit de algemene middelen gefinancierde instellingen zou dat een vanzelfsprekendheid moeten zijn, gezien het antidiscriminatiebeleid dat de overheid voorstaat.

Er zijn ook plausibele redenen voor scholen om leerlingen te weigeren, bijvoorbeeld op basis van het leerniveau. Leerlingen moeten aan bepaalde kwalificaties voldoen om onderwijs op een bepaald niveau te kunnen volgen. Bij de overstap van basisonderwijs naar voortgezet onderwijs is dat bijvoorbeeld de CITO-score, in combinatie met het advies van de school. Selectie op basis van het leerniveau wordt op zowel bijzondere als openbare scholen gehanteerd.

Wanneer scholen kunnen aantonen een extra grote aanwas van leerlingen niet te kunnen onderbrengen moet dat als reden van weigering worden geaccepteerd. De beste manier om er voor te zorgen dat de leerlingaanname bij overaanmeldingen correct en rechtvaardig verloopt is het opstellen en openbaar maken van een protocol waarbij scholen aangeven op basis van welke criteria ze leerlingen nog wel en ook niet meer toelaten. De inspectie dient toe te zien op de naleving ervan.

Een andere geldige reden doet zich voor wanneer ouders de grondslag van een (bijzondere) school niet willen onderschrijven.

Vrije schoolkeuze

De klassieke vrijheid van onderwijs botst dus soms met het principe van vrije schoolkeuze. Hoe vaker het eerste wordt gehanteerd om leerlingen te weigeren, des te vaker wordt het tweede gefrustreerd.

Ook de vrijheid van schoolkeuze is echter vanuit sociaal-liberaal perspectief een belangrijke manier om de individuele ontplooiing gestalte te geven. Als principe is die vrijheid vastgelegd in de Universele Verklaring van de Rechten van de Mens. Het zou dan ook goed zijn de nationale wetgeving aan te passen bij deze, overigens niet juridisch bindende, internationale overeenkomst. Daarmee wordt de klassieke vrijheid (op goede gronden) ingeperkt, maar ontstaat er een tweede wettelijke onderwijsvrijheid, namelijk die van ouders (al of niet samen met hun kind) om uit een bepaald aanbod van scholen vrij te kiezen.

Vergeleken met andere landen is de schoolkeuze in verschillende opzichten al behoorlijk vrij. Zo zijn er in de regel geen geografische beperkingen van kracht. Dit is in een aantal andere westerse landen wel het geval. Ouders zijn daar gebonden aan districten.[4] In Nederland krijgen ouders in verreweg de meeste gevallen toegang voor hun kinderen op de school naar keuze, ook als die vele kilometers bij het ouderlijk huis vandaan ligt.

Over het algemeen genomen zullen ouders kiezen voor een school die goed bekendstaat. Dit wordt onder andere bepaald door de doorstromings- en uitstroompercentages, het niveau van de leerlingbegeleiding, de faciliteiten enzovoort. Ook zullen ouders voorkeur hebben voor een school die nauw aansluit bij hun opvoedkundige principes.

Ofschoon de gereformeerde en islamitische volksdelen de denominatie (richting) van de school vaak nog wel belangrijk vinden, is de levensbeschouwelijke richting tegenwoordig minder doorslaggevend bij het bepalen van de schoolkeuze. Tegelijkertijd geven ook niet kerkelijk gebonden ouders vaak de voorkeur aan confessionele scholen.[5] Er wordt gewezen op de grote zorg waarmee de leerlingen worden omringd. Van confessionele scholen bestaat tevens het beeld dat er een ordelijke sfeer heerst. Bij de algemeen-bijzondere scholen voor vernieuwingsonderwijs worden vaak de speciaal ontwikkelde leermethoden genoemd die het lesgeven gevarieerder maken en beter aansluiten bij de belangstelling van de leerlingen.

Ook van belang voor ouders bij het maken van een keuze is de vraag of een school buitenschoolse opvang heeft geregeld. Als gevolg van de individualisering en emancipatie zijn steeds meer gezinnen tweeverdienershuishoudens.[6] Dit betekent dat ouders overdag soms moeite hebben de zorg voor hun kinderen op zich te nemen. Het is goed dat scholen zich hier in toenemende mate op instellen door na schooltijd voor opvang te zorgen. Natuurlijk moeten ze daar dan ook wel de middelen voor hebben. Ook ouders die alleen voor zowel de opvoeding van de kinderen als het inkomen zorgen hebben veel belang bij goede buitenschoolse opvang.

Een variant daarop vormen de brede geïntegreerde samenwerkingsverbanden met sportverenigingen, culturele instellingen en welzijnsinstellingen. Naast het verschaffen van dagelijkse opvang hebben deze brede scholen tevens als functie dat de jongeren een samenhangend en goed gecoördineerd pakket aan onderwijs en sportieve en culturele activiteiten wordt aangeboden en dat de verkokering van allerlei bij de opvoeding en ontwikkeling van jonge mensen betrokken organisaties wordt doorbroken.[7]

Als mondige, moderne burgers worden ouders steeds veeleisender ten aanzien van het onderwijsaanbod. Scholen zouden kunnen gaan inspelen op ouders die enigszins kapitaalkrachtig zijn en de bereidheid hebben om aanzienlijk hogere ouderbijdragen te betalen in ruil voor beter onderwijs. Het komt de kwaliteit van een school ongetwijfeld ten goede (meer geld voor kleinere klassen of nieuwe leermiddelen), maar de maatschappelijke ongelijkheid wordt er door bevorderd. Dit laatste is vanuit D66-standpunt een ernstig nadeel. Ouderbijdragen dienen beschouwd te blijven als bescheiden aanvulling van het schoolbudget.

Nog verstrekkender zijn de gevolgen wanneer, bij de aanhoudende malaise in het onderwijs, veeleisende en enigszins bemiddelde ouders het publiek gefinancierde onderwijs de rug zouden toekeren en hun heil zouden zoeken op een dure privé-school. Nog meer dan bij verhoging van de ouderbijdrage zal de kwaliteit van het onderwijs stijgen, maar de ongelijkheid in de samenleving zal ook des te meer toenemen. Wat blijft er dan over van het overheidsbeleid op het gebied van maatschappelijke samenhang en achterstanden en wat van het principe van gelijke kansen?

Enige mate van commerciële privatisering in het onderwijs is niet bezwaarlijk en kan zelfs voordelen met zich meebrengen, zoals uitbreiding van de onderwijsmiddelen. Maar wanneer private financiering medebepalend wordt voor de kwaliteit van de kernactiviteiten op individuele scholen begeeft het onderwijs zich op een hellend vlak. Omwille van de maatschappelijke cohesie en solidariteit dient het onderwijs in grote lijnen onder de (financiële) invloedssfeer van de overheid te blijven.

In de onderwijsverkenning *Grenzeloos leren* van het ministerie van Onderwijs, Cultuur en Wetenschappen is het als volgt geformuleerd: "Vanwege het publieke belang van het funderend onderwijs moeten alle scholen hun basiskwaliteit kunnen realiseren zonder afhankelijk te zijn van bijdragen van derden."[8] Overigens vervolgt het rapport met: "Verwerven van private inkomsten past in de autonomie van de school, zolang het maar op inzichtelijke wijze gebeurt en niet leidt tot selectie van leerlingen." Hier kan toch een addertje onder het gras zitten. Want hoe kunnen de gestelde voorwaarden worden geverifieerd? En in hoeverre zal de school particuliere financiering gaan najagen en wat moet daar dan tegenover komen te staan? Wordt hierdoor niet de deur naar commerciële privatisering opengezet? Terughoudendheid bij de medefinanciering door derden is zeer gewenst.

Voor het maken van een goede keuze moeten ouders over alle relevante informatie kunnen beschikken. Naast een beschrijving van de identiteit, activiteiten, ouderbijdrage en dergelijke stellen zij ook steeds meer belang in gegevens over doorstromings- en slagingspercentages. Schoolgidsen, rapportages (zowel van de scholen als van de Onderwijsinspectie) en dergelijke moeten daartoe openbaar zijn.

Het gevolg van openbaarmaking van alle relevante informatie is dat scholen in toenemende mate onderhevig zullen zijn aan marktwerking. Immers, wanneer een school haar leerlingaantal op peil wil houden of zelfs uitbreiden, dan moet zij zich afvragen welke eisen ouders in de omgeving aan het onderwijs stellen. Op die terreinen zal dan verbetering moeten worden nagestreefd. Bij toenemende marktwerking bestaat het gevaar dat scholen eerder risicoleerlingen weigeren. Hier zal de inspectie extra alert op moeten zijn.

Scholen bedienen zich nu al steeds vaker van marktconforme middelen en gedragen zich steeds vaker als elkaars concurrenten op de plaatselijke en/of regionale onderwijsmarkt. Met name middelbare scholen proberen met steeds professionelere middelen de aandacht van basisscholieren en hun ouders te trekken. Deze consequenties van (niet-commerciële) marktwerking kunnen alleen maar worden toegejuicht. Scholen worden erdoor gedwongen hun beste beentje voor te zetten, hetgeen voor de onderwijsconsument voordelig is.

In relatie tot autonomie, marktwerking en vraaggestuurd aanbod wordt steeds vaker het idee van vouchers genoemd. Een vouchersysteem geeft leerlingen en ouders het recht, maar tegelijkertijd ook de plicht keuzes te maken uit het onderwijsaanbod. Een dergelijk systeem kan op verschillende manieren worden gerealiseerd. De algemene gedachte is dat leerlingen en ouders het onderwijs van hun keuze gericht kopen, waardoor scholen gedwongen zullen zijn klant- en individugericht te opereren. Deze aanpak lijkt voor oudere leerlingen en studenten (met name dus in het vervolgonderwijs) een uitstekende manier om bewust met de eigen toekomst en de verschillende onderwijsmogelijkheden om te gaan. Of het voor het basis- en voortgezet onderwijs een heilzame weg is hangt met name van de ouders af. Deze zullen in de meeste gevallen toch de beslissingen moeten nemen. Maar hebben zij altijd voldoende inzicht in de mogelijkheden en consequenties?

Ouderparticipatie

In het algemeen is het goed dat scholen verzelfstandigen en democratiseren. Zodoende ontstaat er ruimte voor nieuwe initiatieven en daarmee voor nieuw elan. Tevens wordt ook meer op het verantwoordelijkheidsbesef van leerlingen, ouders en docenten gerekend. De school raakt daardoor meer ingebed in de sociale omgeving van de betrokken groepen.

In de wet- en regelgeving zou meer ruimte moeten worden gecreëerd om in te spelen op de veranderende eisen en een toenemende betrokkenheid van deze groepen, oftewel de autonomie van direct bij de school betrokkenen.

Vanwege de maatschappelijke verantwoordelijkheid in combinatie met het individuele belang van zoveel mogelijk op de eigen wensen toegesneden onderwijs dient de ouderparticipatie te worden uitgebreid. Ouders kunnen nu echter al op verschillende manieren actief bij de school betrokken zijn. Op formele wijze:

- Door (op bijzondere scholen) deel uit te maken van het schoolbestuur en daarmee van het bevoegd gezag. In de meeste gevallen vormen ouders zelfs de meerderheid, waardoor hun grote formele betrokkenheid en verantwoordelijkheid vaststaat. Garanties biedt dat echter niet: het bestuur van bijzondere scholen is competent om de eigen samenstelling te bepalen en is daarmee in theorie in staat om ouders te weren.
  Voor openbare scholen is de situatie heel anders. Deze kennen het gemeentebestuur als schoolbestuur, hetgeen de formele particuliere betrokkenheid beperkt houdt. In deze situatie komt stapsgewijs wel enige verandering. Sommige openbare scholen hebben de afgelopen jaren openbare rechtspersonen opgezet die als bestuur van de school functioneren. Hierbij wordt wel een norm van minder dan 50% van de bestuurszetels voor de ouders gehanteerd. Door dergelijke ontwikkelingen wordt de autonomie van openbare scholen en de formele ouderparticipatie sterk bevorderd. Tevens worden de verschillen tussen bijzondere en openbare scholen behoorlijk verkleind, in ieder geval wat de bestuursvorm en de rol van ouders betreft.
- Door zitting te nemen in ouderraden, medezeggenschapsraden enzovoort. Ten aanzien van een aantal onderwerpen kunnen medezeggenschapsraden besluiten van het bestuur tegenhouden. In de meeste gevallen echter heeft het bestuur als het bevoegd gezag, het laatste woord.

Informele participatie kan bestaan uit het verrichten van werkzaamheden op vrijwillige basis, bijvoorbeeld bij het helpen organiseren van speciale manifestaties, activiteiten en dergelijke. Vrijwillige medewerking van ouders kan van grote betekenis zijn voor scholen en voor de ouders zelf.

Daarnaast is er een aantal algemene vormen van betrokkenheid die vanzelfsprekend, maar tegelijkertijd heel belangrijk zijn. Naast het maken van een schoolkeuze kan worden gedacht aan het voeren van gesprekken op school en het betalen van (de huur van) schoolboeken en ander materiaal. Dit laatste in tegenstelling tot veel andere landen.[9]

Ten slotte is de al even genoemde ouderbijdrage een vorm van vrijwillige financiële participatie. Ofschoon de ouderbijdrage een vrijwillig karakter heeft wordt in de regel van ouders verwacht dat het vastgestelde bedrag betaald wordt. Wanneer ouders echter onvermogend zijn wordt vaak een speciale regeling getroffen. Met de ouderbijdragen worden in hoofdzaak speciale extra-curriculaire activiteiten gefinancierd.

In het algemeen geldt dat de ouders zelf in belangrijke mate bepalen hoe actief ze zijn. De formele participatievormen – en dan met name de bestuursbetrokkenheid – zijn echter lang niet altijd met garanties omkleed, terwijl juist daarin de mede-eindverantwoordelijkheid van de ouders zou moeten liggen. Over het algemeen bestaat die situatie op bijzondere scholen dus wel, op openbare scholen over het algemeen niet. Daar zitten dus met name de uitbreidingsmogelijkheden van formele ouderparticipatie.

Al geruime tijd wordt vanuit de samenleving, en in reactie daarop ook vanuit de politiek, het principe van de vraagsturing centraal gesteld bij het aanpakken van gerezen problemen. Beleid meer afstemmen op de wensen van degenen voor wie bepaalde dienstverlening is bedoeld. Ouders zijn, als de vertegenwoordigers van minderjarige scholieren, de vragende partij in het onderwijs. Ofschoon leerlingen de groep directe vragers vormen kunnen zij geen formele verantwoordelijkheden dragen. Wel is het goed hen sterker bij de beleidsvorming op school te betrekken, door informatie, consultatie en inspraak. Overigens bestaat voor leerlingen al de mogelijkheid om te participeren, namelijk in de medezeggenschapsraad.

Over de rol van leraren en het schoolmanagement (directie en middenkader) is veel te zeggen. Hun arbeidsomstandigheden en salariëring worden hierna kort besproken. Vanwege de beroepsmatige betrokkenheid en belangen van leraren en managers is het evident dat voor hen in een verzelfstandigde school een centrale rol moet zijn weggelegd. Als professionals beschikken zij over grote ervaring en knowhow, hetgeen in hun relatie tot ouders, leerlingen en bestuur ten volle onderkend en benut moet worden.

Het is de vraag of docenten zelf een rol in de schoolbesturen moeten spelen. Enerzijds is er wat voor te zeggen, omdat zij één van de bij de school betrokken groepen vormen. Anderzijds levert bestuursdeelname het merkwaardige beeld op dat docenten in de hiërarchische verhouding zowel boven als onder het management komen te staan. Wellicht is een door de docenten gekozen vertegenwoordiging, bestaande uit anderen dan docenten van de eigen school, een oplossing. Participatie via de medezeggenschapsraad, met instemmingsrecht ten aanzien van een aantal onderwerpen, kan natuurlijk gehandhaafd worden.

De overheid

Wanneer de particuliere betrokkenheid en verantwoordelijkheid toeneemt, kan die van de overheid verminderen. De rijksoverheid, met name het ministerie van Onderwijs, Cultuur en Wetenschappen zal, minder dan nu het geval is, centralistisch hoeven voor te schrijven hoe scholen zich moeten organiseren, hoe ze hun planning moeten verzorgen enzovoort. Verzelfstandiging en deregulering mogen echter de in de Grondwet vastgelegde overheidszorg voor het onderwijs niet in de waagschaal stellen. Als wet- en regelgever en als supervisor (onder andere door middel van de Onderwijsinspectie) dient de overheid zowel op rijksniveau als op gemeentelijk niveau een belangrijke rol te blijven spelen.

Ook in de toekomst zullen de eisen die aan het onderwijs worden gesteld worden vastgelegd in leerstandaarden. De omvang ervan zal echter minder zijn dan nu. De overheid zal daarbij algemene beginselen van onderwijskwaliteit hanteren, zoals de zorg voor maatwerk, een veilig schoolklimaat en culturele vorming, en de betrokkenheid van leerlingen en ouders etc.[10]

Het rijk financiert de scholen voor voortgezet onderwijs met een 'lumpsum'-bedrag, dat wil zeggen een pot met geld waar alle noodzakelijke uitgaven van moeten worden gedaan. Hoe het bedrag precies besteed wordt behoort tot de eindverantwoordelijkheden van elk bestuur. In het basisonderwijs gaan de ontwikkelingen ook in deze richting.

De grondwettelijk vastgelegde financiering op gelijke voet van alle vormen van onderwijs (behalve privé-scholen) is het waard om te worden gehandhaafd. Het is de taak van de overheid een goede financiële basis te leggen voor de decentrale besluitvorming en uitvoering van het onderwijs. Daarnaast moet met specifieke subsidies de vernieuwing van onderwijs en het wegnemen van achterstanden worden ondersteund.

Eén van de hoofdverantwoordelijkheden van de rijksoverheid is het verbeteren van de (financiële) positie van scholen in het algemeen en docenten in het bijzonder. De verhoging van salarissen zal met name moeten worden geëffectueerd door middel van een snellere doorgroei naar de hogere salarisschalen en meer salarisdifferentiatie. Ook voor versteviging van allerlei andere uitgavenposten (verbetering van de arbeidsomstandigheden, verlaging van de werkdruk, beter facilitair beheer, nieuwe initiatieven) is verhoging van de lumpsum noodzakelijk.

De rijksoverheid dient tevens te blijven vaststellen over welke kennis en vaardigheden leerlingen moeten beschikken om voor een diploma in aanmerking te komen. Wanneer de centrale eindtermen afgeschaft zouden worden komen leerlingen op verschillende niveaus en met verschillende kwaliteiten naar de vervolgopleidingen toe. Deze kunnen daar onmogelijk hun eerstejaarsprogramma op afstemmen.

De weg naar het behalen van het diploma moet echter zo open mogelijk worden gelaten, onder andere door scholen (en met name de vaksecties) vrij te laten in hun keuze voor onderwijsmethoden en middelen, jaarcurricula enzovoort.

De rijksoverheid moet in de vorm van wet- en regelgeving het bieden van gelijke kansen blijvend afdwingen. De overheid heeft een grote verantwoordelijkheid op gebieden als gelijkberechtiging, multiculturalisatie, vermindering van achterstanden, bewaking van de keuzevrijheid enzovoort. Het beleid op deze terreinen kan niet aan afzonderlijke scholen worden overgelaten. Het gaat om algemeen-maatschappelijke belangen, die in strijd kunnen zijn met de particuliere belangen van een school.

Er van uitgaande dat een vertrouwde, overzichtelijke en herkenbare omgeving zowel de leerprestaties als de sociale cohesie ten goede komt, zou, op initiatief van de overheid, de schaalvergroting die in het afgelopen decennium zo sterk is doorgevoerd, in ieder geval deels weer moeten worden teruggedraaid. In het onderwijs dient zoveel mogelijk de menselijke maat centraal te staan.

Schaalverkleining kan echter ook problemen opleveren. Voor de besturen van kleine scholen zal het in bepaalde situaties (bijvoorbeeld hoog ziekteverzuim onder docenten) lastig zijn om zelfstandig de problemen op te lossen. Decentralisatie en autonomie op kleine schaal leidt in dergelijke gevallen tot meer problemen.

De Onderwijsraad stelt in een recent verschenen rapport als oplossing voor de autonomie te laten variëren al naar gelang het vermogen van scholen om het beleid zelf te ontwikkelen. "De beleidsruimte van scholen zoals deze door wet- en regelgeving worden ingekaderd komt dan te variëren met het vermogen van scholen om die autonomie in te vullen".[11]

Een andere oplossing kan worden gevonden in het aangaan van nieuwe verbanden. Als, door reorganisaties, samenwerking tussen of zelfs samengaan van verschillende scholen kan worden gecombineerd met behoud van het kleinschalige karakter en een eigen identiteit van een bepaalde locatie verdient dat de voorkeur. Hierbij zal het in de regel gaan om scholen met dezelfde denominatie. De eerdergenoemde samenwerkingsscholen vormen de uitzondering op die regel.

Ook de lesbevoegdheid, het minimum aantal aan onderwijs te besteden uren, de omvang van het verplichte (en daarmee dus ook het vrije) deel voor alle groepen en leerlagen is bij de overheid in goede handen. Ten slotte heeft de rijksoverheid door middel van de Onderwijsinspectie de taak scholen te inspecteren op kwaliteit, werkwijze, reglement, omstandigheden enzovoort.

De overheid heeft ook op gemeentelijk niveau directe betrokkenheid bij het onderwijs. Het gemeentebestuur draagt twee verschillende verantwoordelijkheden ten aanzien van scholen. Behalve dat ze de algemeen-toezichthoudende instantie is voor al het onderwijs binnen de gemeentegrenzen (bijvoorbeeld ten aanzien van de huisvesting en de controle op de naleving van de leerplichtwet) vormt zij tevens het bestuur van de openbare scholen. De situatie zou een stuk overzichtelijker worden wanneer de gemeentelijke overheid (gemeentebestuur en ambtenarij) zich volledig zou concentreren op de eerstgenoemde verantwoordelijkheid en het bestuur van afzonderlijke scholen aan particulieren zou overlaten.

Conclusies

Onderwijs behoort een gedeelde verantwoordelijkheid van de overheid en de direct bij het onderwijs betrokkenen te zijn. De overheid als waker over het algemeen belang middels wet- en regelgeving en kwaliteitscontrole, de ouders (en docenten) om de organisatie, de identiteit, de cultuur, de keuze voor leermiddelen enzovoort te bepalen. Deze omschrijving is momenteel voor bijzondere scholen in sterkere mate van toepassing dan voor openbare. De formele ouderparticipatie is er al ontwikkeld in de vorm van het bestuurslidmaatschap van ouders, hetgeen directe medeverantwoordelijkheid voor het schoolbeleid met zich mee brengt.

Er is een aantal redenen te noemen waarom het Nederlandse onderwijsbestel herzien moet worden.

- Het huidige onderwijsbestel is geen afspiegeling van de moderne ontzuilde maatschappij. Na decennia van secularisatie is de meerderheid van de scholen nog immer bijzonder-confessioneel van identiteit. Bij de meeste daarvan zijn de scherpe kantjes er al lang van afgesleten. Ook veel niet-kerkelijke ouders sturen hun kinderen naar een confessionele school, hoofdzakelijk vanwege de goede naam. Het is te betwijfelen of die kwaliteit nog steeds is gerelateerd aan de identiteit.
  Het aantal typen onderwijs is weliswaar tamelijk uitgebreid, maar op lokaal niveau kan het aanbod toch zeer beperkt zijn, met name in kleine plaatsen. Het kan heel wel zijn dat een grote groep ouders zich niet goed kan vinden in de identiteit van de bestaande scholen en eigenlijk liever zelf, in samenwerking met de docenten, de identiteit van één ervan zou willen vaststellen.
- De vrijheid van onderwijs moet worden geherdefinieerd. De vrijheid van schoolkeuze moet als even belangrijk worden beschouwd als de klassieke vrijheid van onderwijs, hetgeen betekent dat scholen alleen nog leerlingen zouden mogen weigeren vanwege het vereiste opleidingsniveau, ruimtegebrek of dergelijke en niet meer vanwege godsdienst of afkomst.
- Het gemeentebestuur draagt een dubbele pet ten aanzien van het openbaar onderwijs. Wanneer zij niet langer het bevoegde gezag van afzonderlijke scholen vormt en alleen nog een algemene verantwoordelijkheid draagt voor het onderwijs in de gemeente, komt dat de bestuurlijke zuiverheid ten goede.
- Aangezien het gerechtvaardigd lijkt te veronderstellen dat directe verantwoordelijkheid voor betrokkenen gunstig uitpakt voor de betrokkenheid en de onderlinge verstandhouding en daardoor voor de sfeer en de kwaliteit, dan zouden niet alleen op bijzondere, maar ook op openbare scholen ouders (en eventueel ook docenten, of hun vertegenwoordigers) de bestuursverantwoordelijkheid moeten krijgen. Hiertoe zijn op sommige openbare scholen al stappen gezet, in de vorm van speciale rechtspersonen.

Het samenvoegen van deze argumenten leidt naar één eenduidige regeling voor alle scholen. Het verschil tussen openbare en bijzondere scholen verdwijnt. De geformaliseerde participatie van de ouders in de vorm van bestuursverantwoordelijkheid wordt op alle scholen ingevoerd. De direct betrokkenen krijgen de mogelijkheid om de identiteit van de school vast te stellen. Dat zou handhaving van de oude identiteit, namelijk strikt neutraal en niet-onderwijsvernieuwend, kunnen zijn, maar ook enigszins of behoorlijk daarvan afwijkend. Hetzelfde geldt voor alle bestaande bijzondere scholen. Elk zou de eigen identiteit kunnen bevestigen of heroverwegen.

Voor ouders die op zoek zijn naar een school moet zo duidelijk mogelijk worden gemaakt wat de identiteit van de school is. In combinatie met de wettelijke informatieplicht over met name de schoolresultaten levert dat uitstekend vergelijkingsmateriaal op voor kritisch-bewuste ouders.

Met de realisatie van een dergelijk bestel zou een al lang gekoesterde D66-wens worden vervuld, namelijk de verzelfstandiging van openbare scholen naar het voorbeeld van de bijzondere scholen.

De in de Grondwet vastgelegde financiële gelijkstelling blijft bestaan en de landelijke wetgeving blijft op alle scholen in gelijke mate van toepassing. Ook de eindverantwoordelijkheid op het terrein van de kwaliteit en de toegankelijkheid blijft bij de overheid liggen.

In paragraaf 2 is al even het concept van de samenwerkingsschool genoemd. Dit type school is in de jaren negentig geïntroduceerd als mogelijkheid om een brug te slaan tussen het openbare en bijzondere onderwijs. Dit betekent dat het schoolbestuur gecombineerd is samengesteld (wel en niet gedenomineerd) en dat de mogelijkheid aan ouders wordt geboden om zowel bijzonder als openbaar onderwijs te laten volgen. Dit laatste komt met name tot uitdrukking in een parallel aanbod van godsdienstig-levensbeschouwelijke vakken. Het concept en de benaming van de samenwerkingsschool blijft echter uitgaan van de bestaande typen onderwijs. Het structureel veranderen van het onderwijsbestel is wat hiervoor is bepleit.

Wanneer door ruim voldoende middelen en hoge mate van participatie van de betrokkenen het onderwijs naar een hoger plan getild wordt kan wellicht de tendens naar toename van het strikt particuliere initiatief, met name de commerciële variant, in de onderwijssector worden beteugeld. Het belang van ouders om hun kinderen goed onderwijs te laten volgen is duidelijk: een afgeronde opleiding op het eigen leerniveau en een levendige, verantwoorde omgang met leeftijdgenoten en leraren op de school naar keuze. Tegelijkertijd is goed onderwijs een zeer groot algemeen belang. De overheid zal moeten zorgen voor heldere wettelijke kaders en ruim voldoende financiële middelen. De ouders en ook andere direct betrokkenen daarentegen moeten in sterkere mate hun vrijheid benutten en hun verantwoordelijkheid nemen. Het kwaadaardige virus in het lichaam van de stevig gebouwde patiënt moet tenslotte zo snel mogelijk onschadelijk worden gemaakt ....

Noten

1. Zie behalve de specifieke verwijzingen in het vervolg van de tekst ook: *Aansprekend opvoeden – Balanceren tussen steun en toezicht*, Raad voor Maatschappelijke Ontwikkeling, Den Haag 2001; A. Burger en P. Dekker (red.), *Noch markt, noch staat*, Sociaal en Cultureel Planbureau, Den Haag 2001;
   H.M. Bronneman-Helmers m.m.v. C.G.J. Taes, *Scholen onder druk*, Sociaal en Cultureel Planbureau, Den Haag 1999; O. van Munster, E.J.T. van den Berg, A. van der Veen, *De toekomst van het middenveld*, Berenschot Fundatie, Den Haag 1996; *Toegankelijkheid van het Nederlandse onderwijs*, Onderwijsraad, Den Haag 1997; en *D66: een blijvend appèl! – 35 jaar werken aan vernieuwing*, D66, Den Haag 2001.
2. *Winst en Gezondheidszorg*, Raad voor de Volksgezondheid en Zorg, Zoetermeer 2002.
3. *Voor een dubbeltje op de eerste rang – Onderwijs tussen ambities en mogelijkheden*, NYFER, Breukelen 2001.
4. Ib Waterreus, *Incentives in secondary education, an international comparison*, Max Goote Kenniscentrum, Amsterdam 2001.
5. *Sociaal en cultureel rapport 2000*, Sociaal en Cultureel Planbureau, Den Haag 2000.
6. *De sociale staat van Nederland 2001*, Sociaal en Cultureel Planbureau, Den Haag 2001.
7. De Groninger Vensterscholen vormden de voorhoede van de paar honderd brede scholen die Nederland inmiddels rijk is. Voor een goede impressie van het ontstaan van de Vensterscholen zij verwezen naar het artikel 'School venster van de wereld' van Henk Pijlman (initiator van dit schooltype) in *Idee*, tijdschrift van het Wetenschappelijk Bureau van D66, november 2001, nummer 5.
8. *Grenzeloos leren, Verkenningen van het ministerie van Onderwijs, Cultuur en Wetenschappen*, Den Haag 2001.
9. Ib Waterreus, *Incentives in secondary education*.
10. *Grenzeloos leren*.
11. *Wat scholen vermogen – Autonomie, beleidsvoerend vermogen en bestuurlijke inrichting in het primair en voortgezet onderwijs*, Onderwijsraad, Den Haag 2001.

Personalia

Drs. J.W. van Berkum (1975) is wetenschappelijk medewerker van de Guido de Brès-Stichting, het studiecentrum van de SGP. Hij studeerde bestuurskunde aan de Universiteit Twente.

Drs. E. Dees studeerde politicologie (afstudeerrichting internationale betrekkingen). Na werkzaam geweest te zijn in het voortgezet onderwijs als docent maatschappijleer en als afdelingsleider, werkt hij sinds vorig jaar als coördinator politiek-wetenschappelijk werk voor D66.

Prof. dr. P. Dekker is politicoloog en doet bij het Sociaal en Cultureel Planbureau en het instituut Globus van de Katholieke Universiteit Brabant onderzoek op het brede terrein van politiek en civil society.

Mr. G.J.A. Hamilton is directeur Wetgeving en Juridische Zaken van het Ministerie van Volksgezondheid, Welzijn en Sport; van 1993 tot 1999 was hij voorzitter van de Association Internationale de la Mutualité en vice-voorzitter van het Consultatief Comité van Coöperaties, Onderlingen, Verenigingen en Stichtingen van de Europese Unie.

Drs. P. Kalma is socioloog. Sinds 1977 is hij verbonden aan de Wiardi Beckman Stichting, het wetenschappelijk bureau van de Partij van de Arbeid, sinds 1989 als directeur. Hij publiceerde onder meer: *De illusie van de 'democratische staat'* (1982); *Het socialisme op sterk water* (1988); *De wonderbaarlijke terugkeer van de solidariteit* (1995); *Draagkracht onder druk* (1998, met C.A. de Kam en F. Becker) en *Ondernemen of overnemen* (2001, met B. Hogenboom en M. Plantinga).

Dr. A. Klink is socioloog en is aan een rechtenfaculteit gepromoveerd; na zeven jaar wetenschappelijk medewerker te zijn geweest bij het Wetenschappelijk Instituut voor het CDA, werkte hij zeven jaar in diverse functies bij het ministerie van Justitie om in 1999 als directeur terug te keren bij het Wetenschappelijk Instituut voor het CDA.

Drs. T. van den Klinkenberg, socioloog, is directeur beleid van FORUM, Instituut voor Multiculturele Ontwikkeling.

Drs. M.G.K. Kreuger studeerde politicologie en filosofie en schreef een doctoraal-scriptie in de politicologie over de crisis in de gezondheidszorg. Thans is hij wetenschappelijk medewerker bij de Prof. mr. B.M. Teldersstichting en eindredacteur van Liberaal Reveil.

Drs. H. Krijnen, politicoloog, is hoofd van de sectie Informatie van FORUM, Instituut voor Multiculturele Ontwikkeling.

Prof. dr. R. Kuiper (1962) is bijzonder hoogleraar Reformatorische Wijsbegeerte aan de Erasmus Universiteit te Rotterdam en directeur van het Wetenschappelijk Instituut van de ChristenUnie.

Drs. J. van der Lans is cultuurpsycholoog en journalist. Voor GroenLinks is hij lid van de Eerste Kamer. Hij maakte deel uit van de commissie die het GroenLinks verkiezingsprogramma 2002-2006 heeft geschreven. Zijn (samen met Stavros Zouridis geschreven) bijdrage aan deze bundel kwam tot stand in samenwerking met het Wetenschappelijk Bureau GroenLinks.

Drs. N. Schouten, 56 jaar, is hoofd van het wetenschappelijk bureau van de Socialistische Partij. Hij is afgestudeerd als socioloog aan de Vrije Universiteit (1978) en is jarenlang werkzaam geweest in de vredesbeweging.

Mr. H.D. Tjeenk Willink is sinds 1997 vice-president van de Raad van State. Eerder was hij onder andere Regeringscommissaris reorganisatie Rijksdienst, buitengewoon hoogleraar aan de Katholieke Universiteit Brabant, kabinetsinformateur en voorzitter van de Eerste Kamer der Staten-Generaal.

Drs. S.P.M. de Waal is partner bij Boer&Croon Strategy and Management Group, waarbinnen hij zich vooral richt op de opbouw van een internationaal kennis- en researchcentrum rond ondernemerschap in de publieke sector (Public SPACE, Center on Strategies for Public And Civil Entrepreneurs). Dit is ook het onderwerp van zijn talrijke publicaties en bijdragen aan (internationale) congressen. Steven de Waal is lid van het partijbestuur van de PvdA.

Dr. S. Zouridis is als universitair hoofddocent bestuurskunde verbonden aan het Centrum voor Recht, Bestuur en Informatisering van de Katholieke Universiteit Brabant. Hij maakte deel uit van de commissie die het GroenLinks verkiezingsprogramma 2002-2006 heeft geschreven. De bijdrage die hij samen met Jos van der Lans in deze bundel schreef, kwam tot stand in samenwerking met het Wetenschappelijk Bureau GroenLinks.

Publicaties van het Sociaal en Cultureel Planbureau

Werkprogramma

Het Sociaal en Cultureel Planbureau stelt elke twee jaar zijn Werkprogramma vast. De tekst van het lopende programma (2002-2003) is te vinden op de website van het SCP: www.scp.nl.

Het Werkprogramma is rechtstreeks te bestellen bij het SCP. ISBN 90-377-0097-7 (€ 10,-).

SCP-publicaties

Onderstaande lijst bevat een selectie van publicaties van het Sociaal en Cultureel Planbureau. Deze publicaties zijn verkrijgbaar bij de boekhandel (prijswijzigingen voorbehouden). Een complete lijst is te vinden op de website van het SCP: www.scp.nl.

Sociale en Culturele Rapporten

Sociaal en Cultureel Rapport 1998. ISBN 90-5749-114-1 (€ 41,-)

Sociaal en Cultureel Rapport 2000. ISBN 90-377-0015-2 (€ 34,-)

The Netherlands in a European Perspective. Social & Cultural Report 2000. ISBN 90-377-0062 4 (English edition 2001) ($ 99.50)

Nederlandse populaire versie van het SCR 1998

Een kwart eeuw sociale verandering in Nederland; de kerngegevens uit het Sociaal en Cultureel Rapport. Carlo van Praag en Wilfried Uitterhoeve. ISBN 90-6168-662-8 (€ 11)

Engelse populaire versie van het SCR 1998

25 years of social change in the Netherlands; Key data from the Social and Cultural Report 1998. Carlo van Praag and Wilfried Uitterhoeve. ISBN 90-6168-580-x (€ 11)

Nederlandse populaire versie van het SCR 2000

Nederland en de anderen; Europese vergelijkingen uit het Sociaal en Cultureel Rapport 2000. Wilfried Uitterhoeve. ISBN 90-5875-141-4 (€ 13,40).

SCP-publicaties 2001

2001/1   Gewenste groei. Bevolkingsgroei en sociaal-ruimtelijke ontwikkelingen in ex-groeikernen (2001). ISBN 90-377- 0031-4 (€ 15,90).

2001/2   Noch markt, noch staat. De Nederlandse non-profitsector in vergelijkend perspectief (2001). ISBN 90-377-0027-6 (€ 27,30).

2001/3   Onderwijs in allochtone levende talen. Een verkenning in zeven gemeenten (2001). ISBN 90-377-0050-0 (€ 13,60).

2001/4   Verstandig verzorgd. Een empirisch onderzoek naar de efficiëntie van de intramurale
           zorg voor verstandelijk gehandicapten (2001). ISBN 90-377-0051-9 (€ 11,35).
2001/5   Trends in de tijd. Een schets van recente ontwikkelingen in tijdsbesteding en
           tijdsordening (2001). ISBN 90-377-0068-3 (€ 15,90).
2001/6   Vrij om te helpen. Verkenning betaald langdurig zorgverlof (2001).
           ISBN 90-377-0053-5 (€ 18,20).
2001/8   Zo gewoon mogelijk. Een onderzoek naar draagvlak en draagkracht voor de vermaat-
           schappelijking in de geestelijke gezondheidszorg (2001). ISBN 90-377-0071-3
           (€ 30).
2001/10   Over werken in de postindustriële samenleving (2001). ISBN 90-377-0057-8
           (€ 34,10).
2001/11   Rapportage ouderen 2001. Veranderingen in de leefsituatie (2001).
           ISBN 90-377-0059-4 (€ 29,55).
2001/13   De stad in de omtrek (2001). ISBN 90-377-0060-8 (€ 18,20).
2001/14   De sociale staat van Nederland 2001. ISBN 90-377-0067-5 (€ 36,15).
2001/17a   Rapportage minderheden 2001. Deel 1 Vorderingen op school.
           ISBN 90-377-0075-6 (€ 22,50).
2001/17b   Rapportage minderheden 2001. Deel 2 Meer werk. ISBN 90-377-0077-2
           (€ 14,80).
2001/17   Deel 1 en 2 Rapportage minderheden 2001. ISBN 90-377-0078-0 (€ 32,95).
2001/18   Armoedemonitor 2001 (2001). ISBN 90-377-0069-1 (€ 20,42).

SCP-publicaties 2002
2002/2   Van huis uit digitaal. Verwerving van digitale vaardigheden tussen thuismilieu en
           school. (2002). ISBN 90-377-0089-6 (€ 19)
2002/3   Voortgezet onderwijs in de jaren negentig (2002). ISBN 90-377-0072-1.

Onderzoeksrapporten 2001
2001/7   Geleidelijk digitaal (2001). ISBN 90-377-0083-7 (€ 12).
2001/9   Het beeld van de wetenschap (2001). ISBN 90-377-0056-x (€ 13,60).
2001/15   Een model voor de strafrechtelijke keten (2001). ISBN 90-377-0066-7 (€ 18,20).
2001/16   Efficiency of Homes for the Mentally Disabled in the Netherlands (2001).
           ISBN 90-377-0064-0 (€ 11,35).
2001/21   De leefsituatie van allochtone ouderen in Nederland (2001) ISBN 90-377-0080-2
           (€ 12,90).

Onderzoeksrapporten 2002
2002/01 Onbetaalde arbeid op het spoor. ISBN 90-377-0073-x (€ 12).

Werkdocumenten (rechtstreeks te verkrijgen bij het SCP).
67   De vraag naar kinderopvang (2001) (€ 6,80).
68   Trends en determinanten in de sport (2000) (€ 6,80).
69   De toekomst van de AWBZ (2001) (€ 6,80).

Overige publicaties